Spreuken
&
slaapzakken

Sarah Mlynowski

Spreuken
&
Slaapzakken

Uit het Engels vertaald door Era Gordeau

Van Goor

ISBN 978 90 475 0200 5
NUR 284
© 2007 Uitgeverij Van Goor
Unieboek BV, postbus 97, 3990 DB Houten

oorspronkelijke titel *Spells and Sleeping Bags*
oorspronkelijke uitgave © 2007, Delacorte Press, New York

www.van-goor.nl
www.unieboek.nl

tekst Sarah Mlynowski
vertaling Era Gordeau
omslagillustratie Robin Zingone
omslagtypografie Marieke Oele
zetwerk binnenwerk Mat-Zet BV, Soest

Voor

de meiden

van

slaapzaal 9

Allemaal instappen!

Ik weet tamelijk zeker dat het niet de bedoeling is dat mijn rugzak opstijgt van het trottoir van Fifth Avenue en erboven gaat zweven. Oeps. Ik duik (enigszins) discreet naar een van de rode schouderbanden en zet hem weer naast mijn voeten neer.

Pompompom.

Mijn moeder, die het gelukkig te druk heeft met het bestuderen van de geparkeerde kampbussen langs de straat, vraagt: 'Weet je waar jullie naartoe gaan?'

'Ja, mam,' zegt mijn zus en ze rolt met haar ogen. 'We kunnen lezen. We zitten samen in dezelfde bus. Er staat op het bordje "meisjes klas 1 tot en met 3", en aangezien we daar allebei bij horen, gaan we daarin. Jammer genoeg.'

Miri is er niet blij mee dat ze voor zeven weken afgevoerd wordt naar Camp Wood Lake in het Adirondackgebergte. Ze zou veel liever in de stad blijven, vrij om de zomer door te brengen zoals zij dat wil, namelijk met het helpen van de daklozen. Dat is haar huidige bevlieging.

Helaas voor haar kan ze de daklozen niet helpen, nu ze naar een

zomerkamp vol verwende rijke kinderen gestuurd wordt. Dat zijn haar woorden, niet de mijne. Ik vind het geweldig om de zomer door te brengen met verwende rijke kinderen. Nee, wacht. Dat kwam er niet goed uit. Wat ik bedoel, is dat ik het geweldig vind om naar een kamp te gaan, omdat ik het geweldig vind om wat dan ook te doen tegenwoordig.

Dolgelukkig. Springen-op-de-bank-alsof-het-een-trampoline-is-gelukkig.

Waarom? Omdat ik eindelijk een heks ben!

Nee, niet een heks als in 'gemeen' of 'humeurig'. Ik trek niet aan het haar van mijn zus en ruk ook niet de hoofden van haar barbies eraf. (Niet dat een van ons nog barbies heeft. Nou ja, oké. Niet dat ik nog met ze speel. Goed, ze liggen in een zak achter in mijn kast en soms haal ik ze eruit om te kijken hoe het met ze gaat, maar dat is alles. Ik zweer het.) Ik heb magische krachten, net als Hermione en Sabrina. Net als mijn zus. En mijn moeder.

In februari ontdekten we dat mijn zus een heks is. Mijn moeder, die ervoor gekozen had om door het leven te gaan als een niet-praktiserende heks, had nooit iets meegedeeld over deze specifieke familietrek, omdat ze hoopte dat haar magische krachten op de een of andere manier haar kinderen zouden overslaan. En een tijd lang zag het ernaar uit dat dat bij mij het geval was. Maar oh nee, dat was niet zo. We zijn allebei heksen. Vingerknippende, bezemvliegende, spreuksprekende heksen. Yes! En nu ik een heks ben, kan niets mijn zeepbel van overweldigend geluk uiteen laten spatten. Ik bedoel maar, hallo! Ik beschik eindelijk over magische krachten! Ik kan alles tevoorschijn toveren wat ik wil. Meer handtassen? Hoepla. Lekkerder eten? Wham. Vrienden? Hoppetee. Nah, ik ga waarschijnlijk geen spreuken uitspreken over eventuele vrienden, want het betoveren van individuen is moreel onjuist. Maar als ik het wilde, zou het wel kunnen. Waarom? Omdat ik een heks ben!

Zelfs als níemand in mijn slaapzaal deze zomer bevriend met mij wil zijn – en ik zou niet weten waarom niemand dat wil, want geen van hen zit bij mij op school en niemand weet dus iets van mijn recente sociale blunders (we sprongen een beetje wild en zorgeloos om met Miri's toverkrachten) –, dan nog kan het me niet schelen.

Waarom niet? Omdat ik een heks ben!

Zelfs als Raf deze zomer niet verliefd op me wordt – ja, Raf Kosravi, de coolste jongen uit mijn klas en, zou ik willen toevoegen, de liefde van mijn leven, is ook in Camp Wood Lake –, wat dan nog? Pech voor hem.

Waarom? Omdat ik een heks ben!

Oké, dat is een leugen. Niet het heksgedeelte (jippie!), maar het deel over Raf. Het kan me heel veel schelen als hij niet verliefd op me wordt. Maar je snapt wel wat ik bedoel.

Sinds ik vorige maand bij het gala mijn toverkracht ontdekte, is mijn ego wel driehonderd kilo zwaarder geworden. Mijn moeder en mijn zus waren natuurlijk heel blij voor me. Blij dat ik gelukkig was, en blij dat ze niet langer mijn gezeur aan hoefden te horen over mijn gebrek aan toverkracht.

De eerste week na het gala kon ik het niet laten om alles in mijn omgeving te betoveren. Lampen. De televisie. Miri's spullen. 'Ik kan het, ik kan het!' juichte ik, terwijl ik apetrots haar kussen liet zweven.

Toen kwam mijn moeder binnen en zei dat ik het beter kalm aan kon doen met mijn getover. 'Als je op kamp wilt, moet je me beloven dat je je inhoudt.'

'Natuurlijk,' zei ik, 'maar kijk dan toch! Eindelijk kan ik iets cools!'

Aangezien mijn moeder schrikbarend laag scoort op de hipheidsmeter, moest ik het uitleggen. 'Ik heb techniek. Handigheid. Stijl.'

'Begrepen,' zei ze en ze vertrok. En op dat moment explodeerde Miri's kussen. Veren en Miri's roze kussensloop vlogen als confetti door haar kamer. 'Sorry,' piepte ik.

'Ophouden met cool doen!' schreeuwde Miri, dekking zoekend tegen de muur.

'Ongelukje,' zei ik schaapachtig. 'Niet aan mam vertellen.' Ik wilde mijn moeder geen excuus geven om mij thuis en bij Raf vandaan te houden.

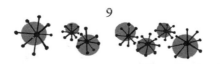

Waar is hij, trouwens? Ik ga op mijn tenen staan en tuur eerst de drukke straat in en daarna in de richting van Central Park. De zes wachtende bussen nemen als het goed is alle kampgangers uit Manhattan mee, maar helaas lijkt Raf daar niet bij te zijn. Ik weet dat hij deze zomer op kamp gaat naar Wood Lake. Hij heeft me verteld dat hij zich heeft ingeschreven. En hij gaat er al jaren heen. Dus waar is hij?

Er zijn wel veel andere knappe jongens, trouwens. Niet dat ik daarop let. Oh nee, mijn hart behoort aan Raf toe.

Toet! Toet! Toet!

Het is zo lawaaierig in de stad. De middagzon brandt op mijn hoofd en iedereen ziet er ongemakkelijk en bezweet uit. In tegenstelling tot Miri verlang ik er serieus naar om van het walgelijke, luchtvervuilde eiland Manhattan te vertrekken. Tot ziens school, metro en wolkenkrabbers. Hallo zomer, zonnebrandcrème en slaapzakken!

Mijn moeder omhelst me innig. 'Jullie gaan wel naast elkaar zitten, hè?'

'Ja, mam, we gaan naast elkaar zitten,' zeg ik vanonder haar linkeroksel. Ze mag mijn zorgvuldig aangebrachte mascara of keurig gladgeborstelde haar niet in de war maken. Het heeft me een halfuur gekost om mijn woeste haardos glad te laten lijken en dit is deze zomer waarschijnlijk de enige keer dat mijn haar ongekruld is. Ik heb voor mezelf zo'n megapopulaire ontkrultang gekocht en ik kan je wel vertellen dat mijn haar rechter is dan de stoep waarop we staan. Maar hoe ik ook smeekte (ik heb het over op mijn knieën smeken), mijn irritante moeder was ervan overtuigd dat ik niet alleen mijn eigen slaapzaal zou laten afbranden, maar het hele kamp en ze verbood me om de ontkrultang mee te nemen. Ze heeft de afgelopen maand buitengewoon paranoïde doorgebracht met de gedachte dat ik ons appartement in vlammen zou laten opgaan, en iedere keer dat ik uit mijn kamer tevoorschijn kwam zonder mijn gebruikelijke kroezende haardos, rende ze meteen naar binnen om te controleren of ik de stekker wel uit het stopcontact gehaald had.

Ik begrijp niet wat haar probleem is: ik heb de stekker er maar één keer in laten zitten.

Oké, twee keer, maar toch, ik heb nooit brand veroorzaakt.

Wacht eens even. Waar maak ik me druk om? Als mijn haar gaat krullen, kan ik het zomaar recht toveren. Ha! Ontkrultangen zijn voor gewone stervelingen. Ik ben een heks. Een übermachtige, onoverwinnelijke heks.

Verdorie. Mijn stompzinnige rugzak begint weer te zweven. Waarom doet hij dat? Ik maak me los uit mijn moeders omhelzing om hem te pakken, maar deze keer zwaai ik hem over mijn linkerschouder om hem op zijn plek te houden. Ik kijk koortsachtig rond om vast te stellen of niemand dit verheffende tafereel heeft gezien.

Noppes. Men lijkt zich niet in verwarring op zijn hoofd te krabben en naar adem te happen vanwege de schok. Opgeluchte zucht.

Lex, de nieuwe vriend van mijn moeder, komt terug nadat hij een parkeerplaats gevonden heeft en pakt haar hand vast. Ze zijn onafscheidelijk sinds ze met elkaar uitgaan. Telkens wanneer ik hen zie, lopen ze hand in hand, terwijl ze liefdevol in elkaars ogen staren of...

'Bah,' zegt Miri. 'Kunnen jullie alsjeblieft ophouden met dat geflikflooi in het openbaar? Ik word er wagenziek van.'

'Busziek,' zeg ik en ik vrees het ergste. Dat zou pas een geweldige eerste indruk maken. Toch neem ik het mijn zus niet kwalijk. Al dat geflikflooi is, nou ja, misselijkmakend. En ja, mijn moeder en Lex staan te kussen. Hier. Op straat.

Ze zijn altijd aan het zoenen. Ze zoenen in de keuken, als ze niet in de gaten hebben dat we hen kunnen zien. In restaurants, als ze vergeten dat we tegenover hen zitten. Op Fifth Avenue, tussen twee zijstraten in, als we op het punt staan op kamp te gaan. Geen walgelijk gezoen met open monden, maar voortdurende kleine verliefde kusjes die ons in verlegenheid brengen. Zeg nou zelf. Ik kan er niets aan doen dat het me opvalt dat willekeurige kinderen en toeristen stiekem naar hen tweeën kijken en dan beginnen te grijnzen. Dit is een van de redenen waarom ik mijn vader en mijn stiefmoeder dringend verzocht heb om ons vandaag niet te komen uit-

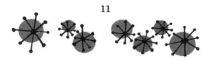

zwaaien. Als ik er al helemaal gek van word, dan kun je wel raden hoe gestoord mijn vader ervan wordt. De andere reden is dat mijn moeder dan had moeten praten met Jennifer en dat mijn vader Lex moest ontmoeten en echt waar, het idee dat zij zich met z'n vieren op hetzelfde continent bevinden, laat staan in dezelfde straat, zorgt ervoor dat ik me onder de dekens wil verstoppen. Iemand anders nog scheidingsproblemen?

Mijn moeder giechelt. Sinds het moment waarop ze een relatie kreeg met Lex (of Oude Man Lex, zoals Miri en ik hem stiekem noemen, aangezien hij ongeveer honderd jaar is – oké dan, misschien is hij pas vijftig – en gezien het feit dat zijn borstelige wenkbrauwen en de acht haren die hij nog op zijn hoofd heeft grijs zijn), giechelt ze veel en vaak. 'Miri,' zegt ze nu, en ze houdt Lex' hand nog steeds stevig vast, 'jij let deze zomer wel op je zus, hè?'

'Hé!' Is het normaal dat mijn moeder aan Miri, die twee jaar jonger is dan ik, vraagt om op mij te passen? Ik dacht het niet.

'Ik wil dat ze erop toeziet dat je voorzichtig omspringt met je' – ze gaat zachter praten – 'Glinda.'

Is Glinda een pop? Een barbiepop die ik per se mee op kamp wil nemen ondanks het risico dat andere kampgangers me zullen uitlachen vanwege mijn kinderlijke neigingen?

Nee.

Glinda is mijn moeders nieuwe codewoord voor toverkracht. En ja, ze heeft die kracht vernoemd naar de goede heks uit *The Wizard of Oz*.

'Ik beloof het, mam,' zeg ik. 'Ik zal voorzichtig zijn met mijn Glinda.'

Lex kijkt naar mijn moeder en daarna naar mij. Het is duidelijk dat hij geen idee heeft wie Glinda is of waarom ik zo goed op haar moet passen. Hoe intiem ze inmiddels ook zijn, mijn moeder heeft hem nog steeds niet haar diepe, donkere geheim verteld. Maar aangezien ze het mijn vader ook nooit verteld heeft, zou ik niet mijn adem inhouden onder het wachten op het moment dat ze het gaat onthullen aan de nieuwe man in haar leven.

Ze haalt de afgekloven nagels van haar vrije hand door haar kor-

te, blond geverfde haar. 'Gebruik het alsjeblieft niet, behalve als het absoluut niet anders kan.'

Best.

'Veel plezier, meiden,' zegt Lex en hij knijpt ons allebei in onze schouder. Hoewel hij elke dag bij mijn moeder is, heeft hij nog niet het niveau bereikt van een aanstaande stiefvader die de dochters knuffelt. Hoe aardig hij ook is, we gaan niet zomaar een oude man staan knuffelen. Oké, zo oud is hij ook weer niet. Maar hij is wel behoorlijk oud.

'Pas goed op onze moeder, Lex,' zeg ik, terwijl ik aan Miri's arm trek. 'Kom, we gaan.'

'Komt voor elkaar,' zegt hij. 'Veel plezier en vergeet niet naar huis te schrijven.'

'Dat doen we!' zing ik en ik schuif dichter naar de bus. Tijd om met het feest te beginnen!

Mijn moeder trekt een droevig hondengezicht. 'Dag, meisjes. Ik hou van jullie.'

'Ik hou van jou!' zeggen Miri en ik tegelijk en we geven haar nog een groepsknuffel (zonder Lex).

'Ik zal jullie missen,' zegt mijn moeder en haar stem breekt.

Help. Oh nee. Brandende ogen! Brandende ogen! Nee, niet doen, niet doen...

'We zullen jou ook missen,' zegt Miri en ze barst in tranen uit.

Snik. Mijn tranen laten natuurlijk mijn mascara uitlopen over mijn wangen en mijn nek en ze laten mijn haar kroezen.

'Naam?' zegt het pen kauwende meisje dat voor de poort naar mijn geluk, de busdeur dus, staat. Haar korte blonde paardenstaart piept uit haar honkbalpetje van de Mets. Ze knaagt op de achterkant van haar pen alsof het een stuk zoethout is.

'Rachel Weinstein.'

Knaag, knaag. 'In welke klas zat je?'

'De derde,' zeg ik trots. Ik ga naar de vierde. Dat is erg oud. Ik heb zo goed als examen gedaan. Ik ga vrijwel naar de universiteit. Ik ben bijna volwassen. Voor je het weet, rijd ik in mijn eigen auto,

heb ik kinderen en stuur ik hen op kamp. Jeetje, dat is een leuk idee! Dat mijn kinderen naar hetzelfde kamp gaan waar ik ben geweest. Hetzelfde kamp waar ik heen ga, als deze penkauwer me ooit in de bus laat stappen.

'Dan ben je dus een ouderejaars Leeuw.'

Brul? 'Okeetjes.'

Ze neemt nog een hap van haar pen en die ontploft in een helderblauwe smurrie op haar lippen.

'Eh, je hebt inkt op je gezicht,' deel ik haar mee.

Ze voelt aan haar gezicht en staart vervolgens naar het kleverige blauw op haar vingers. 'Ik haat het als dat gebeurt,' zegt ze met een zucht. Ze streept mijn naam af en zucht opnieuw. 'Ik ben Janice, hoofd van je afdeling.'

Ik heb geen idee wat een hoofd van een afdeling is, maar het schijnt nogal stressverhogend te zijn.

'Hallo, afdelingshoofd Janice,' antwoord ik.

Ze bestudeert haar papieren en zucht alweer. 'Je slaapt in slaapzaal veertien. En wie ben jij?' vraagt ze aan Miri.

Terwijl Miri zichzelf voorstelt, huppel ik de drie treden op van de brandend hete bus. De achterste zitplaatsen zijn gevuld met zwetende en kwebbelende tienermeisjes, die als bij toverslag allemaal tegelijk stoppen met praten zodra ze mij zien. Met z'n allen bekijken ze mij van top tot teen – ik heb geen idee waarom, want we dragen allemaal dezelfde verplichte vaalbruine t-shirts met bijpassende korte broeken van Camp Wood Lake – en gaan dan verder met hun gesprekken.

Natuurlijk had ik eerst mijn twijfels bij het dragen van welk uniform dan ook, maar deze zijn nog niet zo raar. Een beetje saai, maar niet afschuwelijk. Op het shirt staat CAMP WOOD LAKE in zeepbelachtige witte en oranje letters en daaronder staat een leuke tekening van een meisje en een jongen in een kano. Op de korte broek staat alleen CAMP WOOD LAKE op de achterkant. De luxe folder *Welkom op het kamp* legde uit dat we deze kleding alleen vandaag en tijdens uitstapjes aan moeten hebben. Er zat een hippe dvd bij de folder waarop foto's te zien waren van alle faciliteiten van het kamp

(tennisbanen, watersport, kunst-en knutselmogelijkheden, een overdekt zwembad), terwijl op de achtergrond allerlei kampliedjes te horen waren om ons in de stemming te brengen, zoals 'Time of your life' van Green Day en 'Stay' van Frankie Valli.

Sommige zitplaatsen in het midden zijn nog leeg. Ik zoek naar een plek waar Miri en ik naast elkaar kunnen zitten. Gelukkig zit ze ook in deze bus. Stel je voor dat ik in mijn eentje was geweest en alleen moest zitten! Ik zou de hele zomer bekendstaan als dat meisje dat alleen zat omdat niemand met haar wilde praten. Net als ik een lege bank in wil schuiven, houdt een lang meisje met donker haar dat drie rijen achter me zit op met praten met de twee meisjes achter haar, draait haar hoofd om en zwaait naar me.

Hè? Ik kijk achterom om te zien of ze iemand anders wenkt. Nee, alleen ik ben er. Tenzij ze een idioot is die op willekeurige momenten zwaait. Of misschien heeft ze net haar nagels gelakt en wappert ze ermee om ze te laten drogen?

'Hallo,' zegt het meisje en ze kijkt me aan. 'Je kunt wel bij mij zitten, als je wilt.'

Ik ben sprakeloos. Het meisje lacht vriendelijk en ziet er totaal niet loserachtig uit. Haar in laagjes geknipte, krullende donkere haar zit in een lage paardenstaart, de losse plukken zijn met schuifspeldjes vastgezet, zodat een frisse huid, heldere ogen en een grote glimlach te zien zijn. En ze is aardig. 'Graag,' zeg ik en ik plof naast haar neer op de plakkerige leren bank, met mijn rugzak bij mijn voeten. Perfect! Miri kan op de lege zitplaats aan de andere kant van het gangpad zitten. Dan is het net of we naast elkaar zitten… maar net niet helemaal.

'Ik ben Alison,' zegt het meisje.

'Rachel,' zeg ik.

'Trishelle en Kristin,' zegt ze en ze maakt een gebaar naar de twee meisjes op de rij achter haar.

'Hallo,' zeg ik en ik kan mijn geluk niet op. Ik ben pas dertig seconden in de bus en ik ken al drie mensen! Trishelle heeft lang haar met highlights en ze heeft veel make-up op. Dan heb ik het over foundation, helderroze rouge, zware lippenstift en een dikke rand

eyeliner. Ik hoop dat het niet van haar gezicht af gaat smelten. Naast haar zit Kristin; haar kortgeknipte blonde haar, fijne gezicht en paarlen oorbellen (die mijn moeder me in geen miljoen jaar mee had laten nemen op kamp) doen me denken aan een huisvrouw uit Connecticut. 'In welke slaapzaal zitten jullie?' vraag ik.

'Vijftien,' zeggen Trishelle en Kristin precies tegelijk. 'En jij?'

'Veertien.'

'Ik ook,' zegt Alison met een grote glimlach.

Hoera! Dit aardige meisje dat me zomaar uitnodigde om naast haar te komen zitten, slaapt bij mij op de slaapzaal!

'Rachel!' roept mijn zus. 'Ik heb hier een plek voor ons.'

Ik draai me om en zie dat Miri beslag gelegd heeft op de voorste bank. 'Mir, ik zit hier achterin. Kom maar bij ons zitten,' zeg ik en ik wijs naar de lege bank naast me.

In plaats van naar me toe te huppelen – kom op, Miri, doe nou eens leuk mee! – kijkt mijn zus kwaad in mijn richting. 'Ik blijf liever voorin, anders word ik misselijk. Het hobbelt hier minder.'

Ik ga echt geen centimeter van deze plaats af. 'Oké, maar ik zit hier achterin, als je me nodig hebt. Mijn kleine zus,' leg ik uit aan mijn nieuwe vriendinnen. Nieuwe beste vriendinnen? Binnenkort beste vriendinnen?

'Dus,' begin ik, 'is dit jullie eerste…'

Ik word onderbroken door de blauwlippige Janice, die naar de buschauffeur heeft gebaard dat hij de deuren kan sluiten en nu zenuwachtig de bus rondkijkt. 'Jullie zijn er allemaal, toch?' Janice wijst naar ieder van ons terwijl ze in stilte telt. 'Oké, het lijkt erop dat jullie er allemaal zijn. Iedereen klaar?'

'We zijn er klaar voor,' kondigt Trishelle aan.

De blauwe lippen van Janice verbreden zich tot een halve glimlach. 'Klaar om aan de zomer te beginnen?'

De meisjes om me heen schreeuwen en klappen in hun handen.

'Dan gaat de bus vertrekken!'

Als de buschauffeur de bus de weg op draait, juichen de meisjes. Ik heb de neiging om mee te juichen, maar ik wil niet voor schut staan. Ach, wat maakt het uit. 'Hoera!' piep ik mee.

16

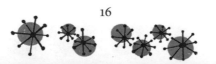

Ik trek mijn knieën op in de foetuspositie en zet de zolen van mijn roze gympen tegen de rug van de stoel voor me. 'Is dit ook jouw eerste jaar?' vraag ik mijn nieuwe BV.

'Echt niet,' zegt Alison. 'Mijn negende.'

'Wauw.'

'Ja, hè? Ik ging voor het eerst toen ik zeven was. Mijn oudere broer ging al jaren naar Wood Lake en zodra ik oud genoeg was, smeekte ik mijn ouders of ik mee mocht.'

'Deed je mee aan het beginnersprogramma? Mijn stiefzusje doet daar volgende maand aan mee.'

'Nee, dat is nieuw.' Ze glimlacht breed naar me. 'Hoe wist je van het bestaan van Wood Lake af?'

Toen ik uitging met Will Kosravi (beschuldig me niet omdat ik uitging met de oudere broer van de liefde van mijn leven; geef een mislukte liefdesspreuk à la Miri de schuld), vertelde hij toevallig dat hij deze zomer naar Wood Lake ging, en ik vertelde dat toevallig aan mijn stiefmoeder, die graag wat tijd alleen wilde doorbrengen met mijn vader en zij besloot dat het ideaal zou zijn voor Miri, Prissy (mijn stiefzusje) en mij om op kamp te gaan.

'Van iemand op school,' antwoord ik, nog niet in staat mijn hart uit te storten. Ze mag dan mijn nieuwe BV zijn, ik ken haar pas tien minuten. 'Gaat je broer nog steeds op kamp?'

Ze schudt haar hoofd. 'Niet meer. Hij is drieëntwintig en studeert medicijnen.'

'Dat is een groot leeftijdsverschil.'

'Stiefbroer,' legt ze uit. 'Zijn vader is getrouwd met mijn moeder.'

Een scheiding in de familie! Behalve dat we in dezelfde slaapzaal slapen, hebben we nog iets gemeenschappelijks!

'Ik baal echt dat hij er niet is. Hij was hoofd van de staf. Hé, je zus wenkt je,' zegt Alison.

Ik kijk op en inderdaad, Miri zit fanatiek te gebaren. 'Wat is er?' roep ik naar haar.

Kom even hier, zie ik haar zeggen.

Vijf minuten, laat ik haar weten en ik steek vijf vingers op; daarna draai ik me weer naar Alison. 'Sorry.'

17

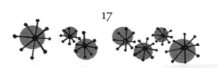

'Het was echt geweldig als hij er was. Onze slaapzaal raakte nooit in de problemen. Vorig jaar waren we de keuken aan het plunderen en toen betrapte Abby, het hoofd van de Koala's, ons, maar mijn broer smeekte haar om ons niet te verraden.'

'Geluksvogel. Waar was je broer hoofd van?'

'Watersport. Zwemmen en varen.'

Hoewel ik geïnteresseerd ben in het idee van varen, kijk ik niet bepaald uit naar het zwemgedeelte van de zomer. Ik bedoel, ik kan wel zwemmen, enigszins, als je afkoelen in mijn vaders zwembad na het zonnebaden meetelt. En ik kan mijn hoofd minstens zes seconden onder water houden. Dat weegt ook wel mee, toch? Ik heb in elk geval twee te gekke nieuwe zwemoutfits bij me: een hip zwart met wit badpak en een sexy oranje bikini.

Ik heb ook nog een oud uitgerekt badpak bij me dat van mijn moeder geweest is, maar ik ben van plan om dat alleen te dragen als ik geen andere opties heb, want het voelt als samendoen met een gebruikte zakdoek.

Hoe dan ook.

'Je zus probeert je aandacht weer te trekken,' zegt Alison. 'Gaat het wel goed met haar?'

Ik krijg er in elk geval kramp van. Kramp in mijn gedrag. 'Ik ben zo terug,' deel ik Alison mee en ik beweeg mij voorzichtig door de bus naar de plaats naast Miri. Ze ziet er verontrustend groen uit. 'Ik voel me helemaal niet lekker. Volgens mij moet ik...'

Op dat moment begint ze over te geven, over zichzelf, de bank en mij heen.

Plotseling is de hele bus stil. Daarna klinken er uitroepen als 'Getsie!' en 'Bah, wat smerig!' door de bus, waardoor mijn zus tomaatrood wordt.

'Gaat het?' vraag ik, me doodschamend voor ons allebei.

Haar lippen trillen alsof ze op het punt staat te gaan huilen. 'Zou het erg opvallen als ik nu verdwijn?' fluistert ze.

'Ja,' fluister ik terug.

'Oh nee.' Janice is opgesprongen om het walgelijke resultaat te bestuderen. 'We hebben een kotser aan boord. Stop de bus!' beveelt

ze de buschauffeur. De chauffeur verlaat de snelweg en rijdt naar een tankstation. Mijn wangen zijn vuurrood, maar dat komt niet van de hitte. Dit is afschúwelijk beschamend. Ik kan niet geloven dat Miri dat heeft gedaan. We sjokken naar het smerige, naar rotte eieren stinkende toilet. Zodra we de deur op slot doen, trekt Miri haar t-shirt uit en loopt ermee naar de wasbak.

'Wil het eruit?' vraag ik, terwijl ik mijn eigen shirt uittrek en het schoonboen onder de kraan. Ondertussen bestudeer ik mezelf in de spiegel. 'Vind je dat mijn borsten groeien?'

Ze kijkt op van het uitspoelen. 'Je linkerborst lijkt groter.'

'Groter dan wat?'

Ze bekijkt me nauwkeurig. 'Dan je rechter.'

Ik doe mijn schouders naar achteren en kijk nog een keer.

Jeetje, ze heeft gelijk. Mijn borsten zijn eindelijk aan het groeien! Yes! De linkerborst is duidelijk groter dan de laatste keer dat ik hem heb opgemeten. (Niet dat ik vaak meet. Niet vaker dan om de dag.) Ik wil al zo lang grotere borsten. Ik bedoel maar, het is toch niet eerlijk dat ik een a-cup heb en mijn kleine zus een b-cup? Ik vind van niet. Hoera! Maar hoe komt het dat dit me niet is opgevallen toen ik onder de douche stond? Wacht eens even. 'Waarom groeit de rechter niet ook?'

Miri haalt haar schouders op. 'Dat vroeg ik me ook al af.'

Oh lieve help. Oh nee. Paniek overspoelt me als zure regen. Niet dat ik weet wat zure regen is, maar ik weet wel dat het slecht is. 'Hoe komt het dat de ene borst sneller groeit dan de andere? Ze worden geacht even snel te groeien! De ene arm wordt toch ook niet langer dan de andere! Het ene been wordt toch ook niet langer dan het andere! De ene voet wordt toch ook niet…'

'Nou, heel veel mensen hebben voeten van verschillende groot-te.' Miri wiebelt met haar eigen voet-in-gymschoen, alsof ze haar opmerking kracht bij wil zetten.

'Nee, nee, nee. Is er geen spreuk die we kunnen gebruiken om ze even groot te laten worden?'

'Je weet wat mama gezegd heeft over het gebruik van borstvergrotingsspreuken voordat je uit de puberteit bent. Je zou je hele lijf in de

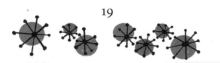

war kunnen brengen. Je hormonen zijn al genoeg op hol geslagen. Ik weet zeker dat de andere borst uiteindelijk ook wel gaat groeien.'

'Maar wat als dat niet gebeurt?'

'Dan heb je twee verschillende borsten.'

Ik denk dat ik in tranen ga uitbarsten. 'Het is niet eerlijk!'

'Hij is niet zó veel groter dan de andere.'

'Dat is hij wel.' Mijn leven is officieel voorbij. Ga maar na! Kamp heeft alles te maken met badkleding. Mensen gaan mijn mismaaktheid zién.

'Ja, je borst is gigantisch. Zo groot dat het bijna een andere persoon is. Laten we haar Melinda noemen.'

Hoe kan ze grappen maken in een crisis als deze? Hmm. 'Waarom Melinda?'

'Ik weet het niet. Omdat het rijmt op Glinda?'

'Te verwarrend. Dan haal ik ze door elkaar. Laten we haar Bobby noemen.'

'Bobby is een jongensnaam.'

'Je moet wel bijblijven, Mir. Jongensnamen zijn vandaag de dag erg trendy voor meisjes.'

'Geweldig. Ik zal mijn naam veranderen in Murray.' Ze gaat door met poetsen op haar shirt en zucht dan. 'Het wil er niet uit. Ik moet het eigenlijk proberen met een schoonmaakspreuk uit GOH.'

Miri heeft het over *Het geautoriseerde en onbetwistbare handboek voor verbazingwekkende betoveringen, wonderlijke toverdranken en de geschiedenis van tovenarij sinds het begin der tijden*, dat we kortweg *Het geautoriseerde en onbetwistbare handboek* noemen (vandaar de afkorting GOH). Ik heb nog geen eigen exemplaar.

'Echt? Mag ik het proberen?' Dit is mijn kans om een echte spreuk uit te proberen, een spreuk die in druk verschenen is, en niet een of andere limerick die ik zelf in de haast bedacht heb.

'Nu? Er zitten mensen op ons te wachten en je magische krachten zijn tot nu toe niet zo betrouwbaar…'

Waar heeft ze het over? 'Er is toevallig niks mis met mijn magische krachten, hoor.'

Ze trekt een wenkbrauw op. 'Dus je liet je rugzak daarnet opzettelijk zweven?'

'Oh, hou je mond. Kom op, vertel me die spreuk nou maar.'

'Je bent zo lastig,' moppert ze. 'Je moet de vlek alleen maar met een beetje zeep aanraken. Daarna strooi je wat zout in je linkerhand. Zet de warme kraan aan met je andere hand en laat het water over het zout stromen, terwijl je drie keer herhaalt: "Vlek op deze kleding, verdwijn."'

'Miri, ik heb geen zout bij me.'

Ze steekt haar hand in haar rugzak en haalt er een van die piepkleine restaurantzakjes zout uit. 'Een heks heeft altijd zout bij zich. Het is een soort wondermiddel.'

Yes! Probleem opgelost. Bijna. Ik kan het niet geloven: ik sta op het punt mijn eerste spreuk te gebruiken! Natuurlijk heb ik mijn pure wilskracht wel te pas en te onpas gebruikt, maar aangezien mijn moeder mij mijn welverdiende exemplaar van goh nog niet heeft uitgereikt, heb ik nog geen enkele bestaande spreuk kunnen uitproberen. Ze wilde me niet eerder met mijn training laten beginnen, omdat ze vond dat ik me moest concentreren op de studie voor mijn examens, en aangezien ik in het kamp niet kan oefenen, staat ze erop dat ik wacht tot de herfst en dan zal ze speciaal voor mij een exemplaar toveren. Dus je begrijpt wel hoe opgewonden ik ben over het gebruiken van deze spreuk. Het is mijn eigen inwijdingsritueel. Net zoiets als een bat mitswah. Een bat mitswah in het toilet van een tankstation.

Met bevende handen doe ik wat zeep op onze shirts en daarna op de korte broeken die we nog steeds aanhebben. Dan zet ik, nadat ik het zakje opengescheurd heb en het zout in mijn linkerhand gestrooid, de kraan weer aan en zeg:

'Vlek op deze kleding, verdwijn,
vlek op deze kleding, verdwijn,
vlek op deze kleding, verdwijn.'

Van ergens diep binnen in mij borrelt kracht naar boven, door mijn armen naar mijn vingertoppen. Het wordt echt koud in het toilet. En dan, ineens… zijn onze kleren brandschoon! Yes! Yes, yes,

yes! Ze zijn schoon en… ze zijn geverfd? Hè? De drie kleuren van onze kleren zijn op de een of andere manier door elkaar geraakt en veranderd in spiraalvormige figuren op onze kleding. Oh man, wat is mijn toverkracht cool!

'Oh nee,' jammert Miri. 'Ik wist dat ik het zelf had moeten doen.'

'Zeg hallo, we zien er juist fantastisch uit.' De uniformen zien er nu juist veel minder saai uit. De mensen denken vast dat we toevallig extra kampoutfits in onze rugzakken hadden en dat we supercreatief zijn.

'We zien er niet fantastisch uit. We zien eruit of we psychedelische pyjama's aanhebben. Jakkie! Kijk dan wat er op je billen staat!'

'Wat?' Ik draai me om en probeer in de spiegel mijn billen te bekijken. In plaats van CAMP WOOD LAKE staat er nu OODLE WAMP ACK. Net als op mijn T-shirt. En op dat van Miri. Oeps. 'Kun je het weer in orde maken?'

We horen getoeter.

'Geen tijd voor,' zegt ze bezorgd. 'Ik zou niet weten hoe en mijn GOH zit in mijn reistas. In elk geval zullen de mensen het zo druk hebben met het lezen van je T-shirt dat ze geen tijd hebben om je misvormde borsten op te merken.'

Nou, dat is een hele troost.

Als we de bus weer in stappen, heeft Janice de rommel al opgeruimd en ziet ze er bezorgder uit dan ooit. Ze kauwt bovendien op een fonkelnieuwe zwarte pen. Als deze explodeert, ziet ze er straks echt uit als een grote kneus.

Met haar hoofd naar beneden wurmt Miri zich op haar plek op de tweede rij. 'Blijf je alsjeblieft bij mij voorin zitten?'

Ah. Eerst was er paniek, toen was er warm water en zout. Nu word ik overspoeld door schuldgevoel. Hoe kan ik mijn zus in de steek laten op haar eerste dag op kamp? Hoewel, om eerlijk te zijn is het kamp nog niet officieel begonnen, want we zijn er nog niet. Toch ga ik naast haar zitten. En dan kijk ik – treurig – om naar mijn nieuwe vrienden midden in de bus.

En daar gaan we weer. Op naar een niet-zo-magisch begin.

Stoute Tigger

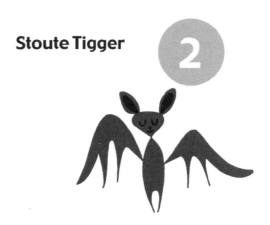

Miri staart verlangend door het raam naar buiten. 'Ik wou dat ik mezelf de bus uit kon toveren.'

Pech voor haar, want dat kan ze niet. De enige toverspreuk die mijn moeder de afgelopen maand heeft gebruikt is een locatiespreuk die Miri en mij aan het kamp geketend houdt. In feite is het een onzichtbare enkelboei, gemaakt van azijn en cactusolie, die werkt als een zeer sterke magneet. Het enige wat we weten, is dat we hem niet af kunnen doen zonder de toestemming van mijn moeder. Mijn moeder wil voorkomen dat we onszelf naar Afrika (Miri) of de Caribische eilanden (ik) zappen als zij niet in de buurt is om onze gangen te controleren.

'Geen tochtjes op de bezem of verplaatsingsspreuken voor jou,' zeg ik.

Miri kijkt achterom naar de meisjes in de bus en haar schouders verstrakken. 'Ik had moeten weigeren toen papa zei dat hij ons op kamp wilde sturen.'

'Daar is het nu te laat voor,' zeg ik.

'Het is zo gemeen dat Prissy maar twee weken hoeft en dat wij de

hele zomer moeten blijven. Waarom hebben ze ook geen beginnersgroep voor oudere kinderen?'

Mijn arme, sociaal beperkte zus. 'Jij bent geen zes jaar, zoals Prissy. Mama is zo'n beetje de hele maand augustus met Lex in Thailand en ze is echt niet van plan ons alleen thuis te laten blijven.' Het is raar dat mijn moeder ineens zo serieus is als het om Lex gaat. Natuurlijk ben ik blij voor haar. Maar wat moet ik doen als ik met haar in contact wil komen terwijl ze weg is? Moet ze eigenlijk niet dag en nacht voor mij beschikbaar zijn?

Als ze maar wel wat exotische kleren voor me meebrengt, of haarfrutsels of zoiets.

Miri schopt tegen de leuning. 'Het is net of ik in de gevangenis zit.' Haar ogen vullen zich met tranen. Ze heeft ongeveer dezelfde ogen als ik, groot en bruin, maar het wit van haar ogen is echt spierwit en soms gloeien haar ogen in het donker. Niet op een enge manier. Meer net als de maan.

Ik aai over de arm van mijn zus. 'Je gaat het kamp heel leuk vinden. Dat beloof ik je.'

Uiteindelijk rolt Miri zich op als een bal en valt ze in slaap met haar hoofd op mijn knie. Door het raam kijk ik naar de voorbijglijdende bergen en de weelderig groene bomen en ik tel de seconden tot we bij het kamp zijn. Ik kan nog niet geloven dat ik zeven weken en een dag van huis zal zijn.

Vijftig dagen zonder corvee! Vijftig dagen zonder toe te hoeven kijken hoe mijn moeder knuffelt met Lex! Vijftig dagen zonder elke vijf seconden opgebeld te worden door mijn stiefmoeder om haar plannen om zwanger te worden met me te bespreken! Vijftig dagen zonder heen en weer te hoeven stuiteren tussen mijn vader en mijn moeder!

Vijftig dagen mét Raf. Vrije, ongebonden Raf.

'Heb je het al gehoord?' vroeg Tammy Wise, mijn beste vriendin, me tien dagen geleden toen we aan lege tafeltjes klaar gingen zitten voor ons wiskunde-examen.

'Wat?'

'Van Raf en Melissa?'

Mijn hart sprong regelrecht uit mijn borstkas, raakte het plafond en stuiterde toen weer naar binnen. Oké, niet echt, maar zo voelde het. Melissa Davis, mijn roodharige wraakgodin, ging in april voor het eerst uit met Raf, nadat Raf en ik het uitgemaakt hadden. Niet dat we echt met elkaar uitgingen, het was meer iets wat je uitgaan kon noemen. Je weet wel: hij keek op een bepaalde manier naar mij en ik keek op een bepaalde manier naar hem – er werd een heleboel gekéken. En één bijna-kus (codewoord voor gesloten lippen zonder tongactie). 'Nee, wat?'

'Ze hebben het uitgemaakt!'

Yes! Yes! Yessssssssssssssssssssssssssssssssssssssssssss! 'Wanneer?'

'Zaterdagavond!'

'Wat is er gebeurd?'

'Hij heeft het uitgemaakt en daar is ze helemaal niet blij mee.'

Mijn hart ging tekeer, mijn vingers trommelden, mijn benen trilden. Het was alsof ik ondersteboven in een achtbaan zat, alleen bewoog ik niet. 'Ik moet de details weten, Tammy. De details!'

'Het schijnt dat hij haar verteld heeft dat het komt omdat hij van iemand anders houdt.' Ze trok haar wenkbrauwen op tot aan het plafond.

De surveillant deed het licht uit en weer aan. 'Sla alsjeblieft je examenopgaven open.' Op dat moment voelde ik de tinteling. De pure wilskracht. De golf koude lucht. Om preciezer te zijn: het raam achter in het lokaal vloog open.

'Hoe kan…' zei de surveillant, terwijl hij zich naar het raam haastte. 'Wie deed dat?'

Ik deed dat. Deed ik dat?

De lampen begonnen te flikkeren; het bureau van de leraar viel met een dreun om; het raam klapte dicht. Het was alsof een plaaggeest het lokaal had overgenomen. En ik had de nerveuze, maar ook vaste overtuiging dat ik er verantwoordelijk voor was, of om precies te zijn mijn fantastuleuze kracht.

Ik deed wat yoga-achtige ademhalingsoefeningen om mezelf te kalmeren en probeerde me te concentreren op de formules voor me. Het was een groot geluk dat we wiskunde hadden, een

vak dat ik van voor naar achter begrijp.

Ongelukkigerwijs viel het me op dat sinds dat moment mijn magie, wanneer ik een beetje opgewonden raak, de neiging heeft om een beetje... onbeheersbaar te worden.

Toen ik bijvoorbeeld eens zat te kauwen op mijn moeders ravioli-met-kaas-en-tofu, begon ik te fantaseren over wandelingen met Raf in de maneschijn, over kanotochtjes met Raf, zoenen met Raf... Mijn hart begon sneller te kloppen en ineens zeilde er een stukje ravioli van mijn bord af, botste tegen het plafond en landde in mijn moeders wortelsap.

Midden in een hap legde mijn moeder haar vork neer. 'Wat was dat?'

Als mijn moeder erachter kwam dat ik dat had gedaan, zou ik de hele zomer ravioli met tofu moeten eten. Snel! Ik moest een excuus hebben. Een zwart schaap. 'Stoute Tigger! Stoute, stoute Tigger.'

Onze kat, die in zijn favoriete hoekje van de keuken opgerold zijn poten lag te wassen, kneep zijn ogen tot spleetjes alsof hij wilde zeggen: *Hallo, waar gáát dit over?*

Mijn moeder sprong op om de rommel op te ruimen. 'Stoute Tigger,' zei ze en ik haalde opgelucht adem.

Tot mijn schande moet ik toegeven dat ik tijdens de afgelopen week Tigger van bijna alles de schuld heb gegeven. Een omgevallen stoel? Tigger. Flikkerende lampen? Tigger. De rol wc-papier door het hele appartement afgerold? Tigger.

Oké, dat laatste had hij écht gedaan, maar alleen omdat hij kwaad op me was.

Waarschijnlijk ben ik in slaap gevallen, want het volgende moment hoor ik de nerveuze stem van Janice.

'We zijn er, meiden. Is iedereen klaar?'

Ik doe mijn ogen open. Onze bus staat geparkeerd langs een zandweg, achter een rij andere geparkeerde bussen. Een paar meter verderop is een houten brug over een troebele vijver. Aan de overkant van de brug bevindt zich een kronkelend pad dat naar een bos leidt.

We zijn er. Wereld, ben je er klaar voor? Miri, mijn sociaal onderontwikkelde zus, en ik, een fonkelnieuwe heks, allebei gekleed in psychedelische Oodle Wamp Ackpyjama's die bedrukt zijn met spiraalvormige figuren, zijn gearriveerd!

En laten we Glinda en Bobby niet vergeten.

Er stromen al kinderen uit de bussen en ik tuur in de verte, op zoek naar Raf. Nog steeds taal noch teken. Ik haal een paar keer diep adem om mezelf te kalmeren. Ik wil tenslotte niet dat de bussen opstijgen en wegvliegen naar een andere planeet, zoals bij E.T.

Dat zou ik met geen mogelijkheid op Tigger kunnen afschuiven.

'Goed, meiden,' zegt Janice. 'Omdat jullie allemaal je reistassen eerder deze week al hebben meegegeven, zijn ze al naar jullie blokhutten gebracht.' Een vrachtwagen van Camp Wood Lake heeft de tassen bij ons appartement afgehaald, wat veel makkelijker is dan ze zelf te moeten dragen. Er moeten veel kampgangers uit Manhattan zijn. Maar ik ben slechts geïnteresseerd in één van hen.

'In slaapzaal twee,' gaat Janice verder, 'slapen Jenny Boland, Heather Jacobs, Jessica Curnyn…'

Ik droom een paar namen lang weg, totdat ik hoor: '…en Miri Weinstein.'

Miri knijpt in mijn hand.

'Hé, kijk, daar is Natalie!' kondigt Trishelle aan. 'De Canadabus is er dus al.'

'Cannabis?' fluistert Miri tegen me. 'Wat is dit voor een oord?'

'Canadabus, suffie,' fluister ik luid en duidelijk terug.

Janice gaat verder met haar lijst. 'En in slaapzaal veertien,' zegt ze vijf minuten later, 'hebben we Morgan Sweeney, Jan Winters, Carly Engels, Rachel Weinstein en Alison Blaichman.'

Yes! Alison slaapt inderdaad in mijn slaapzaal! Ik draai me naar haar om en zwaai. Nadat ze de lijst met namen van slaapzaal vijftien heeft voorgelezen, zegt Janice: 'Als jullie zonnehoeden of honkbalpetjes bij je hebben, zet ze dan alsjeblieft op voordat je uit de bus stapt.'

Ik haat hoeden. Ik vind het niet erg als andere mensen ze dragen, maar ze geven mij altijd het gevoel dat ik een kartonnen doos

op mijn hoofd heb. Mijn honkbalpetjes zijn allemaal onbuigzaam. Ik doe net of mijn moeder er geen in mijn rugzak heeft gepropt.

Miri trekt de hare tevoorschijn en zet hem op. 'Zet je jouw zonnehoed niet op?' vraagt ze tamelijk hard.

'Ssst! Kom, we gaan.' Aangezien we voor in de bus zitten, zijn we er het eerst uit en omdat we geen idee hebben waar we naartoe moeten, staan we op een kluitje bij elkaar te wachten op instructies. Janice heeft beloofd dat ze ons de weg zou wijzen, maar ze is diep in gesprek met een paar leiders. Fijn. Wat nu? Rondzwerven totdat de zomer voorbij is en we onder de sneeuw begraven worden?

'Slaapzaal twee klinkt afschuwelijk ver van slaapzaal veertien,' zegt Miri met trillende stem.

'Kom op, zo ver kan het niet zijn.'

'Nogmaals hallo,' zegt een stem achter me. Hoera, het is Alison, mijn nieuwe BV.

'Hallo,' zeg ik opgelucht.

'Verdwaald?'

'Een beetje.'

'Volg mij maar.' Alison is veel langer dan ik en daarom neemt ze grotere stappen.

'Ken je mijn zus Miri al?' vraag ik, terwijl ik bijna draaf om haar bij te houden.

'Jullie lijken op elkaar,' zegt Alison als we het pad over de brug nemen en een grindweg inslaan die omzoomd wordt door grote dennenbomen.

'Is dat een slaapzaal?' vraagt Miri en ze wijst naar een klein wit gebouw dat links van ons zichtbaar wordt.

'Nee, dat is het kampkantoor. Colton! Hé!' schreeuwt ze en ze zwaait naar een jongen verderop.

'Hoi, Alison!' buldert hij terug met een zuidelijk accent. 'Hoe was je jaar?'

'Niet slecht!' roept ze en dan zegt ze tegen mij: 'Colton is ook van onze leeftijd.'

'Hij ziet er leuk uit.' Hij heeft kuiltjes in zijn wangen en een cool kapsel. 'Waar komt hij vandaan?'

'Volgens mij uit Houston.'

Gek, ik heb het gevoel dat ik in Texas ben. De hemel boven ons is nog steeds overweldigend helder en blauw, terwijl het nu toch bijna vier uur moet zijn. Ik adem diep in. Het ruikt zuiver en schoon. Ongeveer zoals de luchtverfrisser in onze wc thuis. Maar dan, eh, echt.

Als we de weg verder af lopen, wijken de bomen uiteen en lopen we door een open veld ter grootte van een winkelcentrum, waarachter ansichtkaartperfecte weelderige groene bergen liggen. Gras! Bomen! Heuvels! Lucht! Ik heb nog nooit zo veel natuur bij elkaar gezien.

Als hier maar geen beren zijn. Of andere wilde dieren, trouwens. Na zes uur speuren op internet (inderdaad, het was om het studeren voor mijn examens uit te stellen) was ik er volledig van op de hoogte hoe vleermuizen, wasberen en vossen enge ziektes als hondsdolheid, de ziekte van Lyme en de pest overdragen. Ik wist niet dat de pest nog steeds bestond, maar het schijnt dat tal van knaagdieren in deze omgeving er vol mee zitten. En laten we de muggen niet vergeten. Die kleine monsters staan bol van het West-Nijlvirus. Maar mij krijgen ze niet. Echt niet, op geen enkele manier. Ik heb ongeveer veertig liter antimuggenspul bij me.

'Dit is Upper Field,' zegt Alison. 'Hier zijn het honkbalveld, het onderkomen voor de keukenstaf, het voetbalveld en de douches van Upper Field, en daarachter zijn de slaapzalen zestien en zeventien, waar Colton en sommige andere Leeuwenjongens slapen.'

'Wat betekent Leeuw precies?'

'De oudste groep in het kamp. Mensen die in de bovenbouw zitten. De Koala's zijn de jongste groep en de Apen de middelste.'

Ah. Ik laat mijn ogen over Upper Field dwalen en vraag me af of Raf daar slaapt. Mijn hart gedraagt zich als een hert en begint te galopperen. (Herten galopperen, toch? Hopelijk zal ik er nooit een tegenkomen om het te controleren.)

'We zijn er,' kondigt Alison aan en ze wijst met een weids gebaar naar een grote groen-met-witte blokhut rechts van ons. 'Slaapzaal veertien en vijftien zijn in deze hut.'

Pfieuw. Het is in elk geval een blokhut. Een deel van me was bezorgd dat ik de zomer moest doorbrengen in een tent. Dat was veel te veel natuur geweest voor Stadsmeisje Rachel.

Twee meiden, een blonde en een roodharige, staan op de veranda; als ze ons in het oog krijgen, beginnen ze fanatiek te zwaaien.

'Poedel! Morgan!' schreeuwt Alison. 'Jullie zijn er al!' Ze haast zich de heuvel en de trap van de blokhut op en slaat haar armen om de meisjes heen.

Poedel? Neemt men zijn hond mee op kamp?

'Moet je zien, Alison,' gilt de roodharige. 'Poedel heeft een vlindertatoeage op haar enkel en ik heb eindelijk tieten!'

Zei ze net het T-woord? Ik haat dat woord. Het is zo vulgair.

'Je staat in de weg,' zegt iemand. Ik draai me om en zie een dun glamourmeisje kwaad naar me kijken. Ze bekijkt me van top tot teen en gooit haar zwarte haar naar achter. Dan wringt ze zich zonder een woord te zeggen langs me en gooit me daarbij bijna omver. Haar haar wappert achter haar aan en zonder zelfs maar iets als 'sorry' beent ze de heuvel op, naar de blokhut.

Wat onbeschoft. Ik hoop dat ze in slaapzaal vijftien zit. Maar ik kijk wel uit om over iemand te gaan klagen op mijn eerste kampdag. Ik wil niet het meisje worden dat gepest wordt. Er is er altijd eentje in elke mensenmassa: het meisje dat door niemand aardig wordt gevonden. Het is afschuwelijk om te zien hoe sommige kinderen samenzweren tegen één enkele persoon, maar ik moet toegeven dat ik panisch ben dat ik die persoon zal worden.

Ik hervind mijn evenwicht en zeg tegen Miri: 'Zal ik met je meelopen naar je blokhut?'

Ze kijkt zenuwachtig naar de weg en dan weer naar mij. 'Neu, ga maar. Ik vind het wel.'

'Rachel, kom je kennismaken met iedereen?' roept Alison vanaf de veranda. 'Miri, je moet de weg af lopen naar Lower Field en dan het pad nemen tussen blokhut één en drie, daarachter is jouw blokhut aan de rechterkant.'

'Weet je zeker dat je het alleen kunt vinden?' vraag ik aan mijn zus, die er pips uitziet.

Ze schenkt me een dappere glimlach. 'Het gaat me wel lukken. Hoe erg kan ik verdwalen?'

Ik neem het besluit om haar niet te herinneren aan die keer dat ze verdwaalde in de kelder van onze flat. Hoe dan ook, als ze verdwaalt kan ze zichzelf altijd terugzappen naar haar blokhut, toch? 'Zet hem op,' zeg ik en ik geef een kneepje in haar arm. 'Tot straks bij het eten!'

Terwijl ik de heuvel beklim, voel ik vlinders (geen getatoeëerde) helemaal op hol slaan in mijn buik.

Er hangen al handdoeken en kledingstukken over de balustrade, wat het gebouw een huiselijke uitstraling geeft. In een hoek liggen een paar lege reistassen op een hoop. Alison gaat weer verder met haar groepsknuffel met de twee andere meisjes en ik kan er niets aan doen: ik voel me buitengesloten. Wat als ik altijd een buitenstaander blijf? Wat als ze denken dat ik gewoon dat rare nieuwe meisje ben?

Ik voel een tinteling in mijn vingers. Daarna in mijn ellebogen, daarna in mijn hoofd, daarna…

De handdoeken die zorgvuldig over de balustrade gehangen waren, vliegen met een vaart als vliegers de lucht in. Maar in tegenstelling tot vliegers hebben ze niets wat ze aan de grond bindt en daarom vliegen ze hoger en hoger en hoger en…

Weg.

Ha! Dat deed ik lekker! Het was niet mijn bedoeling, maar toch! Ik heb zojuist handdoeken laten verdwijnen! Ik ben de koningin van de toverkracht! Misschien moet ik maar een tiara maken bij de kunst- en knutselclub.

Ik vraag me af waar ze naartoe gevlogen zijn.

Oh, daar zijn ze, ze zitten vast in de takken. Ik hoop dat iemand een ladder heeft.

Net als ik staren de drie meisjes naar de boom vol handdoeken. Anders dan ik hebben ze een stomverbaasde uitdrukking op hun gezicht.

Misschien is het een goed idee om mijn toverkracht een piepklein beetje in te tomen. Als er elke keer handdoeken de lucht in

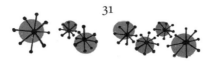

vliegen als ik opgewonden raak, kan het niet anders of het gaat mensen opvallen en dan gaan ze zich dingen over me afvragen en voor ik het weet, binden ze me vast op een krukje en gooien ze me in het meer, zoals ze in de middeleeuwen altijd deden.

Of misschien krijg ik mijn eigen praatprogramma. Een van die shows over psychische verschijnselen waarin ze mensen contact laten maken met de doden!

Wauw, kan ik echt praten met de doden? 'Hé doden, zijn jullie daar?' Geen antwoord. 'Oma Esther, kun je me horen?'

'Rachel, tegen wie praat je?' vraagt Alison.

Ik voel dat mijn gezicht rood wordt. 'Ehm, ik dacht dat ik een vriendin zag, Esther. We noemen haar oma, omdat ze zo oud is. Minstens zeventien.'

Oh help. Ze denken dat ik een sukkel ben.

Tot mijn opluchting lacht Alison. 'Je bent zo grappig!' Ze grijpt mijn hand en leidt me de trap op. 'Kom kennismaken met de meiden.'

'Hallo,' zeg ik verlegen.

'Dit is Morgan. Ze komt al net zo lang naar het kamp als ik.'

Morgan heeft kort, krullend rood haar en een explosie van sproeten op haar neus. Als ik regisseur was, zou ik haar uitkiezen als Annie.

'Waar kom je vandaan?' vraagt ze als we elkaar bekijken. Droeg ik maar niet de allerbelachelijkste kleren van de hele wereld.

Het roodharige meisje is aanbiddelijk. Ze heeft haar kampkleren al uitgetrokken en draagt nu een strak zwart T-shirt, slippers met gouden hakken en een kort spijkerrokje dat haar bleke, sproeterige benen toont. Ik durf te wedden dat ze veel zonnebrandcrème moet gebruiken.

'Manhattan,' antwoord ik. Wie weet denkt ze dat mijn geverfde outfit een soort modeverschijnsel uit New York is. Meestal liggen we voor op de rest, zelfs als we retro dragen. 'En jij?'

'Ik woon vlak buiten Chicago. Naar welk kamp ben je hiervoor geweest?'

'Naar geen enkel kamp,' antwoord ik. 'Nou ja, ik ben wel naar

een dagkamp geweest, maar nooit naar een kamp waar je bleef slapen.'

'Ik hoop dat je geen heimwee krijgt,' zegt ze.

Kom op, zeg. Ik heb de dagen geteld tot ik er in mijn eentje op uit kon. Ik ben zo goed als klaar voor de universiteit.

'Dat krijgt ze niet,' zegt Alison. 'Ze gaat het hier heerlijk vinden. Dit is het beste kamp dat er is.'

'Hoe weet jij dat nou?' vraagt Morgan. 'Je bent nog nooit naar een ander kamp geweest.'

'Jij ook niet!'

Het blonde meisje – het knappe blonde meisje, moet ik zeggen – tikt op mijn arm. 'Ik ben Poedel.'

'Zij is onze Californische meid,' zegt Alison. 'Ze komt hier ook al eeuwen.'

'Poedel?' Ik kan het niet laten om het te vragen. Is dat een typische naam voor Californië? Ik wist dat ze daar aan new age deden, maar naar een dier genoemd worden?

'Het hoofd van mijn slaapzaal gaf me die bijnaam op de eerste kampdag, toen ik nog een Koala was.'

'Ze droeg haar kapsel in die tijd heel wollig,' zegt Morgan en ze woelt door het haar van haar vriendin.

'Cool shirt,' zegt Poedel tegen mij. 'Heb je dat speciaal laten maken?'

Yes! 'Ja, inderdaad,' zeg ik en ik draai me om. 'De korte broek ook.'

Poedel glimlacht. 'Hip.'

'Maar hoe heet je echt?' vraag ik en ik draai me weer om.

'Jan, maar niemand hier noemt me zo. Zelfs mijn vrienden in Cali noemen me Poedel.'

Poedel ziet er inderdaad uit of ze uit Cali komt. (Hmm, kan ik het Cali noemen, als ik zelf niet uit Cali kom? Cali klinkt zo cool. Ik wou dat ik uit Cali kwam. Misschien kan ik verhuizen naar Cali?) Allereerst is ze lang, ze steekt zelfs boven Alison uit. Bovendien is haar haar van nature blond (geloof ik). En ze heeft grote blauwe ogen en perfect gebruinde armen en benen, wat in haar roze korte

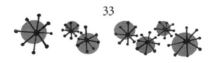

broek en haar witte topje goed te zien is. Haar moeder is ongetwijfeld een beroemde filmster.

'We hebben een bed voor je bezet gehouden,' zegt ze tegen Alison.

Hoe moet het als er geen bed over is voor mij? Nee, dat is stom, ze moeten voor iedereen een bed hebben, toch? En trouwens, ik kan gewoon een nieuw bed voor mezelf zappen. Maar dat zou natuurlijk wel wat verwarring kunnen veroorzaken.

Er zijn twee groene houten deuren op de veranda, één waarop '14' staat en één waarop '15' staat. Ik loop achter de meisjes aan door de deur waarop in zwarte verf '14' staat en kom meteen in een tamelijk kleine vierkante kamer.

'We zijn er,' zegt Alison. 'Slaapzaal veertien, home sweet home.'

Ik kijk rond in mijn nieuwe (de jury moet nog beslissen over 'sweet') home. De muren van de slaapzaal zijn bekleed met beige namaakhout waarop overal in rood en zwart namen en jaartallen geschreven zijn. MICHAEL SOLINGER WAS HERE '95-96!, FARRAH EN CARRIE BV! LYNDA D. LOVES JON C.

Er stroomt zonlicht door de grote ramen met de zonneschermen die uitkijken over de veranda, waardoor de kamer superhelder lijkt. De twee gloeilampen die aan het witte plafond hangen, zijn niet eens aan. Recht tegenover de deur waardoor we binnengekomen zijn, is een opening in de muur die eruitziet als een enorme kast, maar mijn voeten zitten te vastgelijmd aan de vloer om het te gaan onderzoeken.

Vastgelijmd, omdat ik doodsbang ben. Aan beide zijden van de ingang van de kast staan tegen de muur metalen stapelbedden.

Niemand heeft iets gezegd over stapelbedden. Er stond niets over stapelbedden in de brochure. Ik kan niet slapen in het bovenste bed. Dat is veel te ver van de vloer.

Naast de plek waar ik sta, ingeperst tussen de twee ramen die uitkijken over de veranda, staat een eenzaam eenpersoonsbed dat (wat een verrassing!) al bezet is door een roze dekbed en kussens met ruches en kantjes. Een kleine zilverkleurige ventilator is vastgemaakt aan de rand van het bed en blaast lucht naar het afgebakende territorium, bij wijze van spreken.

'Carly, wat ben je aan het doen?' vraagt Alison aan een donker-harig meisje, dat midden in de kamer sit-ups lijkt te doen op een strandhanddoek.

'Eenenveertig, tweeënveertig...' zegt het meisje. 'Ik doe mijn buikspieroefeningen... vierenveertig... wacht even, ik ben klaar als ik bij vijftig ben... zevenenveertig, achtenveertig, negenenveertig, vijftig.' Ze gaat op haar handdoek liggen. 'Klaar. Ik heb een nieuw plan. Als ik elke dag vijftig sit-ups doe, dan is mijn buik plat aan het eind van de zomer.'

Alison gaat op haar hurken zitten om Carly een knuffel te geven. 'Nog steeds niet goed wijs, zie ik.'

'Echt wel,' zegt ze en ze gaat staan. 'Ik ben gewoon dik.'

'Je bent niet dik! Niet goed wijs, dit is Rachel. Rachel, Carly.'

'Hallo,' zeg ik. Hoe moet ik al die nieuwe namen onthouden? Misschien heb ik ezelsbruggetjes nodig. Bijvoorbeeld, Carly ligt op de eerste dag van het kamp op de vloer sit-ups te doen om slank te worden. Alison vindt haar niet goed wijs omdat ze niet dik is, dus noem ik haar Calorie, maar daarmee maak ik het nodeloos... complex.

Zal dat plan maar laten varen.

'Hoi,' zegt Carly en ze schudt haar handdoek uit. Ze hangt hem over de rand van een van de bovenbedden. Dan hijst ze zich op het bed en duwt minstens tien teddyberen opzij om een lege plek te vinden.

'Rachel, het ziet ernaar uit dat je in het bed boven mij ligt, want dat is het enige wat over is,' zegt Alison, terwijl ze haar rugzak op het onderste bed rechts naast ons deponeert. 'Tenzij jij liever in mijn benedenbed wilt?'

Natuurlijk wil ik het benedenbed. Maar waarschijnlijk is het niet de bedoeling dat ik erom vraag. 'Nee, boven is prima,' lieg ik. Hoera voor het delen van een bed met Alison, boe voor het bovenbed. Hoe groot is de kans dat ik er niet midden in de nacht uitval en mijn nek breek?

Misschien kan ik een onzichtbaar net toveren.

Morgan heeft het bed onder dat van Carly ingericht. Ze heeft

een Betty Boopdekbed en een bijpassende kalender aan de muur. Ik wou dat ik iets leukers had meegenomen dan een saaie oude grijze deken en smoezelige witte lakens.

Het roze eenpersoonsbed met kantjes schijnt toe te behoren aan Poedel. Ze zit geknield op het bed en plakt foto's van knappe jongens op haar muur.

Ik kijk zoekend om me heen naar dat onbeschofte zwartharige meisje dat me bijna omverliep en ben blij dat ze er niet is. 'Slapen er vijf meisjes in elke slaapzaal?' vraag ik. Vijf bedden betekent vijf meisjes, toch?

'Nee, vijftien heeft er zes,' zegt Alison. 'Ze zetten de bedden neer en richten de slaapzalen in, afhankelijk van hoeveel mensen er naar het kamp komen. Vorig jaar sliepen alle meisjes uit onze leeftijdsgroep bij elkaar in slaapzaal vier, omdat we met z'n achten waren, maar dit jaar zijn we met elf, dus hebben ze ons verdeeld over slaapzaal veertien en vijftien, die met elkaar verbonden zijn door die kastenkamer.' Ze wijst naar de opening tussen de stapelbedden.

'We zouden eerst met z'n zessen zijn,' zegt Poedel. 'Ik had mijn vriendin Wendy overgehaald om mee te gaan, maar ze kreeg een kleine rol in een testfilm aangeboden en toen besloot ze het aanbod aan te nemen en in Cali te blijven.'

'Geluksvogel,' zegt Carly.

'Dat is Poedel ook,' zegt Morgan, 'want zij krijgt nu een eenpersoonsbed.'

Alison ploft neer op het genoemde eenpersoonsbed en leunt met haar rug tegen de muur.

Ik weet niet precies wat ik met mezelf moet doen, dus pak ik de gemeenschappelijke Lysolbus die op een van de lege planken staat, klim de bruine, niet zo stevige ladder op, spuit en spuit en spuit nog eens en leg dan mijn rugzak op de doorgezakte, gevlekte matras. Oké, ik heb een bed in beslag genomen. Ik slaap niet op de vloer (dat wil zeggen, tenzij ik eruit val). Wat nu? Ik ga op de rand van het bed zitten, probeer het luide gekraak te negeren en laat mijn benen van de rand van mijn smerig ogende matras bungelen.

Dit Is Beangstigend.

Ik moet het stapelbed in twee eenpersoonsbedden omtoveren. Goed, het zal hier krap worden, maar als ik het extra bed in de hoek kan manoeuvreren, dan gaat het allemaal passen. Uiteraard moet ik wachten tot er niemand is voordat ik een poging ga doen tot Sabrina-achtige binnenhuisarchitectuur.

'Hallo, meissie,' zingt een nieuw meisje vanuit de achteringang van de zaal.

Alison springt van het bed. 'Cece!'

De twee meisjes omhelzen elkaar.

'Je hebt een beugel!' roept Alison uit.

Cece klapt haar mond stijf dicht en mompelt: 'Ik haat hem.'

'Hij staat je goed.'

'Hoe kan een beugel nou leuk staan? Er loopt een treinspoor door mijn gezicht. Ik ben afzichtelijk. Ik wil het er niet over hebben. Ik ga de hele zomer niet lachen.'

'Kom op!'

'Echt waar,' zegt Cece. 'Hoe dan ook, ik baal dat ik deze zomer niet op dezelfde slaapzaal slaap als jij.'

'We slapen zo goed als in dezelfde slaapzaal. We zijn met elkaar verbonden.'

'Dat is niet hetzelfde, dat weet je best. We eten niet aan dezelfde tafel en hebben niet alle activiteiten samen.'

'Cece!' schreeuwt een stem aan de andere kant van de muur.

'Tot straks,' zegt ze en ze verdwijnt weer door de opening, daarbij tegen een ouder meisje aanlopend.

'Hallo, mijn kippetjes,' zingt het meisje, terwijl ze de kamer binnen zeilt en in haar handen klapt. 'Welkom terug! Klaar voor het fee-heest?'

Mijn kamergenoten juichen en schreeuwen. 'Deb!' roepen ze. 'We hebben je gemist,' zegt Poedel en ze springt op om de leidster een knuffel te geven.

Nadat ze alle meisjes begroet heeft, komt Deb naar mijn bed. 'Hallootjes! Welkom op het kamp.' Haar haar is vaalblond en wordt naar achter gehouden door een rood-zwart geblokte haarband,

een beetje alternatief. Van dichtbij valt me op dat ze grote ogen heeft, grote witte tanden en een grote glimlach. 'Je hebt geluk gehad. Deze kant van de hut is veel beter dan de andere.'

Meer gejuich en geschreeuw van de meisjes.

'Ik wed dat Penelope precies hetzelfde zegt tegen de meisjes van slaapzaal vijftien,' zegt Morgan.

'Je moet weten dat Anthony mij liet kiezen welke kant van de hut ik wilde en ik koos voor jullie.'

'Toen we vorig jaar allemaal op één slaapzaal lagen, waren Penelope en Deb samen onze leidsters,' legt Alison me uit. 'Eerlijk gezegd verbaast het me, Debs, dat je niet ziek van ons werd. Ik verwachtte dat je na vorig jaar om Koala's had gevraagd.'

'Ik word nooit ziek van jullie!'

Morgan snuift. 'Wij werden ziek van jou.' Ze zit met gekruiste benen op haar benedenbed, haar slippers heeft ze op de vloer geschopt.

Deb parkeert zichzelf naast Morgan en begint tegen haar arm te stompen. 'Laat me de c-cup eens zien waar je me over mailde.'

Morgan steekt haar borst naar voren. 'Mooie tieten, hè?'

Jakkie, nu zegt ze het weer!

'Niet gek.' Deb steekt haar eigen borst naar voren. 'Maar niet zo groot als de mijne.'

'Debs, jij bent vijf jaar ouder. Het is maar goed dat die van jou groter zijn. De mijne gaan reusachtig lijken,' gaat Morgan verder. 'Je zou de bikini's moeten zien die ik gekocht heb. Ze hebben allemaal van die belachelijke vullingen. Will Kosravi heeft geen keus: hij moet wel gek op me worden.'

Ik verslik me bijna in mijn tong. Ze hebben het over mijn Will!

'Blijf kwijlen, lieve Morgan,' zegt Debs. 'In de eerste plaats hoort hij bij de staf en de staf mag niet daten met kampgangers. En in de tweede plaats heeft hij me in het voorbereidingskamp verteld dat hij thuis een vriendin heeft.'

Morgans besproete gezicht verfrommelt van teleurstelling. 'Nee toch! Wie?'

Deb haalt haar schouders op. 'Ik weet haar naam niet meer.'

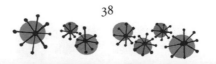

'Het is Kat,' piep ik.

Iedereen kijkt naar me.

Morgan zet haar handen op haar heupen. 'Hoe weet jij dat?'

'Ik eh, ken de jongens van Kosravi behoorlijk goed.'

'Zit je bij hen op school?' vraagt Poedel zonder zich om te draaien van haar posters.

Oh ja. 'Ja.' Ik ben waarschijnlijk vuurrood, want Morgan vraagt: 'Ben je uitgeweest met Will?' op hetzelfde moment dat Poedel vraagt: 'Ben je uitgeweest met Raf?'

Grappig dat ze dat vragen. 'Ja… min of meer.'

Alison kijkt me aan. 'Wie van de twee?'

Nu komt het rare gedeelte. 'Allebei?'

De monden van alle vier mijn kamergenoten vallen open. En ook die van de leidster.

'Ben je uitgeweest met Raf én Will Kosravi?' gilt Carly.

'Zo ongeveer.'

Alison fluit. 'Je lijkt wel een legende.'

Zelfs Poedel is nu een en al aandacht. 'Wie van de twee zoent er beter?'

'Meiden, minder geroddel en meer uitpakken,' zegt Deb, inmiddels geheel hersteld. 'Over een uur gaan we eten en ik verwacht dat deze plek tegen die tijd helemaal ingericht is, begrepen? Hup naar de kastenkamer.'

Ik klim van mijn bed, blij dat ik het beantwoorden van de vraag kan vermijden. Want ik weet helaas het antwoord niet. Raf en ik hebben nog nooit écht gezoend.

Sorry, dat moet ik opnieuw formuleren. Raf en ik hebben nóg niet gezoend.

Als ik besef dat mijn kamergenoten en mijn leidster allemaal de kamer verlaten om naar de kastenkamer te gaan, zie ik mijn kans schoon om iets te doen aan mijn stapelbedprobleem. Als ik de zaken laat zoals ze zijn, dan zal ik er midden in de nacht beslist af rollen en mijn nek breken.

Ik wacht een paar seconden tot de kamer leeg is en dan haast ik me naar de verste hoek van de kamer, waar niemand me kan zien.

Helaas heb ik geen GOH. Maar op het gala bedacht ik mijn eigen spreuk en die leek te werken, dus…

Ik schraap mijn keel, sluit mijn ogen, concentreer me op mijn pure wilskracht en spreek heel zacht de spreuk uit:

**'Stapelbed, verdeel je in twee delen.
Hoe je dat doet, kan me niet schelen!'**

De lucht wordt uit de kamer gezogen en ik spring op en neer als het frame begint te trillen. Het werkt!

Nu staat het stapelbed heen en weer te zwaaien als een schommelstoel.

Kleng! Kleng! Kleng!

Oeps.

Plotseling breekt het frame in tweeën, met een geluid van vuurwerk en met als resultaat dat het bovenbed neerstort op Alisons bed eronder.

Kijk, weet je wat het is, ik stelde me min of meer voor dat er twee perfect gevormde eenpersoonsbedden zouden ontstaan, niet één stapelbed dat in twee helften gezaagd is. Mijn plan was om aan de meisjes te vertellen dat het stapelbed dringend nodig was in een van de andere slaapzalen en dat ik met tegenzin had goedgevonden dat ze het meenamen, in ruil voor twee eenpersoonsbedden…

Tja, mijn plan was kennelijk niet zo goed uitgedacht.

'Wat was dat?' vraagt Poedel als ze de kamer weer in rent met Deb en Carly.

'Jeetje, mijn bed!' gilt Alison, die achter hen aan komt. 'Rachel, gaat het? Je had wel dood kunnen zijn!'

'Als dit gebeurd was terwijl jullie lagen te slapen, hadden jullie allebei dood kunnen zijn,' zegt Deb, met grote ogen.

'Niks aan de hand, niks aan de hand,' zeg ik schaapachtig.

'Ik zal het kantoor bellen en ze opdragen om een nieuw stapelbed klaar te maken,' zegt Deb. 'Bovendien laat ik hen ieder bed hier controleren, om zeker te weten dat ze veilig zijn. In alle jaren dat ik hier kom, heb ik nog nooit zoiets meegemaakt!'

Wat kan ik erover zeggen? Ze heeft nog nooit een heks als kamp-ganger gehad.

Alweer iets waar ik Tigger niet de schuld van kan geven.

De kunst van het uitpakken

Als iedereen wat gekalmeerd is, ga ik op onderzoek uit in de rest van de blokhut. De kastenkamer is een grote rechthoekige ruimte vol met – je raadt het al – houten kastjes. Sommige kastjes zitten al vol met kleren, maar de meeste zijn nog leeg. Midden in de kamer liggen reistassen op een stapel.

Oh jee. Dit meen je niet. Wordt er van mij verwacht dat ik me hier verkleed en naakt in het rond paradeer in het bijzijn van al deze onbekenden? Dan zien ze mijn mismaaktheid!

Vanuit de kastenkamer kan ik bij slaapzaal vijftien naar binnen kijken. In plaats van twee stapelbedden en één eenpersoonsbed staan er drie stapelbedden.

De kastenkamer geeft toegang tot de toiletruimte, bij het zien daarvan realiseer ik me dat ik er erg nodig naartoe moet.

Yes, de toiletruimte! Daar kan ik me toch verkleden?

Ik wring me langs de meisjes en de tassen en loop er naar binnen. Links van me zijn drie toiletten en rechts zijn vier wastafels.

Maar waar zijn de douches?

Aan het eind van de toiletruimte hangt een wit gordijn. Mis-

schien zijn de douches aan de andere kant? Ik trek het gordijn opzij en neem een kijkje.

'Je mag hier niet binnenkomen,' bijt een ouder meisje met donker haar me toe. Ze was kennelijk een dutje aan het doen op een van beide eenpersoonsbedden. 'Dit is de kamer van de leidsters!'

Als door een wesp gestoken laat ik het gordijn uit mijn hand vallen. Niet dat ik ooit door een gordijn gestoken ben. Wie heeft die uitdrukking eigenlijk bedacht? Dat meisje moet Penelope zijn, de leidster van zaal vijftien. Fijn dat ik Deb heb. 'Sorry,' mompel ik.

Vaag herinner ik mij dat Alison zei dat er douches op Upper Field zijn. Wil dat zeggen dat er geen douches in de blokhutten zijn?

Ik trek me terug in een van de toiletten. Een van de piepkleine toiletten. Op geen enkele manier kan ik mij hier verkleden. Ik doe de deur op slot, bedek de bril met flinterdun wc-papier, stoot mijn knieën tegen de deur en doe een plas.

Ik lees ook de graffiti aan de achterkant van de deur. Lynda D. houdt blijkbaar nog steeds van Jon C.

Als ik klaar ben en het toilet uit kom, glimlach ik naar mezelf in de spiegel, pomp wat van de gemeenschappelijke zeep in mijn handpalmen, was mijn handen, droog ze vervolgens af aan de zwarte handdoek van iemand anders en kijk om me heen. Ik geloof dat ik eindelijk een beetje richtingsgevoel krijg. De hut heeft de vorm van de letter T. Eerst heb je de beide slaapzalen, die allebei uitkomen in de kastenkamer, die uitkomt in de badkamer, die weer uitkomt in de kamer van de leidsters.

No problemo. Nu terug naar de kastenkamer...

Of moet ik zeggen: het rampgebied.

Overal zijn tassen, kleren en meisjes. Ik probeer het luide gekwebbel te negeren ('Mijn achterwerk is het afgelopen jaar zo veel breder geworden!' 'Je móét mijn schattige hardloopschoenen even zien.' 'Heb je een navelpiercing?') terwijl ik mijn twee tassen opspoor. Natuurlijk vind ik er één onder een stapel andere en breek ik zo ongeveer mijn arm als ik hem eruit trek.

Ik begrijp niet hoe men van mij kan verwachten dat ik dit kastje ordelijk houd. Eerlijk. Hoe kun je van mij verwachten dat ik

8 t-shirts
3 korte broeken
2 spijkerbroeken
2 joggingbroeken
1 zwarte broek (kan alleen naar de stomerij, dus die moet niet vuil worden)
2 shirts met lange mouwen
2 truien
12 paar sokken
12 onderbroeken
8 beha's
3 bikini's/badpakken
1 spijkerjasje
1 paar gympen
1 paar teenslippers
1 paar lollige zwarte sandalen met veters
9 handdoeken (3 hand-, 4 strand-, 2 douche-)
1 extra kussensloop
2 extra tweepersoonslakens (1 gewoon en 1 hoeslaken, beide saai en wit)
2 waszakken
1 onzichtbaarheidsschild, oftewel betoverde paraplu (Laat me je vertellen dat het niet eenvoudig was om dit langs mijn moeders haviksblik te smokkelen bij het inpakken. Hoewel het wel handig is dat hij pas onzichtbaar wordt als hij iemand bedekt. Hoe kon ik hem anders vinden?)
1 badjas

in een ruimte kan proppen die de afmetingen heeft van mijn schoolkluisje? Wat ik nodig heb, is een soort van organiseerspreuk. Terwijl ik wacht tot de kamer leeg is, pijnig ik mijn hersens op zoek naar rijmpjes. Niet dat spreuken per se moeten rijmen, maar de coolste spreuken in GOH zijn in versvorm, en ik ben niet van plan risico's te nemen met mijn kleding. Welnu, wat zal ik proberen? Ik wil mijn kleren betoveren zodat ze netjes opgevouwen zijn. Zoals ze eruitzien in een winkel. Wat rijmt er op spreuk? Deuk? Leuk? Jeuk?

Ik weet het! Ik open mijn tas en prop al mijn spullen in het kastje; daarna ga ik, als de kamer zo goed als leeg is, recht voor mijn kastje staan (op die manier blokkeer ik eventuele gluurders), sluit mijn ogen, concentreer me, duw mijn handen in het kastje, beweeg met mijn vingers en zeg:

'Leg mijn kleren in de kast met deze spreuk, net als bij H&M zonder enige kreuk!'

Daar komt de golf koude lucht… en ziedaar!

Ik doe een stap achteruit en bekijk mijn creatie. Jeetje! Mijn kleren liggen opgevouwen in kreukloze vierkanten en, oh ja, ook nog op kleur geordend. Van licht naar donker, als een regenboog.

Yes!

Ik vouw een gestreken shirt uit. Het is een lichtgroen en wit gestreept v-halstopje met korte mouwen. Dat is niet van mij. Daar zit mijn kamplabel met RACHEL WEINSTEIN niet in. In plaats daarvan bungelt er een prijskaartje in de kraag.

Eh… heb ik nieuwe kleren opgebliept?

Ik kijk verlangend naar mijn nu lege reistas. Waar zijt gij, oh favoriete spijkerbroek? Wat moet ik doen? Zijn mijn kleren voorgoed verdwenen? Zelfs mijn grappige nieuwe bikini?

Hoewel… misschien zijn deze kleren zelfs leuker! Designkleding! Ik vouw het shirt opgewonden uit.

Een blik op het label vertelt me dat het shirt maat large is. Ik zoek gejaagd tussen de kleren, op zoek naar een kledingstuk dat mij past.

Oh, mooi, hier is iets wat kleiner is. Véél kleiner. Het is een meisjesspijkerbroek met een kanten biesje in maat 98.

Een peutermaat 98.

Ik zei H&M, maar ik had het toch niet over de babyafdeling?

Ik doorzoek koortsachtig mijn kastje, op zoek naar iets – het maakt niet uit wat – wat ik kan aantrekken. Een linnen zwanger-

schapsrok? Nee. Een jongenstuinbroek? Ook nee. Een zwart-wit geblokte boxershort voor mannen?

Absoluut niet.

Ik wou dat ik mijn oude spullen terughad. Maar omdat de wereld van de magie nogal van uitwisseling lijkt te houden, liggen mijn echte kleren waarschijnlijk ergens in een winkelcentrum op een slordige hoop op een plank in een of andere kledingwinkel.

Ik ben bezig mijn bed op te maken (een splinternieuw bovenbed van een splinternieuw stapelbed – oh welk een heerlijkheid) als er een stem uit de lucht klinkt. 'Attenfie alle kampgangerf en leiderf. Attenfie alle kampgangerf en leiderf. Ga alfjeblieft naar de eetfaal voor de maaltijd.'

'Wat was dat?' vraag ik.

'Dat is Stef,' zegt Alison.

'Of Ftef,' meldt Morgan.

'Niet flauw doen,' zegt Alison. 'Ze kan er niets aan doen dat ze slist.'

'Je bedoelt flift?' vraagt Morgan.

'Stef is de zus van het hoofd van de leiders,' legt Alison uit. 'Ze houdt al jaren het kantoor draaiende en ze roept de boodschappen om.'

Ik kijk naar beneden naar mijn nieuwe H&M-spijkerbroek (met opgerolde pijpen, want hij is twee maten te groot) en mijn te strakke T-shirt met ronde hals. De meisjes werpen me vreemde blikken toe, maar ik kan er niets aan doen totdat ik Miri langs heb laten komen met een omkeerspreuk – hopelijk kent ze er één... als ze tenminste het betoverde kristal mee op kamp heeft genomen. Ik had eigenlijk het plan om er op mijn allermooist uit te zien bij mijn eerste ontmoeting met Raf, maar dit is het beste wat ik kon vinden.

Het was ontzettend vernederend om me te moeten verkleden waar alle meiden bij waren. Ze gooiden allemaal hun kleren uit alsof ze sterren waren in een of andere kamppornofilm. Ik keek strak naar de vloer en verkleedde me snel en driftig.

46

'Kom op, meiden, we gaan!' brult Deb, terwijl ze door onze slaapzaal stampt en stommelt.

Ik volg mijn zaalgenoten over de veranda en het grindpad-met-bomen naar de eetzaal. Onderweg komen we langs een paar groene blokhutten aan onze rechterhand, de waterkant is links van ons. Zelfs nu het rustig weer is, vind ik het meer eng. En de vastgebonden zeilboten ook.

Op een gegeven moment moet ik ongetwijfeld Deb op de hoogte stellen van mijn nautische onervarenheid. Maar één ding tegelijk. Eerst moet ik de weg naar de eetzaal vinden.

De chaotische, oorverdovende, overweldigende eetzaal.

De tafel van onze slaapzaal bevindt zich helemaal achterin, bij het achterraam. De keuken is dicht bij de ingang. 'Waarom zitten we zo ver van het eten af?' vraag ik.

'Alle Leeuwen zitten hier achterin,' antwoordt Alison.

De houten wanden zijn versierd met handbeschilderde bordjes die me laten wensen dat ik mijn hele leven elke zomer naar dit kamp was gekomen. LEGER TEGEN MARINE, KLEURENOORLOG 1975. STAAT TEGEN REBELLEN, KLEURENOORLOG 1989. JAREN VIJFTIG TEGEN JAREN ZESTIG 2001. Ik heb gehoord dat kleurenoorlog zoiets is als namaak-Olympische Spelen, maar ik heb er nog nooit aan meegedaan. Gaaf!

Ik realiseer me dat ik nu elk moment Raf in het oog kan krijgen. Ik haal diep adem en doe mijn best er niet door geobsedeerd te zijn.

Als ik bij onze tafel kom, schuif ik snel op de bank bij het raam, zodat ik goed uit kan kijken naar Hem Door Wie Ik Niet Geobsedeerd Mag Zijn. Op de tafel liggen een berg bestek en een stapel papieren borden, en er staan een toren plastic bekertjes, twee kannen met een soort paarse vloeistof, een mand gesneden stokbrood en een mand met minipakjes pindakaas en jam.

'Wil je wat insectensap?' vraagt Carly van de andere kant van de tafel.

Ik neem aan dat ze de paarse drank in de kan bedoelt en niet een of andere walgelijke frisdrank. 'Ja, graag.'

Mijn maag rommelt, dus ik snaai een stuk stokbrood. Ik vraag me net af waar het eten blijft als ik Deb ontwaar in de lange rij leiders die de keuken binnen gaan. Als ze eindelijk terugkomt, zet ze twee plastic schalen midden op tafel, één gevuld met macaroni met kaas, de andere met sla. Alison en Poedel springen overeind om hun bord vol te laden.

En op dat moment zie ik hem, Raf. Ik raak mijn adem kwijt, ergens tussen mijn lippen en mijn longen. Ik denk dat ik hem doorgeslikt heb. Hij is nog steeds donker en knap en slank en knap en... noemde ik knap al? Zijn donkere haar ziet er heel zacht en aaibaar uit. Hij ziet er net uit als altijd, maar dan in zomerversie, in een dun wit t-shirt, dat zijn slanke gespierde armen goed laat uitkomen, een lichte korte broek en blauwe slippers, die zijn slanke gespierde benen goed uit laten komen.

Hij staat in de deuropening te praten met een slonzig ogende blonde jongen van ongeveer onze leeftijd, terwijl hij ondertussen de zaal rondkijkt.

Zoekt hij mij soms? Het zou kunnen dat hij mij zoekt. Zeg alsjeblieft dat hij het uitgemaakt heeft met Melissa omdat hij verliefd is op mij. Hij moet mij wel zoeken. Dat moet. Zeg alsjeblieft dat hij mij zoekt. Misschien moet ik zwaaien.

Nee, ik wil niet al te opzichtig doen. Maar ik wil dat hij me ziet. Maar ik wil niet dat hij denkt dat ik naar hem uitkijk. Maar ik wil dat hij denkt dat ik blij ben hem te zien. Maar weer niet té blij.

Niet geobsedeerd raken, niet geobsedeerd raken, niet geobsedeerd raken...

Contact! Yes! Onze ogen hebben contact! Hij ziet me! Jeetje, hij lacht! Hij komt naar me toe! Ik begin overeind te komen.

'*Freeze!*' gilt Deb.

Hè? Ik kijk de tafel rond en ontdek dat mijn zaalgenoten op hun plaats bevroren zijn. Ja, bevroren. Alsof ze in een tv-programma meedoen en iemand zojuist de pauzeknop op de afstandsbediening heeft ingedrukt. Carly zit midden in een pindakaas-met-boter-en-jamhap. Alison staat midden in een macaroni-met-kaas-schep.

Ik zie er kennelijk verdwaasd uit, want Deb beveelt me: 'Rachel, bevries.'

Word ik gearresteerd? Ik bevries voor het geval dat. Aangezien ik net bezig was op te staan om Raf te begroeten, valt dat niet mee. Raf lacht ondertussen als hij me ziet en gebaart *Ik spreek je later wel.*

Nee, nee, nee. Praat nú met me! Ik was er zo dichtbij!

'Als een leidster "bevries" roept, mag je je niet meer bewegen,' legt Deb uit. 'De eerste die zich verroert, moet stapelen.'

Ik heb geen idee wat stapelen is, maar aangezien mijn vier zaalgenoten in hun bevroren toestand volharden, neem ik aan dat het iets is wat ik niet wil doen. Dus blijf ik bevroren.

Jammer genoeg wordt het bevroren blijven steeds pijnlijker. Het voelt of ik bezig ben met een hurkpositie die ze ons bij gym soms laten doen.

Poedel stond op het punt om zichzelf een glas sap in te schenken en nu trilt haar hand door het vasthouden van de kan. Carly zit nog steeds midden in haar pindakaas-met-boter-en-jamhap. Deb gaat staan en laat een papieren bord op het hoofd van Poedel balanceren.

Ik heb vreselijk veel pijn in mijn achterste. Ik móét gaan zitten. Is het al voorbij? Wanneer beweegt er eindelijk iemand?

Dan opent Deb een van de bakjes aardbeienjam, doopt haar vinger erin en smeert jam op Morgans neus.

Morgan stort volledig in.

'Jij moet stapelen!' deelt Deb haar huilend van het lachen mee.

De meisjes gaan door met waar ze mee bezig waren. Ik geef mijn achterwerk rust op de bank (ahhhhhhh) en vraag: 'Wat is stapelen precies?'

'De tafel afruimen,' zegt Alison, terwijl ze verdergaat met haar macaroni met kaas. 'De leiders roepen tijdens iedere maaltijd "bevries". Wie als eerste beweegt, moet stapelen. Of ze roepen "varken". Dan moet je zo doen' – ze legt haar wijsvinger tegen de onderkant van haar neus – 'en de laatste persoon die dat doet, moet stapelen.'

Dit is net zoiets als verhuizen naar een ander land en daar alle gewoonten moeten leren.

Als ik mijn bord volgeladen heb met sla en macaroni met kaas, kijk ik naar Rafs tafel (drie tafels verder dan de mijne). Moet ik nu naar hem toe gaan om hallo te zeggen? Waarschijnlijk niet, want hij zit momenteel zijn eten naar binnen te schrokken. Wat moet ik doen? Wacht ik tot hij tegen mij begint te praten? Loop ik onder het toeziend oog van iedereen naar hem toe? Ik wil hem niet storen. Wat moet ik als hij me alleen maar aanstaart alsof ik gek ben? Wat moet ik als hij er niet van overtuigd is dat we bij elkaar horen? Wat moet ik als we de hele zomer lang stommetje spelen en ik nooit meer met hem praat?

Ik probeer mezelf te bedwingen en niet naar hem te staren. Ik wil niet dat al mijn zaalgenoten zich afvragen wie dat Gekke Stalkende Nieuwe Meisje is.

Niet geobsedeerd raken, niet geobsedeerd raken, niet geobsedeerd raken…

'Ketchup?' vraagt Alison me, en onderbreekt daarmee mijn paniekaanval.

'Nee dank je.' Miri is bij ons thuis degene die ketchup op haar macaroni met kaas doet. Ik niet, want dat is walgelijk.

Tegen de tijd dat ik klaar ben met eten, is Morgan al halverwege met het stapelen en weggooien van de papieren borden. Mijn zus de milieuactivist zal dat vreselijk vinden.

Plotseling word ik op mijn schouder getikt. Raf?

Miri. 'Hallo,' zegt ze. 'Schuif eens op.'

Ik schuif opzij, zodat ze zich naast me kan wurmen. 'Hoi! Vond je het eten lekker?'

Ze schudt haar hoofd. 'Ik kan niet geloven dat ze zo veel papier verspillen.'

'Ik dacht al dat je je daaraan zou ergeren.'

'Jij zou er ook bezorgd om moeten zijn,' zegt ze en ze neemt een slok van mijn insectensap.

Misschien wel, maar mijn hersenen zijn te druk met er een probleem van maken dat Miri wel van haar achterste af kan komen om hallo tegen me te zeggen, maar Raf niet. Ik bedoel maar, ik heb Miri vanmiddag nog gezien en Raf heeft me…

Raf staat vlakbij, aan de andere kant van de tafel, achter Carly.

'Hoi,' zegt hij.

Ik kan niet meer ademen of praten. Wat is er met me aan de hand? Ik heb zo lang naar deze dag verlangd en het hele gesprek voorbereid. Echt waar. Ik heb het helemaal uitgeschreven in mijn hoofd. Ik ga mijn glanzende bruine lokken nonchalant naar achteren schudden en zo gereserveerd mogelijk hallo zeggen, en dan ga ik heel terloops vragen: 'Hoe is het met je?'

Dan zal hij mij zijn eeuwige liefde verklaren en me in zijn armen nemen en me zo gepassioneerd kussen dat…

'Rachel? Gaat het?'

Dit is niet het moment om te gaan dagdromen, Rachel! Dit is het moment om te spreken, Rachel! Dit is niet het moment om naar jezelf te verwijzen in de derde persoon, Rachel!

'Hoi, Raf,' piep ik.

'Wat vind je van je eerste kampdag?'

'Leuk. Cool. Goed.' Wat geeft het dat ik alleen maar woorden van één lettergreep kan zeggen? Ik praat tenminste. Helaas luistert mijn hele slaapzaal geboeid mee naar dit gesprek.

'Vond je de macaroni met kaas van Oscar lekker?' vraagt hij.

'Oscar?'

'De kok. Hij is al, eens kijken, zo'n twintig jaar de kok.'

'Oh ja. Erg kazig.' Briljant, Rachel.

Raf wuift groetend naar de meisjes aan tafel. 'Hallo, dames.'

'Hoe lang kennen jullie elkaar al?' vraagt Alison met volle mond.

'Rache en ik kennen elkaar al eeuwen.'

'We hebben gehoord dat ze je broer ook kent,' zegt Morgan.

De randen van Rafs wangen worden roze.

Misschien moet ik haar in een insect omtoveren. Of beter nog, in insectensap. Het is niet te geloven dat ze Will ter sprake brengt. Het is niet te geloven dat ik met Will uit geweest ben, zelfs al was het een ongelukje. Ik hoop dat Raf al die dingen niet tussen ons in laat komen. Ik weet zeker dat ik helemaal gek zou worden als Raf met Miri uitging.

Oh, dat is ook zo. Miri. 'Raf, ken je mijn zusje Miri al?'

Hij glimlacht naar haar. 'Nee, volgens mij niet. Wow, jullie lijken op elkaar, zeg.'

Dat is goed nieuws, toch? Miri is allerschattigst. We blozen tegelijk.

'Ik heb jou gezien bij de modeshow, met Rachel,' zegt Miri, wat een pijnlijke stilte tot gevolg heeft, want ik was, eh, afschuwelijk in die modeshow. Miri, die zich kennelijk bewust wordt van haar misstap, mompelt: 'Ik moet weer eens terug naar mijn tafel. Ik heb mijn leidster beloofd dat ik maar heel even weg zou blijven.'

'Ik ook,' zegt Raf.

'Hé Raf, waarom zat je vandaag niet in de bus?' Oh lieve help, heb ik dat net gevraagd? Een coole meid had zoiets nooit gevraagd. Een coole meid had niet eens gemerkt dat hij niet in de bus zat.

'Ik ben met Will meegereden. De leiders hadden gisteravond na het introductiekamp vrij, daarom kwam hij naar de stad om Kat te zien. Nou ja, ik spreek je later nog wel, Rache.'

Ik vind het heerlijk dat hij me Rache noemt! 'Cool. Later.'

Later. Ik spreek Raf later nog wel.

Ik ga zelfs niet geobsedeerd raken door de vraag wat hij met 'later' bedoelde. Ik ben vanaf nu cool.

Tralala.

Maar bedoelde hij met later zoiets als over vijf minuten, of later als in morgen, of later als hij langskomt op de laatste avond om afscheid te nemen?

Kom maar op met die marshmallows

Na het avondeten hebben we vrije tijd. We gaan terug naar de slaapzaal om te relaxen en barbecuechips, brownies en M&M's te eten.

'Worden er ooit activiteiten georganiseerd?' vraag ik, terwijl mijn handen alle kleuren van de regenboog krijgen van het suikerlaagje om de chocola. Ik lig op Alisons bed, met mijn voeten tegen de ladder. 'Of gaan we de hele zomer alleen maar relaxen en snoepen?'

'De eerste dag is altijd een kennismakingsdag,' legt Morgan uit. 'En wen maar niet te veel aan het snoepen. Ze geven ons twee dagen met de rommel die we van huis hebben meegebracht en daarna gooien ze de rest weg.'

'Ze gooien het niet weg,' zegt Alison. 'Ze doen het in een grote vuilniszak en nemen het mee naar de huiskamer van de leiders, waar ze er de hele zomer van snoepen.'

'Dat is zo oneerlijk,' zegt Poedel met een zucht. 'Ik kan niet wachten tot wij leiding zijn en het snoep van onze kinderen kunnen stelen. Alison, geef me nog eens een brownie van je moeder aan.'

'Oké. Wil je er ook één, Carly?'

Carly doet sit-ups op de vloer. 'Nee, dank je.' *Hijg, hijg.* 'Ik ben op dieet.'

'Je kunt op dieet gaan zodra ze ons snoep hebben ingepikt,' zegt Alison. 'Op dit moment kun je beter genieten van de brownies.'

Carly negeert haar.

'Ik laat niet al mijn spullen afpakken,' zegt Morgan. 'Echt niet. Ik ga dit jaar een betere verstopplek vinden.'

Had ik maar spullen om te verstoppen. Gelukkig delen ze hun snoep met me. Ik steek mijn hand uit en neem nog een handvol M&M's van Alison. 'Kun je je spullen niet verstoppen in je waszak of zo?'

Morgan snuift. 'Alsjeblieft. Dat is de eerste plek waar ze zoeken.'

Alison knikt. 'Vorig jaar had Anderson... Rachel, heb je Anderson al leren kennen?'

'Nee.'

'Hij is een goede vriend van Raf. Hoe dan ook, hij...'

'Hij gebruikt veel te veel haargel,' zegt Morgan.

'Hoe dan ook, hij had zijn mobieltje verstopt in een lege deodorantbus. Maar zijn leider hoorde het overgaan en toen moest hij het inleveren.'

'Ik ben het wel eens met de mobielregel,' zegt Poedel. 'Ze bederven de kampervaring.'

'Attenfie alle kampgangerf en leiderf! Attenfie alle kampgangerf en leiderf! Dit if het einde van jullie vrije tijd. Ga alfjeblieft naar Upper Field voor het jaarlijkfe kampvuur op de eerfte avond.'

'Nu we het toch over kampervaringen hebben, dit is een van mijn favo's.'

Morgan grijnst. 'Vergeet niet een fweatfhirt mee te nemen.'

'De school is aan de kant gezet,
Nu is het tijd voor zomerpret.
Kano's en muggen horen erbij.
We gaan weer op kamp, dat maakt ons blij.'

Aangezien ik er geen woord van ken, kan ik alleen maar met mijn hoofd bewegen en meeklappen met de driehonderdvijftig leiders en kampgangers die allemaal uit volle borst aan het zingen (of liever schreeuwen) zijn rond het kampvuur. Op de een of andere manier is onze slaapzaal erin geslaagd om zitplaatsen te bemachtigen op een paar rijen van het vuur en daarom verwarmen de vlammen mijn gezicht, ook al is het buiten fris.

Anthony, de hoofdleider en een gigantisch grote en verbijsterend aantrekkelijke man van achter in de twintig met een olijfkleurige huid, begeleidt ons op zijn gitaar.

'W-O-O-D!
Een thuis ver van huis, daar wil ik graag zijn.
L-A-K-E!
Nergens anders is het zo fijn!'

Schuin tegenover me zie ik Miri zitten met haar slaapzaal. In plaats van te doen alsof ze meezingt, zit ze in een of ander boek te schrijven. Te schrijven! Bij een kampvuur! Hoe kan ze het zien?

'Wood Lakeleiders zijn aardig en mooi.
Was het in onze hutten maar niet zo'n zooi!
Koala's, Apen, Leeuwen en K-I-O'S,
Oscar, mogen we nog een koekje uit je doos?

Op dagen van regen of dagen vol zon,
Van de brug tot waar het kamp ooit begon,
Zijn we blij dat we dit kunnen beschrijven,
We willen hier het hele jaar wel blijven!

In de herfst gaan we weer treurig uiteen,
We tellen de dagen, één voor één,
Van heimwee en verlangen zien we bleek,
Totdat we terug zijn in Camp Wood Lake!'

Alison en Poedel slaan hun armen om mijn schouders en deinen heen en weer en ik zing mee met het slotrefrein:

'*W-O-O-D!*
Een thuis ver van huis, daar wil ik graag zijn.
L-A-K-E!
Nergens anders is het zo fijn!'

Iedereen barst uit in gejuich en applaus. Anthony steekt zijn gitaar in de lucht en het gejuich wordt nog harder. Zelfs de Leeuwenjongens, inclusief Raf, die een paar rijen achter ons zitten, juichen mee.

'Welkom op het kamp allemaal!' zegt Anthony en zijn stem echoot over Upper Field. 'Het wordt weer een moordzomer.'

Meer oorverdovend gejuich.

'Tijd om jullie te laten kennismaken met het stafhoofd van dit jaar. Welkom terug, Abby. Zij is opnieuw het hoofd van de Koala's.'

Alle kleine kinderen juichen.

'Hallo, allemaal,' zegt de kleine twintiger met een onverwacht luide stem. Ze staat naast Anthony bij het vuur. 'Hup, Koala's, hup!'

De kinderen steken allemaal hun handjes in de lucht en juichen.

'Vind je het niet schattig?' vraagt Poedel mij.

'Heel schattig,' zeg ik. Bij de tweede lichting, als het beginnerskamp start, zit Prissy ook bij hen!

'En hier is Mitch,' zegt Anthony, 'hoofd van de Apen.' De tien-, elf- en twaalfjarigen juichen. Mitch is de oudere broer van Will en Raf, de enige Kosravibroer met wie ik geen date heb gehad. Hij lijkt ook op hen. Heel donker, mysterieus en sexy.

'De Apen gaan de boel op stelten zetten!' kondigt Mitch aan en hij stompt in de lucht.

'En we kennen allemaal Janice,' gaat Anthony verder, 'het hoofd van de Leeuwen.'

Wij Leeuwen schreeuwen en juichen.

'Hallo, iedereen,' zegt ze, terwijl ze opstaat en met nog steeds blauwe lippen bezorgd rondkijkt, het enige hoofd met een schrijfblok in haar hand.

'Een hoera voor Houser, opnieuw het hoofd van de KIO's.'

De KIO's (Kampleiders In Opleiding) springen allemaal overeind en zwaaien en gillen.

'En voor Rose, het hoofd van de waterkant.'

Plotseling is het rustig rond het kampvuur. Echt waar, ik kan de krekels horen. Kennelijk vindt niemand Rose aardig. Na een stilte klappen sommige badmeesters en de rest van de hoofdstaf wat halfbakken.

'Ze is afschuwelijk,' fluistert Alison tegen mij. 'Mijn broer had haar baantje vorig jaar, en iedereen was gék op hem.'

Ze is tegen de twintig; ze heeft een blanke huid die eruitziet als porselein, een kleine roze mond en glanzend blond haar; en ze draagt een fluitje rond haar nek. Ze ziet er niet zó slecht uit. Maar ja, wat weet ik ervan?

Rose kijkt woest naar de kampgangers.

'Ehm, dank je, Rose. En nu graag een hartelijk applaus voor de vrouw die je nooit wilt zien: dokter Dina!'

Een vrouw van middelbare leeftijd met een grote bos bruin haar voegt zich bij de rij en er klinkt opnieuw gejuich.

'En ten slotte wil ik graag de handen op elkaar voor Oscar Han, onze buitengewone kampkok!'

Een Chinese man die er als een grootvader uitziet en helemaal in een wit kokskostuum gekleed is, staat op en zwaait.

De menigte wordt wild. 'Oscar! Oscar! Oscar!'

'Hij maakt de beste lasagne van de hele wereld,' legt Alison uit.

Bzzz, bzzz, bzzz. Een mug valt mijn oor aan en ik sla hem weg. Verdorie, ik ben vergeten mezelf in de antimuggenspray onder te dompelen.

Anthony steekt zijn hand op om ons om stilte te vragen. 'Wij zijn hier om ervoor te zorgen dat jullie een geweldige zomer hebben. De afgelopen honderdzes jaar is dit kamp een thuis geweest voor kampgangers van alle leeftijden.'

Veel gejuich.

'Maar om te zorgen dat jullie je gelukkig en veilig blijven voelen, moeten jullie je aan de regels houden.'

'Weg met de regels!' schreeuwt een van de Leeuwenjongens, en iedereen lacht.

'Heel grappig, Blume,' zegt Anthony. 'Ik hoop dat je dit jaar uit de buurt van de boten blijft.'

Meer gelach.

'Vorig jaar hebben Blume, Raf, Colton en Anderson alle kano's en kajaks in het meer geduwd,' legt Alison uit. 'Mijn broer vond het heel grappig. Maar hij moest ze natuurlijk wel zappen.'

Ik heb een voorgevoel dat hun zappen niet hetzelfde is als mijn zappen.

'Wat is zappen?' vraag ik en ik draai me om om die Blume eens goed te bekijken. Hij ziet er wat armoedig uit met zijn gescheurde spijkerbroek, de T-shirts die hij over elkaar draagt en zijn petje dat achterstevoren staat. Hij staat precies naast Raf. Ik draai me snel weer terug, voordat Raf me ziet en denkt dat ik hem aan zit te staren. Dat is niet cool.

'Als je gezapt wordt, heb je huisarrest.'

'Dus, zoals ik al zei. Regels. Vlaggenmast,' gaat Anthony verder. 'Wees op tijd. Rusturen moet je doorbrengen in je slaapzaal. Als je niet bij de activiteit op je rooster bent, moet je je leider laten weten waarom. Je mag zelf weten wat je doet in je vrije tijd, maar je mag niet het bos in en het is verboden voor jongens om in de meisjesslaapzalen te komen of andersom.'

'Boeoe!' schreeuwen de Leeuwenjongens.

Anthony toont zijn oogverblindende glimlach. 'Niet naar het meer of het strand zonder toezicht van de staf. En stilte-uren hebben een reden, dus daar moeten jullie je aan houden. Koala's, na de avondactiviteit nemen jullie leiders je mee om wat te eten en daarna gaan jullie meteen naar bed.'

'Boeoe!' gillen de Koala's.

'Apen, jullie hebben vrije tijd, die wij hier in Wood Lake gazontijd noemen, tot kwart voor tien. Leeuwen, jullie hebben gazontijd tot kwart over tien.'

Geweldig. Vrije tijd om met Raf af te spreken!

'Waarom heet het gazontijd?' vraag ik aan Alison.

'De Leeuwen hadden altijd de gewoonte om op het gazon rond te hangen.'

'Wat voor gazon?'

'Het gazon is weggehaald toen ze het meer groeven. Maar de naam is blijven hangen.'

'De laatste regel is dat er absoluut nergens op het kampterrein gerookt mag worden.'

De menigte wordt rustig.

'Na vorig jaar is deze regel nog veel belangrijker geworden. Zoals velen van jullie weten, heeft een van onze kampgangers…'

'Een Leeuw met de naam Jordan Browne,' fluistert Poedel tegen me.

'…sigaretten het kamp in gesmokkeld, een aangestoken sigaret in de vuilnisbak van zijn blokhut gegooid en daarmee brand veroorzaakt. De hele veranda brandde af en moest herbouwd worden. Gelukkig raakte er niemand gewond, maar dit jaar hebben we een zerotolerancebeleid ingesteld. Iedere kampganger die betrapt wordt met sigaretten, wordt onmiddellijk naar huis gestuurd. Geen uitzonderingen. Begrepen?'

We knikken allemaal.

'Wat is er met Jordan Browne gebeurd?' vraag ik. Bzzz. Bzzz. Bzzz. Ik sla de mug opnieuw weg met de rug van mijn hand.

'Hij werd niet meer gevraagd als KIO,' fluistert Alison. 'En zijn ouders moesten de schade vergoeden.'

'Als je sigaretten bij je hebt, moet je ze aan de hoofdstaf afgeven als we je snoep komen ophalen,' zegt Anthony.

'Dan kunnen zij ze op de parkeerplaats oproken,' mompelt Morgan van de andere kant van Alison. 'Balen dat zij wel mogen roken en wij niet.'

'Je moet helemaal niet roken,' zegt Alison en ze trekt haar neus op. 'Het is walgelijk.'

'Ik rook ook niet!' roept Morgan uit. 'Maar ik zou het moeten mogen, als ik dat wilde.'

Anthony pakt zijn gitaar weer. 'Tijd voor nog een lied. Kent iedereen de tekst van "Eén tinnen soldaatje"?'

Iedereen kent de woorden. Iedereen behalve ik.

Ik vraag me af of iemand het zou merken als ik voor mezelf een liederenboek toverde, zodat ik mee kon zingen.

'Luister, kinderen, naar een verhaal van lang geleden…'

Ik kijk rond bij het overvolle kampvuur. Hmm, te veel mensen die kijken. In het licht van mijn vorige ervaring, namelijk het tevoorschijn toveren van een nieuwe garderobe, denk ik dat ik dat misschien beter eerst in mijn eentje kan oefenen, voordat ik magie ga uitproberen in het zicht van de complete kampbevolking.

Bzzz. Bzzz. Bzzz.

Oh, bah. *Mug, ga weg!*

Ik voel een koude windvlaag en dan verdwijnt het kleine mormel midden in een zoem in een wolkje paarse rook.

'Wat was dat?' vraagt Poedel en ze draait haar hoofd met een ruk om.

Het werkte! 'Ik zag niets,' zeg ik snel. Ik weet dat ik me schuldig moet voelen omdat ik hem naar Never Never Land gezapt heb, maar dat is absoluut niet het geval.

'Maf,' zegt Poedel en ze schudt met haar lange haar.

'Wild,' zegt Alison.

Geweldig, denk ik, maar ik zeg het niet.

'Lichten uit over tien minuten!' kondigt Deb aan vanuit de ingang van de slaapzaal. 'Als je iets nodig hebt, ben ik in mijn kamer.'

'Laten we ons gaan wassen,' zegt Alison. Ze glijdt snel van mijn bed (waar we zaten te kletsen), terwijl ik – een beetje bangig – de ladder af klim.

We pakken snel onze tandenborstels, tandpasta, handdoeken en washandjes van onze gezamenlijke blauwe plank, proppen onze voeten-met-sokken in onze slippers, haasten ons door de kastenkamer de toiletruimte in en gaan dan achter Cece, Trishelle, Poedel en Carly op onze beurt bij een van de vier wastafels staan wachten.

'Ieieieks!' gil ik als ik aan de beurt ben. 'Wordt dat water wel warm?'

'Nee.'

Ik bevries mijn gezicht zo'n beetje onder het wassen. Ik poets snel mijn tanden, trek me terug in de kastenkamer om mijn super- grote flanellen pyjama aan te trekken (vriendelijke actie van H&M) en klim in bed.

'En, Carly, wat is er dit jaar te vertellen over Blume en jou?' vraagt Poedel.

Morgan begint kusgeluiden te maken.

'Hou je kop!' draagt Carly haar op.

'Ga je het uitmaken als hij je weer probeert te tongen?' vraagt Morgan lachend.

De meiden krijgen de slappe lach. Het is raar om in een nieuwe groep vrienden met een gemeenschappelijk verleden terecht te ko- men.

'Ik heb hem gedumpt omdat hij altijd een randje spuug om zijn mond had zitten en omdat ik van het idee om hem te kussen al bij- na moest overgeven,' legt Carly uit en ze gaat rechtop in bed zitten. 'Maar ik deel jullie mee dat ik dit jaar een vriendje heb gehad, Michael Miller, die érg goed kon zoenen.'

'Oh la la,' zegt Poedel.

'Zat er tong in de zoen?' vraagt Morgan.

'Je bent zo'n viezerik!' krijst Carly.

Morgan lacht. 'Geen tong dus?'

'Dat gaat je niets aan! Hoe dan ook, ik ben niet geïnteresseerd in Blume.'

'Je gaat zijn hart breken,' zegt Alison.

Poedel trekt een wenkbrauw op. 'Waarom maak jij deze zomer geen werk van hem, Alison?'

'Ik?'

'Ja, jij. Vind je hem leuk?'

Morgan keert zich om naar Poedel. 'Waarom probeer jij altijd mensen te koppelen?'

'Waarom niet?'

'En het spuug dan?' vraagt Carly.

'Hij heeft géén spuugprobleem,' zegt Poedel. 'Ik heb hem gekust

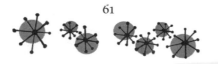

toen we Apen waren, weet je nog? Hij is een schatje.'

'Waarom neem jij dan niet weer verkering met hem?' vraagt Morgan.

Poedel glimlacht mysterieus. 'Ik heb mijn oog al op iemand laten vallen.'

'Op wie?' vragen ze allemaal.

'Harris,' zegt ze zacht.

Natuurlijk heb ik geen idee wie Harris is, maar ik wil niet irritant doen en inbreken in hun bijpraatsessie.

'Je kunt geen verkering krijgen met Harris!' zegt Alison. 'Hij hoort bij de staf.'

'En wat dan nog?'

'Het is tegen de regels,' zegt Alison.

'Oh, wat maakt het uit, hij is pas zeventien en iedereen doet het. Hij was vandaag ontzettend met me aan het flirten bij het kampvuur.'

'Dat is zo oneerlijk,' klaagt Morgan. 'Als jij verkering krijgt met Harris, neem ik verkering met Will.'

'Daar zit een klein verschil in,' zegt Carly. 'Poedel heeft een kans bij Harris, maar jij hebt geen kans bij Will.'

'Alison, wil je dat ik voor je met Blume praat?' vraagt Poedel.

Carly kijkt verstoord. 'Wacht eens even…'

'Je zei net dat je niet geïnteresseerd was!'

'Dat weet ik, maar toch. Dit gaat wel heel snel allemaal.'

'Ik ben niet geïnteresseerd in Blume,' zegt Alison. 'Ik hou van jongens die meer studeren.'

Morgan snuift. 'Studiebollerig, bedoel je?'

'Boekerig.'

Deb onderbreekt hen door de lichten uit te doen.

'Welterusten, iedereen!' zegt Carly.

Poedel: 'Goedenacht, dames.'

Morgan: 'Goedenacht, hitsige meiden.'

Alison: 'We zijn geen hitsige meiden.'

Morgan: 'Ik had het over mezelf.'

Iedereen lacht.

'Teddy zegt welterusten,' zingt Carly met een piepstemmetje.

Morgan kreunt. 'Je gaat toch niet weer de hele zomer elke avond met dat teddybeerstemmetje praten?'

'Natuurlijk wel,' zegt Poedel. 'Dat is een deel van haar charme. Heb je haar nieuwe beer gezien? Hij heeft een hoge hoed op.'

'Het is geen beer,' zegt Carly. 'Het is een pinguïn.'

'Je moet dringend een echt leven gaan leiden,' zegt Morgan.

'Ik heb jullie gemist,' zegt Carly.

'Wij jou ook,' zingen de andere meisjes terug, en dan voegt Alison eraan toe: 'En we zijn blij dat jij er bent, Rachel.'

Maanlicht stroomt door de gordijnloze ramen en werpt een zilveren gloed over de houten vloer.

'Ik ben blij dat ik hier ben,' zeg ik.

Het wordt heel stil in de slaapzaal. Te stil. Ik hoop dat het me lukt om in slaap te vallen zonder het geluid van de toeterende taxi's van New York.

Piep! Kraak!

Iedere keer als een van de meisjes beweegt, echoot er gekraak door de kamer.

Ah, denk ik. Dat is beter.

Ik draai me op mijn zij en glimlach in mezelf.

De ochtendstond

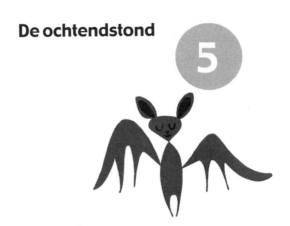

'Tijd om op te staan! Kom op!'

Waarom schreeuwt mijn moeder zo?

'Vlaggenmast over dertig minuten!'

Oh, dat is ook zo. Ik ben op kamp.

Mijn ogen springen open, ik ga overeind zitten en kijk rond in de hut. De zon stroomt door de ramen naar binnen, maar mijn zaalgenoten zijn nog vast in slaap.

Jeuk. Au. Mijn knie staat in brand. Een muggenbeet. Nog één op mijn enkel. En nog één... op mijn neus. Die mug durft wel! Nu voel ik me helemaal niet meer schuldig dat ik hem naar Never Never Land heb verbannen. Ik krijg absoluut het West-Nijlvirus.

'Tijd om op te staan,' zegt Janice, die door de hut stampt alsof ze tapschoenen draagt. 'Vlaggenmast over dertig minuten.'

Jakkie, het is hier ijskoud. Mijn neus is vervormd tot een ijsklontje. Een jeukend ijsklontje. Ik sta op het punt om de ladder af te klimmen, maar niemand anders komt in beweging. Nou, als zij blijven liggen... Ik ga weer liggen, trek mijn flinterdunne deken over mijn gezicht en val weer in slaap.

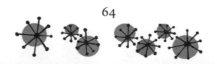

Ongeveer twintig minuten later hoor ik gepiep en gekraak, daarom verwijder ik mijn deken en ik zie dat Carly op de vloer haar buikspieroefeningen aan het doen is. Morgan staat naast haar bed te gapen.

Het is hier zo koud dat ik zo ongeveer mijn adem kan zien. Ik hoop dat H&M ski-jacks maakt.

Alison kreunt in het bed onder mij. 'Het is toch nog geen ochtend?'

'Ja,' zegt Morgan.

'Hoe laat is het?' jammert Alison.

'Tien over acht.'

Mijn stapelbed kraakt als Alison zichzelf eruit hijst. Ze graait haar bril van onze gedeelde blauwe houten plank, werpt een stuk kauwgom in haar mond, plant haar honkbalpet op haar slordige bruine haar, schuift haar besokte voeten in haar gympen en zegt: 'Klaar.'

Maakt ze een grapje? 'Ga je in je pyjama?'

'Natuurlijk. Het is het ontbijt.'

'Trek je zelfs geen beha aan?'

Ze haalt haar schouders op. 'Ik ben tamelijk plat.'

Ik ga echt niet in deze supergrote flanellen pyjama naar het ontbijt. Hij is totaal ongeschikt voor publieke bezichtiging. 'Ik denk dat ik me liever even aankleed.'

'Dan moet je wel opschieten,' zegt Carly en ze raapt zichzelf op van de vloer. 'We hadden zo'n twee minuten geleden moeten vertrekken.'

'Slaapzaal veertien moet over vijf seconden op de veranda staan!' beveelt Deb.

Ik vlieg de ladder af en sprint naar de kastenkamer, waar ik wanhopig zoek naar een nieuwe damesonderbroek. Noppes. (Mentale aantekening: Miri vragen naar een omkeerspreuk!) Ik trek de spijkerbroek van gisteren aan en een sweatshirt dat eruitziet of het zal passen, maar dat niet doet. Geen tijd om me te verkleden. Ik moet mijn schoenen vinden. Waar heb ik ze gelaten? Als ik ze gevonden heb in een stapel onder Alisons bed, ren ik naar het toilet om te plassen. Ik trek net door als Deb schreeuwt: 'Kom op, meiden!'

Ik gooi de deur open en was gehaast mijn handen. En dan krijg ik in de spiegel mijn haar in het oog. Oh lieve help. Dat is een ramp. Waar is mijn borstel? Ik moet mijn borstel vinden! Heb ik een borstel meegenomen?

Poedel schrijdt het laatste toilethokje uit, terwijl ik wanhopig naar mezelf sta te staren. Ze draagt een zijdeachtige roze pyjamabroek en een strak wit sweatshirt met capuchon. Haar lange blonde haar is naar achter gebonden in een hoge paardenstaart. Dit is niet eerlijk. Waarom ziet zij eruit om door een ringetje te halen, terwijl ik eruitzie als een houthakker wiens hoofd in een onweersbui terecht is gekomen?

Ik heb een haarspreuk nodig, nu. Ik sluit mijn ogen en wens:

Haar, ik heb erge haast, echt.
Word nu snel helemaal recht!

Koude lucht! Zap!

Ik open mijn ogen. Het resultaat staart vanuit de spiegel terug.

Het heeft wel gewerkt. Het is recht. Het staat rechtop als de stekels van een stekelvarken, of alsof ik mijn vinger in een stopcontact gestoken heb, maar het is recht.

Wat nu?

Ik rommel door de spullen op mijn plank op zoek naar een elastiekje, keer terug naar de badkamerspiegel en bind mijn haar bij elkaar in een hoge paardenstaart.

Niet eens echt afschuwelijk. Alsof ik een soort cheerleader ben.

'Weinstein, naar de veranda!' commandeert Deb en ze komt me halen. Met een greintje bezorgdheid constateer ik dat ze nog steeds haar pyjama aanheeft. Ben ik straks de enige die niet in pyjama is?

De vlaggenmast is achter de eetzaal, op Lower Field. Aangezien dit mijn eerste keer op Lower Field is, kan ik er niets aan doen dat ik onder de indruk ben als ik met de rest van mijn slaapzaal de weg af loop. Dit kamp is gigantisch! We komen langs een klein park en langs de ziekenbarak, een plaats waar ik nooit hoop te komen. Zeg

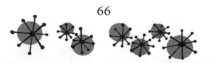

nu zelf, wie wil er ziek worden op kamp? Elke keer als ik ziek word, wordt mijn gezicht pafferig en stinkt mijn adem naar ongekookte kip van een week oud.

Voorbij de ziekenbarak komt de weg uit op Lower Field, dat in grote lijnen bestaat uit een vlaggenmast, een honkbalveld met tribunes en een basketbalveld, ook met tribunes. Rondom het veld ligt een cirkel van groene blokhutten die lijken op de kleine groene huizen op een Monopolybord. Uit die blokhutten komt een stroom van kinderen die in de rij gaan staan bij de vlaggenmast. 'Kom op, we gaan!' roepen de leiders. We gaan allemaal per slaapzaal bij elkaar staan en ik kijk de kring rond, op zoek naar Raf.

Pas als ik hem in het oog krijg (in zijn flanellen pyjamabroek en een sweater!), pratend met een van de andere jongens, realiseer ik me dat ik mijn tanden niet heb gepoetst.

Oh jee.

Hoe heb ik dat kunnen vergeten? Ik ben nog nooit uit mijn appartement vertrokken zonder mijn tanden te poetsen. Dit is niet goed, helemaal niet goed. Ik heb een weerzinwekkende ochtendadem. Het is nog erger dan mijn adem als ik ziek ben. Echt waar, als ik net wakker ben, moet mijn mond tot nucleair niemandsland verklaard worden.

Ik ga geen enkel woord zeggen totdat ik teruggekeerd ben in mijn slaapzaal.

Anthony begint aan een touw te trekken en hijst de vlag. 'Kan de Koalagroep alsjeblieft inzetten bij het zingen van het volkslied?'

De leiders van de jongste groep helpen hun kampkinderen om in te zetten met zingen. 'Eén. Twee. Drie! *Oh, say can you see...*'

Uiteraard kan ik niet zingen. In plaats daarvan kruip ik weg achter de andere meiden en houd ik mijn lippen stijf dichtgeritst tijdens het hele volkslied en ik besef dat bijna het hele kamp (inclusief Miri) een pyjama aanheeft, of in elk geval een pyjamabroek.

Als het eind van het lied nadert, worden de kampgangers onrustig en beginnen ze zich te bewegen in de richting van de eetzaal, hoewel hun leiders hen proberen tegen te houden.

'Wandelen, niet rennen!' brult Anthony als de jongste kinderen

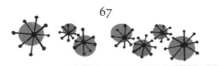

hem negeren en vertrekken naar de eetzaal.

Onderweg naar het ontbijt doe ik mijn best om te mimen in plaats van te praten. 'Heb je lekker geslapen?' Schouders ophalen. (Ik ken het handgebaar niet voor bobbelige matras.) 'Ben je afgevallen? Je kleren lijken nogal wijd.' Knik, knik. (Waarom niet?) 'Wat vind je tot nu toe van het kamp?' Brede glimlach. (Brede glimlach met gesloten lippen.)

Ik verberg me als ik Raf zie. Hij mag me deze ochtend niet zien. Met mijn stekelvarkenhaar en dodelijke adem? Vergeet het maar. Ik loop achter Alison aan de trap op en ineens krijg ik een ingeving. Hallo? Waarom vergeet ik steeds dat ik een heks ben? Ik kan gewoon iets toveren wat helpt. Als ik eenmaal in de eetzaal ben, ga ik aan tafel zitten, sluit mijn ogen en doe een wens.

Maak mijn ochtendadem, die walgelijk is, alsjeblieft heel snel weer heerlijk fris!

Mijn lichaam wordt koud, dus het moet wel werken. Ik open mijn ogen, bedek mijn mond met mijn hand, adem uit en adem dan in door mijn neus. Bah. Dus niet.

En dan valt mij de mand met bestek midden op onze tafel op. Of wat de mand met bestek was. Het is nu een mand met veelkleurige tandenborstels.

Oeps.

Ik moet dat herstellen voordat het iemand opvalt. Hoe doe ik dat zonder dat het iemand opvalt?

Aangezien mijn zaalgenoten nog steeds bezig zijn te gaan zitten, heeft nog niemand mijn meest recente magische stunt opgemerkt. Ik ruk de mand nonchalant naar me toe en smijt hem op de vloer. Ik houd mijn adem in (in de eerste plaats omdat ik hoop en bid dat niemand het gezien heeft en bovendien om niemand af te schrikken door de geur).

'Deb, ze zijn vergeten om ons bestek te brengen,' klaagt Carly.

'Ik zal het ophalen als ik het eten ga halen,' zegt Deb.

Pfiew. Probleem opgelost. En gelukkig heeft niemand de wille-

keurig rondslingerende tandenborstels opgemerkt. Ik haal opgelucht adem.

Hoera voor de kracht van twee. Maar het is niet geheel opgelost.

Op wonderbaarlijke wijze slaag ik erin om tijdens het hele ontbijt spreken te vermijden en ook tijdens de hele weg terug naar de slaapzaal om schoon te maken. Het eerste wat ik schoonmaak is mijn mond. Ik begeef me rechtstreeks naar de wastafel. Als ik terugkeer aan onze kant van de blokhut, ontdek ik dat al mijn zaalgenoten weer in bed liggen. 'Ik dacht dat we moesten schoonmaken,' zeg ik.

'Dat is codetaal voor extra slaap,' legt Alison vanonder haar dekbed uit.

Ik vind het prima. Ik schop mijn gympen uit, klim mijn ladder op, verdwijn onder de dekens en val meteen in slaap. Het komt vast van de koude lucht dat ik zo moe ben.

Deb bonst op de muur. 'Meiden, jullie moeten opstaan.'

Niemand beweegt of geeft antwoord.

'Ik meen het! Jullie weten dat Janice mij geweldig op mijn donder geeft als het hier een troep is. Ik heb een werkwiel voor jullie gemaakt...'

Alison en Morgan kreunen allebei. Enigszins nieuwsgierig naar wat al dat gekreun veroorzaakt, gluur ik over mijn deken heen. Deb zit op Poedels bed en houdt een soort van geel met rood wielachtig ding omhoog.

'...dat jullie vertelt wat je taken zijn. Ik heb vegen, stoffer en blik, badkamer, veranda en vrij. Oké? En Penelope heeft er precies zo één voor vijftien gemaakt, alleen staat er kastenkamer op in plaats van veranda en zijn er twee mensen vrij.'

Ons werkwiel ziet eruit als een pizza met vijf punten. Onze namen zijn in blokletters rond het wiel geschreven. 'Vandaag heb jij veegtaak, Poedel; Rachel heeft stoffer en blik; Alison de badkamer; Morgan doet de veranda en Carly, jij bent vrij.'

Carly juicht. 'Meer sit-ups voor mij!'

Dat is niet eerlijk! Ieder van ons heeft een op de vijf dagen vrij van corvee, maar in zaal vijftien hebben twee van hen elke zes da-

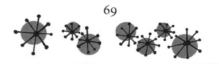

gen vrij, wat betekent dat de meisjes in vijftien uiteindelijk 33,3 procent van de tijd vrij zijn, terwijl wij maar 20 procent van de tijd vrij zijn! Hmm. Maar ik zeg niets. Ik wil niet dat de anderen denken dat ik een of andere wiskundegek ben.

'Over vijf minuten staan we op,' zegt Poedel. 'Hé, Deb, waarom ga je niet op het schema kijken welke activiteiten we vandaag hebben? Zeg tegen Janice dat we willen zeilen.'

'Absoluut,' zegt Morgan. 'Harris is hot.'

Poedel knikt. 'Aangezien hij leider is bij kanotochtjes, zou ik een verzoek willen indienen voor een tocht met overnachting.'

'Eén dag tegelijk,' zegt Deb en ze loopt naar de deur. 'Ik zal zien wat ik kan doen, maar jullie moeten uit bed komen.'

Poedel zet haar voeten stevig op de grond. 'Maak je geen zorgen, ik ben al op.' Zodra Deb de slaapzaal verlaat, giechelt Poedel en kruipt terug onder haar dekens met kanten randjes.

We vallen allemaal weer een minuut of tien in slaap en dan horen we: 'Meiden, jullie hadden beloofd dat jullie gingen schoonmaken! Over tien minuten beginnen de zwemtoetsen!'

Zwemtoets? Zo snel na het ontbijt? Is dat wettelijk toegestaan? Hoe dan ook, het zou verboden moeten zijn om tijdens de zomermaanden het woord 'toets' te gebruiken. Ik vraag me af of ik dat kan toveren.

'Boeoeoe!' zegt Poedel. 'Ik zei je toch dat ik wilde zeilen!'

'Helaas maakt Janice het schema en jij niet, Poedel. Als je zo graag wilt gaan zeilen, kies het dan als een van je keuzeactiviteiten.'

'Wanneer beginnen die?' vraagt Alison.

'In de komende dagen. Vandaag: zwemtoetsen, dan toneel, pottenbakken, afwassen voor de lunch, lunch, rustuur, voetbal, tennis, iets lekkers en tot slot algemeen zwemuur, oftewel "AZ". Dus trek je zwemkleding aan, doe zonnebrand op en grijp een handdoek.'

Poedel schudt met haar lange blonde haar. 'Ik kan vandaag mijn zwemtoets niet doen. Ik ben ongesteld.'

Waarom heb ik dat niet bedacht?

'Ik ook,' zegt Carly.

'En ik ook?' probeer ik.

Deb lacht. 'Jullie zijn zulke leugenaars,' zegt ze, terwijl ze gaat staan en haar armen boven haar hoofd strekt.

'Ik zweer het, echt waar!' zegt Poedel.

'Wat, heb je nog nooit van tampons gehoord?' vraagt Deb.

Poedel trekt haar dekens stevig om zich heen. 'Maar ik heb buikpijn.'

'Oefening is goed tegen buikpijn,' zegt Deb.

Poedel overdrijft het optrekken van haar wenkbrauwen. 'Ik neem aan dat jij met ons meegaat het meer in?'

'Echt niet,' zegt Deb lachend.

'Wat geef je een goed voorbeeld,' moppert Poedel.

'Wacht maar tot jullie mijn nieuwe bikini zien,' zegt Morgan en ze trekt haar slippers aan. 'Ik zie eruit als een model uit de lingeriegids van Victoria's Secret.'

Carly snuift. 'Ik denk dat je langer moet zijn om model te zijn bij Victoria's Secret.'

Morgan schudt met haar vinger. 'Pas op, of je pinguïn valt per ongeluk in het meer.'

'Laten we nu gaan schoonmaken, zodat we het later niet hoeven te doen,' zegt Alison en ze komt uit bed.

'Attenfie alle kampgangerf en leiderf! Attenfie alle kampgangerf en leiderf! Dit if het eind van het fchoonmaken. Ga alfjeblieft naar de eerfte activiteit van defe ochtend!'

Deb: 'Opschieten, meiden, opschieten!'

Morgan lacht. 'Gered door de boodfchap.'

Jammer genoeg weet ik niet of ik een badpak heb, omdat ik vergeten ben om Miri te vragen naar mijn slaapzaal te komen en mijn kleren terug te toveren. En ik weet tamelijk zeker dat het kamp naaktzwemmen afkeurt.

Ik doorzoek mijn kastje. Hier is er één. Een eenvoudig marineblauw geval dat ongeveer mijn maat lijkt.

Perfect. Nu hoef ik het alleen nog maar aan te trekken – wat inhoudt dat ik gehéél naakt moet staan in het bijzijn van iedereen. Hallo, beschamend.

Mijn hart begint als een razende te kloppen en ik probeer het te kalmeren.

Het valt me op dat Carly haar shirt aanhoudt bij het verkleden en dat ze haar beha min of meer naar buiten smokkelt. Interessante techniek. Ik trek mijn badpak aan en probeer hetzelfde te doen, maar op de een of andere manier wurg ik mezelf, met mijn beha rond mijn hals gesnoerd, en dan voel ik me warm en koud en...

Poef.

Au! Oh jee! Ik kijk omlaag naar mijn blote buik. Dan draai ik me om om een glimp van mijn grotendeels ontblote rug op te vangen.

Mijn badpak is zojuist veranderd in een stringbikini.

Waarom deed ik dat? En wat moet ik nu doen? Ik kan mijn achterwerk niet aan het hele kamp vertonen!

Ik gris een handdoek uit mijn kastje en bedek mijn achterste.

Adem in, adem uit. Ik moet kalm worden, want wie weet wat er anders gaat gebeuren.

Wat moet ik als de Leeuwenjongens ook hun zwemtoets hebben?

Poef!

Nee toch. Mijn stringbikini is zojuist al zijn kleur kwijtgeraakt. Om precies te zijn: hij is compleet doorzichtig.

Nee, nee, nee! Ik wikkel de handdoek om me heen, alsof ik gedoucht heb. Heeft iemand het gezien? Ik gluur naar de meisjes die zich nog aan het verkleden zijn, maar het lijkt erop dat het hun niet is opgevallen.

Ik moet een badpakspreuk bedenken...

'Ik tel tot tien en wie dan nog niet op de veranda staat, moet stapelen na de lunch!' gilt Deb. 'Tien. Negen. Acht...'

Helemaal omgekleed begeeft Alison zich naar de uitgang van de slaapzaal.

'Zeven. Zes...'

Ik kan onder al deze druk niet creatief zijn!

'Vijf. Vier. Drie...'

Ik trek de geblokte boxershort en een nieuw T-shirt uit mijn kastje en schiet ze aan over mijn vrijwel onzichtbare badpak. Ik zal met kleren aan moeten zwemmen.

'Twee…'

Met mijn handdoek in mijn hand race ik naar de deur. Daar gaan we dan. Ik heb in elk geval mijn bijna onzichtbare badpak bedekt. Als ik dat niet had gedaan, had ik moeten zeggen 'Hier ben ik dan, kijk maar' en zo.

Waarom ik een hekel heb aan dolfijnen

Help! Ik verdrink!

Oké, goed, ik verdrink niet echt – nog niet, in elk geval – maar het lijkt er wel op. Door de kou zit er geen gevoel meer in mijn armen en benen en zelfs niet in Bobby en als ik nog één seconde langer in het water moet blijven, konden ze er allemaal wel eens afvallen.

Ik tik de steiger aan en duw me af voor mijn achtste baantje.

Kampgangers mogen alleen zwemmen in een begrensd gebied, dat is gemarkeerd door drie steigers die een vierkant vormen met het strand. Het zwemgedeelte is in drie delen verdeeld, van ondiep naar diep: Schildpad (tot aan mijn knieën), Dolfijn (tot aan mijn borst) en Walvis (tot ver boven mijn hoofd). Alles is hier dwangmatig naar dieren vernoemd. Hoe dan ook. Op dit moment bevind ik mij in Walvis en probeer ik niet te verdrinken.

Men verwacht van mij dat ik twintig baantjes zwem en daarna tien minuten watertrap om mijn walvisarmbandje te krijgen. Degenen die dat niet halen, mogen niet gaan windsurfen of waterskiën en mogen alleen naar Dolfijn om gewoon te zwemmen.

Maar natuurlijk ga ik het halen. En als ik het zelf niet red, dan kom ik wel op de proppen met een zwemspreuk. Ik ben er bijna, ik ben er bijna… Negen, denk ik als ik de steiger aantik en me dan weer afduw, voorzichtig om niet tegen een van de andere ongeveer twintig Leeuwenmeiden aan te zwemmen die nog in het water bezig zijn met hun toets. Het valt niet mee voor iemand die nooit officieel heeft leren zwemmen. Ik kan wel drijven, maar op mijn rug liggen brengt mij zo te zien nergens. Wat ik aan het doen ben, wordt geloof ik hondjeszwemmen genoemd, maar ja, tot nu toe werkt het.

Nog elf te gaan. Kreun. Kuch. Slik? Ik slikte net een mondvol water in. Ik hoop dat niemand erin geplast heeft. Waarom denk ik daaraan? Nu moet ik plassen.

Tien!

Deze keer houd ik me iets langer aan de steiger vast dan nodig is. Ik denk dat mijn natte boxershort en T-shirt me naar beneden trekken.

Piep! Piep! Piep! Rose, hoofdleidster van de waterkant, blaast telkens op haar fluitje en kijkt me vanaf haar plekje op de steiger naast de andere zwemstafleden (inclusief twee erg leuke jongensleiders, waardoor ik me met name enorm schaam) woest aan. Ze spuugt het fluitje uit haar mond en laat het om haar nek bungelen. 'Vasthouden! Je moet dat laatste baantje overdoen. Laat onmiddellijk los.' Ze is zo slecht als Alison zei dat ze was. Ze ziet er zelfs uit als de duivel in haar rode badpak met bijpassende zonneklep.

'Heb jij kauwgom in je mond?' krijste ze tegen Poedel toen we net op het strand waren aangekomen en met onze slaapzaal in de rij zaten.

Poedel rolde met haar ogen. 'Nee, hoezo?'

'Lieg niet tegen me. Er mag absoluut geen eten, geen kauwgom, niets eetbaars op het strand zijn. Begrijpen wij elkaar?'

Poedel slikte haar kauwgom in.

Ik heb geen idee waarom Rose zich gedraagt alsof ze veertig is, terwijl ze nog maar zoiets als twintig is, max. Hoe dan ook, ik vind het niet te geloven dat ze me een extra baantje laat zwemmen. Ik denk dat ik een tijdje op mijn rug ga zwemmen. Misschien kom ik

vooruit als ik wat met mijn benen trap. Hé, het werkt! Ik kom vooruit! Ik ben misschien een beetje traag, maar wat maakt dat uit? Zo kan ik naar de lucht kijken, die eruitziet als een groot blauw schilderij met een paar wolken die op marshmallows lijken.

Ik vraag me af wat we bij de lunch krijgen. Ik heb nogal honger. En dorst. Ik zou wel een glas water lusten.

Waarom denk ik aan water? (Eh, misschien omdat ik erdoor omringd word?) Ik moet er nog meer van plassen. Ik moet echt heel nodig. Is het erg smerig als ik een druppeltje laat lopen? Niemand zou het zien…

Bam!

Ik wil wel au zeggen, maar ik heb zojuist weer een paar liter water ingeslikt. De hemel draait heel snel rond, omdat de klap veroorzaakt werd door mijn hoofd dat tegen het hoofd van iemand anders aanbotste, zoals een bumper tegen die van een andere auto, en de botsing me in een andere richting geduwd heeft.

'Ben je gek geworden?' vraagt het meisje tegen wie ik opbotste. 'Je moet in je baan blijven. Je zwom diagonaal.'

Misschien was op mijn rug zwemmen en de lucht bewonderen niet mijn beste idee. Ik heb moeite met watertrappen en op adem komen. Ik draai me om naar het meisje en herken haar meteen. Het is het onbeschofte zwartharige meisje uit zaal vijftien dat me gisteren buiten onze blokhut bijna omverliep. 'Het spijt me erg,' zeg ik. 'Gaat het?' Ik heb in elk geval manieren. Ik verontschuldig me tenminste als ik iemand anders bijna uitschakel.

Ze vernauwt haar amandelvormige ogen tot spleetjes en schudt haar hoofd, terwijl ze me woest blijft aanstaren. 'Niet echt.'

'Ik probeer te leren zwemmen,' zeg ik bij wijze van uitleg.

'Bewaar je excuses maar voor de vissen,' snauwt ze en ze zwemt in tegenovergestelde richting weg. 'Het meer is niet van jou alleen.'

Ja zeg, neem me niet kwalijk. Ergernis borrelt in me omhoog en ik haal diep adem om mezelf te kalmeren. Ik moet niet in woede uitbarsten… ik moet niet in woede uitbarsten… Hoe onbeschoft juffrouw Wangedrag ook was, ik wil haar niet per ongeluk in een guppie veranderen.

Met het geluk dat ik heb, zou ik haar waarschijnlijk veranderen in een walvis en dan at ze me op.

Hoe dan ook, ik moet mijn magie niet verspillen aan iets wat zo onbelangrijk is als zij. Ik moet voor de dag komen met een of andere zwemspreuk. Iets wat me boven water houdt, bedenk ik terwijl ik onder het watertrappen opnieuw een slok van het meer binnenkrijg. Wat vind je van:

**Het is tijd om lekker te drijven,
als een boot boven water te blijven!**

Een koude golf en… mijn benen worden opgepompt.

Om precies te zijn worden mijn knieën opgeblazen alsof ze ballonnen zijn die met helium worden gevuld. Mijn benen zien eruit als twee slangen die een televisie hebben ingeslikt. Nu beginnen mijn knieën op te stijgen uit het water. Zit, benen, zit!

Mijn opstijgende knieën draaien me op mijn buik en duwen mijn hoofd onder water. Als ik door deze spreuk verdrink, dan word ik pas echt kwaad.

'Stop!' gorgel ik tegen mijn knieën. 'Ga weer naar beneden!'

Carly, die inmiddels naast me zwemt, bekijkt me bezorgd. 'Gaat het wel? Je ziet eruit of je een probleem hebt.'

Ik draai me op mijn rug in een poging om te voorkomen dat ik verdrink. 'Prima hoor, dank je.' Ik heb mijn zus nodig. 'Miri!' hijg ik, met molenwiekende armen. 'Kom hier!' Ze zit op het strand te lezen. Miri en haar kamergenoten waren de eersten die de toets moesten doen en Miri, een superzwemster (ze gebruikte mijn vaders zwembad voor iets anders dan afkoeling), was als eerste uit het water.

'Hou alsjeblieft je hoofd erbij,' verzoekt Rose me snibbig vanaf de steiger.

'Miri!' probeer ik nog eens. Eindelijk krijgt mijn zus me in het oog; ze legt haar boek neer en haast zich het water in. 'Wat is er?' vraagt ze, terwijl ze naast me komt zwemmen.

'Vertel me alsjeblieft dat je je omkeerkristal meegenomen hebt naar kamp.'

Ze knikt.

'Gelukkig. Oké. Ga het halen. Ik heb een prob...'

Voordat ik de zin kan afmaken, keren mijn persoonlijke drijf-snufjes me om met mijn hoofd naar beneden, in een soort van handstand onder water.

Kuch! Hoest!

Miri rukt mijn hoofd uit het water. 'Rachel, wat heb je gedaan?' vraagt ze verbijsterd.

'Klein' – kuch – 'foutje.'

Piep! Piep! Piep! 'Heb ik je toestemming gegeven om te water te gaan?' gilt Rose tegen Miri. 'Nou?'

Miri sleept me naar de kant en maakt mijn voeten vast onder de steiger, zodat ze niet op kunnen stijgen. 'Ik ga de omkeerkristal uit mijn slaapzaal halen. En moet je kijken hoe cool dit is: ik heb een nieuwe verplaatsingsspreuk ontdekt die in het meer werkt!' Met een duik onder water verdwijnt ze.

Ik steek mijn hoofd onder water om te kijken, maar het is te modderig om iets te kunnen zien.

Piep! Rose zoekt bezorgd het wateroppervlak af.

'Waar is ze gebleven?'

'Eh... wie?'

Rose zwaait met haar hand boven haar hoofd. 'Het meisje met wie je aan het praten was!'

'Welk meisje?'

Piep! Piep! Piep! Piep! Het fluitje van Rose klinkt als een over-ijverige fluitketel. 'Alle kampgangers het water uit!' schreeuwt ze. 'Zoeken en redden. Menselijke keten, menselijke keten!'

Dat meen je niet.

Alle meisjes die nog in het water zijn, behalve ik natuurlijk, want ik durf me niet te bewegen, haasten zich naar de wal. Rose rukt haar zonneklep af en duikt van de steiger af, het meer in. Onder-tussen geven de andere leden van de zwemstaf elkaar op het strand een hand en ze beginnen het water uit te kammen.

Plotseling duikt Miri met een plons naast me op. 'Ik heb hem,' zegt ze en ze houdt de spreukomkerende ketting boven haar hoofd.

Ze kijkt verbaasd rond naar de chaos. 'Wat is er aan de hand?'

'Zoeken en redden,' zeg ik.

'Van wie?'

'Van jou.' Ik grijp Miri's hand en zwaai ermee in de lucht. 'Ze is hier!' gil ik. 'Stop maar met zoeken!'

Een verbijsterde Rose borstcrawlt naar ons toe. 'Waar was je?'

'Gewoon hier,' zegt Miri. Ze zwemt achteruit om me heen, zoals het bij een spreukomkering hoort.

'Maar ik... ik hou jullie in de gaten,' snauwt Rose.

'Zoeken en redden afgeblazen!' schreeuwt ze naar de rest van de staf en ze klimt druipend van het water het trapje op.

Zodra Miri de omkeerspreuk voltooid heeft, slinken mijn knieën naar hun oorspronkelijke afmetingen. Ah. 'Dank je.'

'Graag gedaan.' Ze begint naar de wal te zwemmen.

'Wacht, Mir, mag ik het kristal van je lenen?'

'Waarom?'

'Slecht functionerende klerenkast,' zeg ik schaapachtig.

Ze draait zich op haar rug. 'Ik denk dat je beter kunt stoppen met Glinda totdat je het beter onder controle hebt.'

'Er is toevallig niets mis met mijn Glinda, hoor.' Waar haalt ze de brutaliteit vandaan? Alsof mijn toverkunst niet even goed is als de hare. Echt, mijn magie is helemaal niet zo slecht. Een beetje ruw nog, misschien. Als je van je fiets valt, verkoop je hem toch ook niet meteen op eBay? Nee, je gaat er weer op zitten en oefent verder. Ik zwem op zijn hondjes naar haar toe, ruk de ketting uit haar hand en hang hem om mijn nek. 'Als je het niet erg vindt,' zeg ik buiten adem, 'moet ik nog wat baantjes zwemmen.'

Pech dat de spreukomkering niet gewerkt heeft voor mijn kleding – mijn natte boxershort en t-shirt geven me niet bepaald extra snelheid.

Het lukt me niet om mijn baantjes af te maken.

Dat is enorm vernederend.

Ik probeer nog een zwemspreuk, maar op de een of andere manier zorgt die ervoor dat mijn armen en benen tweeduizend kilo wegen, zodat ik me nauwelijks kan bewegen en naar de zanderige

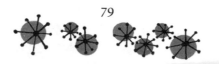

bodem van het meer zink, waar ik mij genoodzaakt zie om de spreuk ongedaan te maken.

Omdat ik inmiddels veel te uitgeput ben om mijn baantjes af te maken, haal ik een Dolfijn, wat betekent dat ik, in tegenstelling tot alle andere Leeuwenmeisjes, een armband krijg met een blauwe kraal. Zij krijgen ook een armband, maar hun kraal is geel.

'Het had erger gekund,' zegt Alison, als ik weer op het strand ben. 'Je had ook je Schildpad kunnen halen.'

'Dat is niet grappig,' zeg ik, terwijl ik speel met mijn vernederende armband.

'Ik plaag je maar. Echt, het maakt niks uit. We vinden je nog steeds aardig.'

We liggen alle vijf languit op onze handdoeken en absorberen de zonnestralen. Alle vijf en Miri, eigenlijk. Zodra ik mezelf uit het water gehesen had, kwam ze bij ons op het strand zitten. Trouwens, er liggen maar drie van mijn zaalgenoten languit. Carly doet buik-spieroefeningen. Ze is het enige meisje van onze slaapzaal (behalve ik) dat gezwommen heeft in een korte broek en zich zodra ze uit het meer kwam, verborg onder haar shirt.

'Meiden, kijk eens naar de tieten van het nieuwe meisje!' zegt Morgan.

Daar is dat woord weer. Ik kan er niet tegen! Het klinkt als nagels op een…

'Wil je alsjeblieft het woord "tieten" niet gebruiken?' vraagt Poedel.

'Tieten, tieten, tieten,' zingt Morgan.

'Wij staren niet, zoals jij, naar de boezems van andere mensen,' zegt Alison.

'Ik staar niet! Maar ze liep topless door de blokhut. De mijne zijn bijna net zo prachtig, maar je ziet mij niet op die manier rond-paraderen.'

'Cece heeft me verteld dat ze inderdaad heel erg opschepperig is,' zegt Alison.

'Ze schept op en vertelt over alle plaatsen waar ze gewoond heeft.'

'Waar heeft ze allemaal gewoond?' vraagt Poedel.

'Ze schijnt op een kostschool in Zwitserland te zitten,' zegt Alison.

'Trishelle zei dat ze haar hele slaapzaal verteld heeft dat ze in Milaan, Londen en Parijs winkelt,' zegt Carly.

'Ik geloof er niks van,' mompelt Morgan.

'Nou, ik geloof het wel,' zegt Carly, midden in een buikspieroefening. 'Heb je haar badpak gezien?'

'Dat heeft een fortuin gekost,' zegt Poedel. 'Morgan, je kunt beter uit de zon gaan. Je bent nu al verbrand.'

Morgan wuift de waarschuwing weg. 'Ik moet wat kleur krijgen.'

'Jij verbrandt altijd op de tweede dag,' zegt Alison. Ze keert zich om naar mij en voegt eraan toe: 'Ze verbrandt altijd op de tweede dag. Ze luistert nooit.'

'Ik vind ze helemaal niet zo geweldig,' zegt Carly.

'Wat is er niet zo geweldig?' vraagt Alison.

'Haar tieten,' antwoordt Morgan in plaats van Carly.

Ieks.

'Wie is het?' vraag ik, terwijl ik tuur naar het beschaduwde deel van het strand waar de groep uit zaal vijftien bij elkaar klit.

Alison steunt op een elleboog en wijst naar Juffrouw Arrogant, die me gisteren een duw gaf en vandaag in het water tegen me schreeuwde. 'Het meisje in de zwarte bikini.'

Juffrouw Arrogant is geanimeerd aan het praten met haar kamergenoten; haar donkere natte haar hangt tot haar taille.

'Heb je haar nog niet gesproken?' vraagt Poedel. 'Ze heet Liana.'

'Ik vraag me af waarom ze besloten hebben om mij in jullie slaapzaal onder te brengen en haar in die van hen,' zeg ik. 'Je zou verwachten dat ze de beide nieuwe meisjes bij elkaar zouden indelen.'

'Eigenlijk zijn er in vijftien twee nieuwe meisjes,' zegt Alison. Ze wijst naar een bleek blond meisje dat een beetje afgezonderd van de rest aan de rand van de kring zit. 'Haar naam is Molly.'

'Waar komt ze vandaan?' vraagt Poedel.

'Uit Greenwich misschien?' zegt Alison.

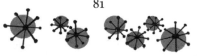

Ik bestudeer de meisjes uit slaapzaal vijftien. Ik herken de af-schuwelijke Liana; het andere nieuwe meisje, Molly; Cece, die be-vriend is met Alison; en Trishelle en Kristin uit de bus. 'Hoe heet het meisje met de bril?' vraag ik en ik wijs naar het enige meisje dat ik nog niet heb ontmoet.

'Natalie,' zegt Alison. 'Je mag haar vast, ze is superslim.'

Morgan doet haar bikini goed. 'Ze is zo'n betweter. Ik ben blij dat ze niet meer bij mij op de slaapzaal ligt.'

'Je bent toch niet nog steeds kwaad op haar omdat ze vorig jaar met Brandon Young naar het kampfeest is geweest?' vraagt Poedel.

'Neeeeee.' Ze denkt na over haar antwoord. 'Goed dan, mis-schien een beetje. Maar hij kan me niets meer schelen. Hij is nog zo'n kind. Zag je hoe hij vanmorgen *rice crispies* in zijn neus deed? Kom op, zeg. Ik richt me op hogere en betere zaken. Zoals Will.'

'Heb je niet geluisterd?' zegt Alison. 'Rachel zegt dat hij een vriendin heeft.'

'Nou en? Ze is hier toch niet?'

'Attenfie alle kampgangerf en leiderf,' zegt de stem in de lucht. 'Attenfie alle kampgangerf en leiderf. Ga alfjeblieft naar de tweede ochtendactiviteit.'

'Kom op, meiden, we gaan,' zegt Deb en ze klapt in haar handen. 'We moeten ons supersnel verkleden en dan naar de recreatiezaal racen voor het toneel.'

Ik doe net als mijn kamergenoten en wikkel mijn handdoek ste-vig om mij heen. Dat wil zeggen, al mijn kamergenoten behalve Morgan, die haar handdoek rond haar middel knoopt.

'Gaat het?' vraag ik Miri als we over het strand lopen. Ze was nogal rustig op het strand. Ik vond het fijn dat ze bij me was, maar ik zou liever zien dat ze het prettig vindt om met haar eigen zaalge-noten op te trekken.

'Uhuh.'

We stoppen even aan de rand van het strand, onder het bord met de regels, waar dingen op staan als: geen kauwgom, niet paard-jerijden en altijd zwemmen met een maatje.

Miri moet een maatje voor zichzelf vinden.

'Waar is jouw slaapzaal?' vraag ik.

'Die kant op,' zegt ze en ze wijst in tegenovergestelde richting. 'Slaapzaal twee is op Lower Field, maar hij is achter alle andere slaapzalen, vlak bij de douches van Lower Field.' Ze trekt een gezicht. 'Ik moet de heuvel helemaal op klimmen om bij mijn slaapzaal te komen.'

'Ik ook.'

'Mijn heuvel is hoger dan de jouwe, geloof me. Kom je even kijken?' vraagt ze hoopvol.

'Nu?'

'Ja.'

Mijn zaalgenoten verdwijnen al aan het eind van het pad. 'Mir, ik moet me klaar gaan maken voor toneel. Misschien later. Heb je een benedenbed gekregen?'

Ze zucht. 'Nee. Een bovenbed. En jij?'

'Ik ook.'

'Maar je haat bovenbedden!'

Ik haal mijn schouders op. 'Het lukt wel. Ik moet gaan. Ik zie je bij de lunch!' zeg ik. Ik draai me om en haast me achter de meisjes aan. Als ik hen ingehaald heb, kan ik niet anders dan me goed voelen. Ik ben op kamp. Op kámp! Wie had dat ooit gedacht? Ik vind kamp leuk! Het is zonnig! De meisjes zijn aardig. Als het me nu ook nog lukte om Raf in te palmen...

Oh jee, daar is Raf, vlak voor mijn neus!

Oh nee, het is Raf niet, maar Will. Ze hebben allebei hetzelfde sexy donkere haar, dezelfde donkere ogen en hetzelfde soepele atletische lichaam. Will is trouwens langer dan Raf en zijn haar is korter. Raf heeft een bredere glimlach. En een krul in zijn haar die Will niet heeft. Oh nee, wat moet ik tegen Will zeggen? We hebben elkaar niet meer gesproken sinds zijn gala. Ik heb steeds min of meer de mogelijkheid genegeerd dat ik hem vroeg of laat een keer zou tegenkomen en nu komt hij over het pad aangelopen, lachend, en hij ziet er nog altijd even leuk uit. Hij draagt een korte broek, een T-shirt en gympen zonder sokken, kleding die ik hem nog nooit heb zien dragen. Zijn donkere haar zit helemaal in de war en

zijn normale serieuze gezichtsuitdrukking is nu ontspannen en vrolijk. Kleine jongens lopen in een rij achter hem aan alsof hij de Rattenvanger van Hameln is.

Oké, ik zweer dat ik geen romantische gevoelens meer voor hem koester, maar hij is wel aanbiddelijk.

Ongeveer een seconde nadat ik hem in het oog heb gekregen, ontwaart hij mij en hij krijgt een kleur als een watermeloen. De binnenkant van een watermeloen, niet de buitenkant, want hij wordt rood, niet misselijk.

Hoop ik. Ik denk dat geen meisje het op prijs stelt als haar aanblik een jongen misselijk maakt.

'Hallo, dames,' zegt hij tegen mijn complete slaapzaal, terwijl hij naar mij kijkt.

Oké, om een zomer zonder ongemakkelijke situaties veilig te stellen, moet ik ervoor zorgen dat Will weet dat het met mij in orde is.

'Will, hoi,' kraait Morgan en ze steekt haar borsten zo ver vooruit dat ze net niet omvalt.

'Ha, Will,' zeggen de andere meisjes.

'Hallo, Will,' zing ik extravriendelijk en ik blijf recht voor hem staan. 'Hoe gaat het met Kat?'

Hij glimlacht. Natuurlijk glimlacht hij. Hij is gek op haar. 'Het gaat geweldig met haar,' zegt hij met een verlangende uitdrukking op zijn gezicht. Oh, wat lief! Hij mist haar.

'Is dit jouw vriendin?' zingt een van de jongetjes.

'Nee,' zegt Will net iets te hard en hij schenkt me daarna een brede glimlach. 'Maar je zou mijn broer kunnen vragen of ze de zijne is.'

Zei hij net wat ik denk dat hij zei? Echt waar? Wil dat zeggen dat Raf over me gepraat heeft? Vast. En Will vindt het prima! Joepie! Ik probeer kalm te blijven.

'En, Will,' zegt Morgan, terwijl ze haar borsten zo ongeveer in zijn gezicht manoeuvreert, 'heb je een goed jaar gehad?'

'Niet slecht. Hoe was het jouwe?'

'Oh, ik ben echt gegroeid,' zegt ze en ze komt nog dichterbij. 'Je begrijpt me wel. Emotioneel.'

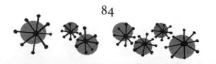

'Kom op, we moeten verder,' zeg ik tegen Morgan.

'Gefeliciteerd met je diploma,' gaat ze verder, terwijl ze mij totaal negeert. 'Waar ga je komend jaar heen? Ergens bij mij in de buurt?'

'Columbia.'

'Met een beurs,' voeg ik eraan toe en ik klink als een trotse zus – wat ik ook word als Raf en ik gaan trouwen.

Een van Wills kampgangers trekt aan zijn hand. 'Papa, wat gaan we nu doen?'

Will tilt het kind op en zet het op zijn schouders. 'Mitchell, goed onthouden: ik ben je leider, niet je vader. En we gaan honkbal spelen.'

Een ander kampgangertje trekt aan zijn broek. 'En wat eten we tussen de middag?'

'Tosti's,' zegt hij.

Echt waar? 'Jammie,' zeg ik. 'Dat is mijn lievelingseten.'

'Ze maken de eerste dagen altijd eten klaar dat iedereen lust,' zegt Will, 'voor de mensen met heimwee.'

Heimwee? Wat is dat?

We trekken schone kleren aan (ik pas de omkeerspreuk toe op mijn kastje en heb eindelijk mijn eigen kleren terug), hangen onze natte kleren en handdoeken over de balustrade van de veranda om ze te laten drogen in de zon en begeven ons dan naar toneel (waar we improvi-spelletjes doen), dan naar pottenbakken (waar we schalen maken), dan naar de lunchafwas (waar we afwassen) en dan naar de lunch (waar we eten).

Na de lunch hebben we rustuur. Poedel en Carly doen een kaartspelletje op Poedels bed; Alison is verdiept in een kruiswoordpuzzel en ik schrijf Tammy een brief om haar te vertellen hoe leuk het op kamp is.

We horen Liana aan de andere kant van onze muur honderduit kwebbelen. Ze begrijpt de betekenis van rústuur niet helemaal.

'Alle meisjes op Miss Rally's Hall voor meisjes – dat is de exclusieve kostschool in Zwitserland waar ik op zit – gebruiken dit parfum. Het is hét nieuwe geurtje.'

'Ik heb dat op Paddington gekocht,' vervolgt ze. 'Dat is de hipste straat in Sydney...'

Poedel pakt een kaart, fronst en legt vervolgens met een klap de schoppenvrouw neer.

'Waar heb ik dat oude ding ook alweer vandaan? Ik denk dat het vorig jaar zomer in Kroatië was. Het is het nieuwe Parijs. Zo niet toeristisch...'

Kroatië? Het nieuwe Parijs? Ik ben zelfs nog nooit naar het oude Parijs geweest. Ik probeer me op mijn brief te concentreren, maar Liana's nasale stem staat het me niet toe.

'Geloof me,' koert Liana, 'je hebt niet geleefd als je niet verliefd bent geweest op een Italiaan.'

'Haal haar bij me weg,' fluistert Cece, terwijl ze onze slaapzaal binnen komt en op Alisons bed gaat zitten. 'We willen haar allemaal vermoorden.'

'Ze is afschuwelijk,' zegt Carly.

'Laten we haar gewoon negeren,' zeg ik. Ik leg mijn pen neer en kijk naar de meisjes. 'Ik heb altijd al willen leren kaarten.'

Poedel wenkt me. 'Kom maar hier, ik leer het je wel.'

'Eigenlijk moet ik het haar leren,' zegt Carly, 'als ze ooit wil winnen.'

Poedel rolt met haar ogen. 'Haha.'

'Attenfie alle kampgangerf en leiderf! Attenfie alle kampgangerf en leiderf! Dit if het einde van het ruftuur. Ga alfjeblieft naar je eerfte middagactiviteit.'

Nu al?

'Maak je geen zorgen,' zegt Poedel. 'We leren het je wel in een volgend vrij uurtje.'

'Voetbaltijd,' brult Deb vanuit de gang. 'Tegen zaal vijftien, op Upper Field. We gaan!'

We verkleden ons in de kastenkamer in passende outfits.

Het valt me op, nu mijn kastje niet meer op magische wijze georganiseerd is, dat alle andere kastjes er beter uitzien dan het mijne.

Maar de meeste andere meisjes komen dan ook al jaren naar het

kamp en daarom hebben zij heel veel ervaring met uit een kastje leven. Ja, dat verklaart het. Nee, ik ben geen geboren sloddervos.

Eén kastje ziet er bijzonder netjes uit. Waanzinnig netjes. Netter dan het mijne na de spreuk. Deze is een niveau hoger dan H&M. Dit is De Bijenkorf. Eigenlijk is het net een dure boetiek. Er ligt net zo weinig in.

Oh nee.

Het ergert me als ik ontdek dat dit kastje van Liana is. Ze steekt haar hand erin en trekt er een duur ogend poloshirt uit zonder een kreukje te veroorzaken. Wat is ze voor iemand, een mikadokampioen?

Ze betrapt me terwijl ik ernaar staar. En ze grijnst tevreden.

Negeren, negeren, negeren.

Of misschien in de war maken als ze even niet oplet.

Helaas kan ik niets van voetbal. Gelukkig ben ik niet de enige. Morgan en Poedel kunnen de bal niet eens raken. Carly en Alison zijn er tamelijk goed in, dus speelt Carly als keeper, terwijl Alison alle doelpunten scoort en de rest van ons hysterisch lachend achter de bal aanrent.

De meisjes van zaal vijftien hebben er ook geen verstand van en zij lachen nog harder dan wij. Omdat wij maar met vijf personen zijn en zij met zes, heeft Liana aangeboden om aan de kant te blijven, dus in plaats van te spelen kijkt ze toe vanaf de zijlijn, en zit ze bruin te worden in haar filmsterachtige poloshirt, fluwelen korte broek en grote zonnebril. Af en toe geeft ze de meisjes uit haar slaapzaal een fles water en vertelt hun dat ze er uitgedroogd uitzien.

Ik dacht dat voetbal oh zo Europees was. Je zou verwachten dat ze ging opscheppen over hoe continentaal ze wel is.

Het wordt vier-vier en we genieten van iedere seconde.

'Snel, laten we naar de douches rennen voordat ze allemaal bezet zijn,' zegt Alison tegen ons.

Ik moet me echt wassen. Ik denk dat ik nog nooit zo vuil geweest

ben. Het hielp niet mee dat het na het voetballen begon te mieze-
ren. In elk geval werd AZ afgelast. Ik was enigszins nerveus over
mijn Dolfijnenstatus.

Dus doen we allemaal onze badjas aan (behalve Morgan, die
zichzelf in een flinterdunne handdoek wikkelt), pakken onze
douche-emmertjes (volgepropt met shampoo, conditioner, ge-
zichtszeep, een kam, badschuim en een badspons – yes! Op de een
of andere manier ben ik erin geslaagd om de juiste spullen mee te
brengen!) en begeven ons dapper naar de veranda. Het is op dit
moment in elk geval gestopt met regenen.

'Naar welke douches kunnen we het beste gaan?' vraagt Poedel.

We kruipen bij elkaar om een besluit te nemen.

'Lower Field,' zegt Carly en ze trekt haar badjas stevig om zich
heen. 'Ik haat de douches op Upper Field.'

Morgan schudt haar hoofd. 'Te smerig. En te ver. Wat als het
weer begint te regenen?'

'Ja, dan zijn onze benen helemaal vies van de wandeling terug,'
zegt Poedel. 'Laten we gewoon naar Upper Field gaan.'

Morgan knipoogt naar me. 'Hopelijk ben je niet verlegen, Rachel.'
Hè?

We beginnen aan de tocht naar Upper Field.

'Hier slaapt de keukenstaf,' zegt Alison, als we langs een paar
blauwe blokhutten komen. 'Maar ze zijn nu allemaal in de eetzaal,
bezig met de voorbereidingen voor het avondeten. Dit zijn de jon-
gensdouches en dan zijn om de hoek de meisjesdouches.'

Blume zit te relaxen op de trap. 'Hoe gaat-ie?' vraagt hij.

'Hé, Alison, daar is je nieuwe vriendje,' fluistert Morgan.

Alison wordt knalrood.

'Als Blume hier is, is Raf er misschien ook wel,' zegt Poedel.
'Rachel, wil je even naar binnen glippen?'

Morgan maakt kusgeluiden.

'Hou je kop,' zeg ik, maar ik glimlach tegelijkertijd.

'Hoe zit het tussen jullie?' vraagt Carly.

'Goede vraag.' Zucht. 'En bij jullie? Zijn er liefdesverhalen waar
ik vanaf moet weten?'

'Ik vind nog steeds dat Alison moet daten met Blume,' zegt Morgan.

'Niet geïnteresseerd,' antwoordt ze, terwijl ze deur naar de douches openduwt.

'Verdorie, er zit iemand in,' zegt Poedel.

De wachtruimte voor de douches is tamelijk ongezellig. Grijze muren, haken en heel veel waterdamp.

'Het is zaal vijftien,' zegt Alison en ze zet haar emmertje op een bank. 'Ik hoor Cece.'

'Hoeveel zijn er daarbinnen?' vraagt Poedel en dan gluurt ze de ruimte vol waterdamp in. 'Ha meiden, bijna klaar?'

'We zijn hier net,' zegt Cece, kattiger dan nodig is. 'Waarschijnlijk duurt het wel even.'

'Wat is haar probleem?' vraagt Carly.

Alison haalt verbaasd haar schouders op.

'Je zult moeten wachten,' zegt iemand anders met een overdreven nasale stem.

Liana.

Poedel rolt met haar ogen. 'Het is hier te heet. Laten we buiten wachten.'

Ik wil liever niet dat de jongens me zien in deze badjas. Maar in de vochtige ruimte blijven staan is duidelijk geen optie, dus begeven we ons alle vijf weer naar buiten, met de emmertjes in de hand. Ah, dat is beter. Alleen staan we nu in het zicht van het honkbalveld op Upper Field, waar sommige Leeuwenjongens samenscholen. Ze zijn niet aan het spelen, maar aan het ontspannen. Terwijl wij hier staan in onze badjassen. Onze niet-zo-sexy grootmoederlijke badjassen.

'Dit hier maakt dat ik mijn fijne, eenvoudige douche thuis ga missen,' zeg ik.

'De douches bij het zwembad zijn de beste,' zegt Alison verlangend. 'Vorig jaar mochten we die steeds gebruiken van mijn broer.'

'De douches zijn het enige slechte onderdeel van het kamp,' zegt Poedel. 'Maar ik zweer het je, je raakt eraan gewend.'

'Na ongeveer een maand,' mompelt Morgan.

'Mis je thuis al, Rachel?' vraagt Alison.

Ik adem diep een lekkere teug frisse lucht in. 'Niet echt.'

Morgan leunt tegen de balustrade. 'Weet je nog hoeveel heimwee ik had toen we nog Koala's waren? Ik huilde altijd de hele nacht.'

'Je was niet de enige,' zegt Alison. 'Anderson huilde tijdens elke maaltijd.'

'Heeft iemand zich al afgevraagd wat er aan de hand is met zijn haar? Het lijkt wel of hij de gel heeft uitgevonden. Hij gebruikt een fles per dag.' Morgan kijkt op haar horloge. 'Waarom duurt het zo lang? Ze staan er al eeuwen onder.'

'Ik vind hem een schatje,' zegt Carly.

'Wie? Anderson?' vraagt Poedel.

'Ja. Heb je gezien hoe gespierd hij het afgelopen jaar is geworden?' Ze trekt haar wenkbrauwen suggestief op. 'Hij heeft sit-ups gedaan. En hij heeft zijn armspieren getraind.'

'Ga je deze zomer werk van hem maken?' vraagt Morgan.

'Misschien.'

Morgan lacht. 'Denk erom, niet kussen.'

'Oh, hou je kop. Als jij domme opmerkingen gaat maken, dan trek ik je handdoek af,' dreigt Carly.

'Ga je gang,' zegt Morgan. 'Misschien zien de jongens dan wat ik in de aanbieding heb.'

'Je bent een slet,' zegt Carly.

'Yep, en jij bent preuts,' zegt Morgan. 'Weet je wie er dit jaar ook tamelijk schattig uitziet? Colton.'

'Dat komt door zijn accent,' zegt Poedel. 'Wie vindt cowboys nou niet sexy?'

'Ik niet,' zegt Alison.

'Dat weten we, dat weten we, jij houdt van nerds,' zegt Morgan hoofdschuddend.

'Misschien moeten we hem aan Cece koppelen,' zegt Poedel. 'Nu we het toch over Cece hebben, wat zijn ze toch aan het doen?' Ze opent de deur en gilt: 'Kunnen jullie een beetje opschieten?'

We horen gelach in de douches.

'Ze zijn zo vermoeiend,' zucht Carly. 'Als ze maar niet al het warme water opmaken.'

Heet water, hè? Misschien kan ik ze wat laten opschieten… door me te concentreren. Hard.

En dan: 'Ahhhhhhhhhhhhhh!'

En dan: 'Het is steenkoud!'

En dan: 'Hoe kan dat nou?'

Joepie! Het werkte! Het is me gelukt! Zie je wel, Miri? Mijn toverkracht werkte precies zoals ik dat wilde. Ik heb het helemaal onder controle. Ik ben net een superstrakke buikcorrigerende panty. Ik ben een heksensuperster. Hup, ik. Tien seconden later drommen alle zes de meisjes scheldend en tierend de douche uit.

'Er is geen warm water meer,' zegt Natalie, met een beslagen bril op.

'Jullie hebben pech,' zegt Molly.

'Probeer de volgende keer eerder hier te zijn,' zegt Cece en ze gaat met haar tong over haar beugel.

Alison knippert verbaasd met haar ogen.

'Volgende keer beter,' zegt Trishelle, die het laatst naar buiten komt. En ik weet niet hoe het kan, maar ze heeft al eyeliner op. Misschien is het een tatoeage?

'Wat moeten we nu doen?' roept Morgan.

Hmm. Zo ver vooruit heb ik niet gedacht.

'Laten we naar binnen gaan,' zegt Poedel. 'Kom op, we hebben het al vaker gedaan.'

De doucheruimte is een kleine witte ruimte met zes douches, maar zonder scheidingsmuurtjes. We gaan dus allemaal samen douchen. Afschuwelijk. Hoe ga ik dit doen zonder te staren? Naar de vloer kijken! Naar de vloer kijken!

Ik weet dat ik zei dat ik me op kamp op mijn gemak voelde… maar niet zó op mijn gemak.

Ieder van de vier meisjes kiest een douche. Ik neem die in de hoek en probeer hem aan te zetten. En probeer het nog eens. En nog eens.

'Die is al jaren kapot,' zegt Alison.

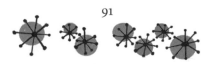

Ik probeer een andere. Die doet het ook niet.

'Die ook,' zegt ze. 'Je kunt wel met mij samendoen. Oh, wat is het koud. Ik kan nog niet geloven hoe onsympathiek de meiden van zaal vijftien waren! Wat hebben ze toch? Bovendien kan ik niet geloven dat ze al het warme water opgemaakt hebben.'

Morgan buigt haar hoofd achterover zodat het water wel over haar haren stroomt, maar niet over haar lichaam. 'Wat onbeschoft.'

Alison rent in tweeënhalve seconde onder de waterstraal door. 'Wat koud! Ah! Rachel, jouw beurt.'

Ik stap onder de waterstraal en krijs: 'Het is ijskoud!' Kom op, pure wil, je kunt het! Maak het weer warm! Maar nee hoor. Wat mankeert er aan mijn toverkracht? Waarom is hij zo onvoorspelbaar?

'Hé, Rachel, weet je dat een van je tieten groter is dan de andere?' vraagt Morgan.

Ik geloof dat ik dood wil.

'Morgan!' gilt Alison. 'Je bent onbeschofter dan zaal vijftien!'

Morgan slaat haar hand voor haar mond. 'Het viel me gewoon op! Ik kan er niets aan doen!'

'Waarom sta je naar haar borsten te staren?' vraagt Carly.

Ik stap onder de koude straal vandaan en kruis mijn armen voor mijn borst. 'Je hebt gelijk, mijn borsten ontwikkelen zich met verschillende snelheden.' Net als mijn toverkrachten. 'Om je dood te schamen.'

'Jij hebt tenminste één borst,' zegt Alison. Ze steekt haar armen in de lucht. 'Ik heb er helemaal geen!'

'Mijn borsten zijn ook niet even groot,' zegt Carly. 'Mijn linker is een b-cup, mijn rechter een c. Maar Michael heeft er nooit over geklaagd.'

Morgan lacht. 'Oh, je bent zo'n opschepper. Denk je echt dat we gaan geloven dat je niet meer zo preuts bent?'

'Ik ben nooit preuts geweest!' houdt Carly vol, terwijl ze de shampoo uit haar haren spoelt. 'Blume heeft een randje spuug!'

'Oké, oké. En jij bent eigenlijk een vermomde seksgodin,' zegt Morgan. 'Echt, het spijt me dat ik naar je staarde, Rachel. Maar ik

probeerde te begrijpen wat Will in jou zag wat hij niet in mij ziet. Misschien houdt hij van ongelijke borsten. Vind je dat ik één van mijn cups moet opvullen?'

Danskoningin

Op mijn tweede kampochtend denk ik er niet alleen aan om mijn tanden te poetsen, maar draag ik ook mijn pyjamabroek bij het vlaghijsen.

Maar snel daarna wordt mijn dag slechter.

Allereerst heb ik bij de schoonmaak de badkamer, die op grote schaal smerig is. Met plastic handschoenen aan spoel ik klodders tandpasta en plukken haar uit de wastafels en ik leeg de prullenbakken uit de toiletten in de grote bak op de veranda. Dan moet ik het toiletpapier en de zeep aanvullen.

Daarna vertelt Deb ons dat dansen onze eerste activiteit is.

Op dat moment weet ik dat mijn einde nabij is.

Als ik dans, zie ik eruit alsof ik geëlektrocuteerd word. Een plotselinge paniekaanval steekt de kop op.

Met lood in mijn schoenen volg ik mijn zaalgenoten naar de recreatiezaal. Nadat de dansinstructrice met ons een warming-up gedaan heeft, zet ze R&B-muziek op en deelt ze ons mee dat we een activiteit of corvee moeten uitbeelden in onze dans.

Ik heb geen idee wat ze bedoelt.

'Ik begin wel,' zegt Poedel. Ze begint op de maat te bewegen en zegt dan: 'De bezem!' Plotseling swingt ze op de muziek, terwijl ze het veegcorvee nabootst. Op de een of andere manier slaagt ze erin om het er als een te gekke nieuwe dansbeweging uit te laten zien.

Iedereen klapt. Ik raak nog erger in paniek.

'Kijk naar mij, kijk naar mij!' zingt Morgan, terwijl ze haar handen van links naar rechts beweegt en met haar achterste schudt. 'Mijn nieuwe beweging is... de Ramenwasser.'

'Hup, Morgie!' brult Poedel, terwijl de andere meisjes goedkeurend juichen.

Wacht eens even. Haar armen zijn stijf en ze ziet er belachelijk uit. Zou het? Kan het zijn dat Morgan geen ritmegevoel heeft? En toch juichen ze allemaal voor haar?

'Mijn beurt!' Carly tilt op de maat in slow motion haar knieën op. 'Ik noem het De Klimmende Man.'

Zij kan ook niet dansen. Toch is er opnieuw gejuich.

Alison gaat ook meedoen: ze vertoont een serie bewegingen die de populaire modebewuste meisjes op mijn school van afschuw in elkaar hadden laten krimpen. 'De Voetballer!'

Nu sta ik zelfs te juichen. Dan zeg ik, voordat ik laf word en me terugtrek: 'De Hondjeszwemslag!' en ik begin met mijn achterste te schudden en te doen of ik aan het zwemmen ben. En ze juichen nog steeds! Echt waar! Ik straal en werp mijzelf vol overgave op mijn danspassen.

Ik ontdek al snel dat van ons vijven alleen Poedel kan dansen, terwijl de rest er absoluut belachelijk uitziet. Maar het maakt ons, net als bij de voetbalwedstrijd van gisteren, niet uit. In plaats daarvan maken we er een wedstrijd van wie de slechtste is.

En dat is een spel dat ik kan winnen

'Rachel, je bent om te brullen,' huilt Alison als ik Het Bed Opmaken probeer en daarna Tandenpoetsen.

'Hé,' zegt Carly boven de muziek uit. 'Nu we het toch over tandenpoetsen hebben, weet iemand waarom er gisteren vijftig tandenborstels onder onze tafel lagen?'

Lalala. Ik leid haar af met de Afvalverwijderaar.

95

Ik heb zo'n goed humeur gekregen van het dansen dat het me zelfs niet uitmaakt als Rose me even later in de laagste zwemgroep plaatst, die voornamelijk bedoeld is als zwemles voor beginners.

We leren watertrappen, wat inhoudt dat we de steiger vasthouden en met onze benen schoppen.

Jee, bedankt.

Dan spelen we vangvolleybal tegen zaal vijftien. Ik had nog nooit van vangvolleybal gehoord, maar het blijkt een kampsport te zijn die veel op volleybal lijkt maar dan makkelijker, omdat je de bal mag vangen voordat je hem naar de andere kant terugspeelt.

'Verdorie!' zegt Poedel, als de bal voor de tweede keer door haar vingers glipt. Zaal vijftien blijft de bal maar over het net meppen.

We zijn nog maar drie minuten bezig en we staan nu al achter met vijf-nul.

'Wat is er met jullie aan de hand?' vraagt Alison aan de andere partij. 'Ik heb jullie nog nooit zo fanatiek gezien.'

'Er is niets mis mee dat we jullie willen inmaken,' blaft Kristin met haar handen op haar heupen. Ze is er op de een of andere manier in geslaagd haar paarlen oorbellen niet te verliezen. Als ze van mij waren geweest, lagen ze nu al op de bodem van het meer.

Natalie is aan de beurt om te serveren en ze slaat de bal recht op me af.

'Ik heb hem! Ik heb hem! Ik heb hem!' zeg ik als ik de bal tegen mijn borst koester. Yes! Het is me gelukt!

'Goed werk, Rachel!' moedigt mijn team me aan.

Nu hoef ik de bal alleen maar over het net terug te gooien. Het ongelooflijk hoog lijkende net.

Het is tijd voor wat magie.

**'Het is tijd voor een hoge vlucht!
Vangvolleybal, vlieg door de lucht!'**

En dan gooi ik.

De bal vliegt omhoog. En omhoog. Heel ver omhoog.

Over de bomen, over de bergen en dan een verre plons.

96

'Ik geloof dat hij in het meer geland is,' zegt Trishelle, terwijl ze in haar oog wrijft en een streep eyeliner over haar wang smeert.

'Goed gedaan, Rachel,' zegt Cece. 'Maar wat nu?'

Mijn gezicht gloeit en mijn nek voelt heet en nu voelen mijn armen…

Zap! Een golf koude lucht!

'Kijk uit!' roept Alison als het vangvolleybalnet wankelt en over de meisjes van zaal vijftien neerstort, zodat ze gevangenzitten onder het net.

Oeps.

Deb en Penelope verklaren de wedstrijd voor geëindigd.

'We zijn overvallen!' gilt Morgan.

Als we de volgende morgen wakker worden, treffen we onze bedden en onze lichamen verpakt in wc-papier aan. Mijn kussensloop zit onder het scheerschuim. Moet ik me ongerust maken omdat ik gedroomd heb over het eten van ijs?

'Dit is ontzettend goor,' zegt Poedel, terwijl ze probeert om de rommel uit haar haren te kammen. 'Hoe kan iemand zo onvolwassen zijn?'

Onze slaapzaal is geheel verwoest. Onze planken zijn leeggemaakt en onze spullen liggen op de grond, bedekt met wc-papier en met kleverige oranje en roze linten. Het ziet eruit als Times Square op 1 januari.

'Denk je dat het de jongens geweest zijn?' vraagt Carly.

De jongens? 's Nachts? In onze slaapzaal? Wat schattig!

'Nee, ik wil wedden dat zíj het waren.' Morgan wijst met haar kin naar de muur die ons scheidt van zaal vijftien.

Minder schattig.

'Zij zouden ons dit nooit aandoen!' roept Alison uit. 'Ze zijn onze vrienden.'

'Ze gedragen zich tot nu toe niet als onze vrienden,' bromt Poedel.

Opeens realiseren we ons met z'n allen hoe stil het is aan de andere kant van de muur. En dan horen we gesmoord gelach.

Oh ja, zij hebben het gedaan.

Natuurlijk ontkennen ze alles. Naïeve Deb gelooft niet dat zij ons dat zouden aandoen, en aangezien we niets kunnen bewijzen, moeten we het grootste deel van de morgen binnen blijven om schoon te maken.

'We moeten ze terugpakken,' zegt Morgan en ze stopt haar schuimende lakens in haar waszak.

'Dat doen we zeker,' zegt Poedel. 'Maar niet vannacht. We doen het als ze er het minst op rekenen.'

'Dit is zo saai,' zegt Morgan de volgende dag als ze de deur van de recreatiezaal opendoet voor de avondactiviteit. De recreatiezaal is een oude houten ruimte met een balken zoldering en met namen van kampgangers met graffiti overal op de muren gekalkt. 'Het wordt een sing-in, ik weet het zeker.'

Ik vind het daarentegen niet saai. Ik vind het niet saai omdat Raf aan de andere kant van de zaal zit. De avondactiviteiten zijn het leukste, omdat we dan met het hele kamp zijn of met alle Leeuwen.

'Rachel!' Ik kijk op en zie Miri, die me wenkt.

'Kom zo,' mime ik en ik loop dan achter de meiden van mijn slaapzaal aan naar een bank in de hoek. Zodra ik ga zitten, doet Janice, met een groene pen in haar mond (dat kan niet goed gaan), de lichten uit en weer aan. 'Ga rustig zitten, allemaal,' zegt ze. 'Ga bij de mensen van je slaapzaal zitten! Het is tijd voor een sing-in.'

'Zie je wel,' moppert Morgan en ze gaat zitten.

'Zo gaat het in zijn werk. Iedere slaapzaal krijgt een...'

'We weten al hoe het in zijn werk gaat!' onderbreekt Blume haar, die er extra sjofel uitziet in een shirt waar de mouwen uit gescheurd zijn. Zijn zaalgenoten lachen.

Janice begint heen en weer te lopen door de zaal. 'Niet iedereen weet dat, Blume. Hou nu alsjeblieft even je mond. Zoals ik al zei, krijgt elke slaapzaal een stapel papier. Ik noem een woord of een uitdrukking of een onderwerp en jullie schrijven met je slaapzaal zo veel mogelijk liedjes op waar dat in voorkomt. Daarna krijgt iedere slaapzaal de gelegenheid om een van de liedjes te zingen. Denk erom, als je een lied herhaalt dat een andere slaapzaal al heeft gezongen, ben je automatisch gediskwalificeerd. De slaapzaal die het het langste volhoudt, wint.'

'Wat valt er te winnen?' wil Blume weten.

'Roem,' zegt zijn leider. 'En omdat je zo irritant bent, mag jij de secretaris zijn.'

Zijn zaalgenoten lachen opnieuw.

De hele Leeuwengroep is er. Ik zie Miri zitten bij de anderen van zaal twee, maar ze zit een beetje achter hen. Oh, Mir. Waarom maakt ze geen vrienden? Ik moet haar een peptalk geven. Ze moet vriendelijk en gezellig doen en ze mag niet bang zijn om zichzelf bloot te geven.

'Goed, ga klaarzitten,' zegt Janice. 'Er moet een kleur in de liedjes voorkomen. Begrepen? Je krijgt twee minuten en die gaan nu in.'

Geen tijd om me zorgen te maken over Miri; ik moet liedjes bedenken. Ik kruip bij mijn zaalgenoten. Deb speelt voor secretaris.

'Brown Eyed Girl,' fluistert Carly.

Poedel: 'Blue Suede Shoes.'

Alison: 'Yellow Submarine.'

Ik: 'Follow the Yellow Brick Road?'

Deb schrijft het op. Yes! Ik wist er één!

We bedenken wel duizend liedjes voordat Janice aankondigt dat onze tijd om is en dat slaapzaal vijf het eerst aan de beurt is. De leiders van de jongens verzamelen hen en tellen: 'Eén, twee, drie!'

'*Brown-eyed girl. You, my brown-eyed girl!*' krijsen de jongens met rampzalige stemmen.

'Verdorie!' Deb streept ons eerste liedje door.

We gaan met de klok mee, dus de volgende groep is zaal vijftien.

'Klaar meiden?' vraagt Penelope.

'*It was an itsy bitsy, teenie weenie yellow polka-dot bikini,*' zingen ze. Kristin schudt met haar achterwerk. Liana zwaait met haar haar.

'Stelletje sukkels,' mompelt Morgan.

'Slaapzaal twee, jullie zijn aan de beurt,' kondigt Janice aan.

De meisjes van zaal twee buigen zich naar elkaar toe. Nou ja, al-

99

lemaal behalve Miri. '*Baby beluga in the deep blue sea!*' zingen ze.

'Slaapzaal elf!'

'*Tie a yellow ribbon round the old oak tree!*'

'Zeventien!'

Dat is de slaapzaal van Raf. De groep telt tot drie en zingt dan: '*Red, red wine, you make me feel so fine.*'

'Zeven!' zegt Janice.

'*Blue moon,*' kwelen de jongste Leeuwenjongens, '*you saw me standing alone. Without a dream in my heart. Blue moon!*' En op dat moment draaien ze zich om, trekken hun broek naar beneden en laten hun volle maan zien.

'Jakkes!' schreeuwen wij. Alle meisjes in elk geval. De jongens lachen alleen maar.

Janice kauwt op haar pen alsof ze een konijn is met een wortel.

'Jullie zijn gediskwalificeerd wegens seksueel ontoelaatbaar gedrag!'

De jongens hebben de slappe lach. Ik vraag me af of het hun iets kan schelen. Arme leiders. Ze hebben ongetwijfeld hun handen vol aan deze groep. Ze hebben vast meer van zulke grappen in petto.

'Veertien, jullie beurt!'

Poedel doet of ze een dirigent is. 'Eén, twee, drie…'

'*We all live in a yellow submarine,*' zingen we en dan juichen we. Joehoe! Lol!

We gaan de kring weer rond en we moeten sommige liedjes doorstrepen. Dan zingt Miri's slaapzaal opnieuw 'Brown Eyed Girl', wat nergens op slaat. Ik bedoel, hoe moeilijk is het om een kruisje te zetten bij een van je liedjes als iemand anders het zingt?

'Jullie liggen eruit!' roept Janice.

We gaan rond en rond en rond en steeds meer slaapzalen worden gediskwalificeerd, of omdat ze een lied opnieuw zingen of omdat ze niets nieuws weten te bedenken, totdat alleen wij, zaal vijftien en Rafs slaapzaal over zijn.

En dan zingt Rafs slaapzaal 'Yellow Submarine', dat wij al gezongen hebben en liggen ze eruit.

Nu gaat het tussen ons en zaal vijftien.

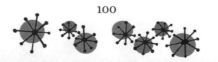

Dit is niet langer een spelletje. Na de manier waarop ze ons behandeld hebben, betekent dit oorlog.

'We zijn door onze liedjes heen,' fluistert Deb. 'Snel, verzin iets!'

Kom op, magie! Ik heb een bedenk-een-liedspreuk nodig. Wat kan ik doen? Ik moet iets bedenken!

En op dat moment kijk ik naar Janice en zie haar groene pen, die me doet denken aan het groene lied.

Ik: 'Kermits lied. Weet je nog? Groen. Hoe gaat dat ook alweer?'

'It's Not Easy Being Green,' zegt Poedel en ze geeft me een high five.

'Briljant!' zegt Deb en ze krabbelt het op.

Liana fluistert iets in Natalies oor en wenkt dan de rest van haar slaapzaal. Twee seconden later blèren ze: *'It's not easy being green!'*

Aaah!

Mijn hele slaapzaal kreunt. 'Ze heeft ons afgeluisterd, ik weet het zeker,' zegt Morgan. 'Ik haat haar.'

Ze wás absoluut aan het afluisteren! Hoe durft ze mijn groen te stelen!

'Veertien, jullie zijn aan de beurt.'

'Wacht even,' zegt Poedel en ze wenkt ons. 'Heeft iemand nog iets?'

'Tel met me mee, allemaal,' instrueert Janice. 'Tien! Negen!'

'Weet iemand nog iets?' smeekt Alison. 'Carly?'

'Zeven! Zes!' De hele zaal doet mee.

'Poedel? Morgan? Rachel?'

Liana is een dief. Ze is stom. Ik vraag me af hoe ze zich zou voelen als ze écht groen zou zijn, als in poef, nu ben je Kermits zus.

'Drie! Twee! Eén!' Janice doet keihard een zoemer na en haar pen explodeert rond haar mond en op haar kin, waardoor ze een groene baard krijgt. 'Zaal vijftien wint! Goed gespeeld allemaal. We gaan wat drinken en snoepen. Wees uiterlijk om kwart over tien terug bij je slaapzaal. Geen smoezen!'

Dief. Dief. Dief.

'Hoi,' zegt iemand achter me.

Ik kijk om en zie Raf. Hoera! 'Hoi.'

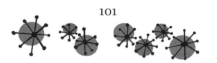

'Ga je wat eten?'

Ik ga overal heen waar jij me wilt hebben, meneer. Ik haal o zo terloops mijn schouders op. 'Misschien. Jij?'

'Tuurlijk. Ga met me mee. Ken je mijn vrienden? Blume, Colton en Anderson?'

Ga met me mee, zegt hij. Eindelijk. Ik kan nog niet geloven dat het me vier dagen heeft gekost om wat zogenaamde tijd-alleen met hem door te brengen.

De schriele jongen, de grappige Texaan en de jongen die echt te veel haargel gebruikt, zeggen hallo.

We rennen met z'n vijven de trap van de recreatiehal af. Het was nog licht toen de avondactiviteit begon, maar nu is het aardedonker. Ik kijk omhoog en zie dat er miljoenen stralende sterren aan de hemel staan. Wauw. Dit is fantastisch. Ik vul mijn longen met avondlucht. 'Het is hier zo mooi,' zeg ik.

'Ja hè? Heb je het koud?'

Ik heb het een beetje koud. Op mijn armen zit kippenvel. 'Misschien moet ik even langs mijn slaapzaal lopen om een trui te halen.'

Raf trekt zijn zwarte trui over zijn hoofd. 'Neem de mijne maar.'

Jeetje. Ik heb Rafs trui aan. Rafs heerlijke verrukkelijk ruikende trui. Betekent dit dat hij me leuk vindt? Of is hij alleen beleefd?

We praten de hele weg terwijl we de heuvel aflopen naar de achterkant van de eetzaal, waar we een paar van de anderen ontmoeten. Raf, Colton, Anderson, Blume, Morgan, Carly, Alison, Poedel en ik halen onze koekjes en bespreken dan wat we gaan doen.

'Laten we op onze veranda gaan zitten,' zegt Morgan.

Poedel dirigeert Carly in de richting van Anderson. Carly wordt rood, maar ze gaat wel naar hem toe. Kennelijk heeft ze toch een oogje op hem.

Raf en ik volgen de rest van de groep terug naar onze slaapzaal. Onvoorstelbaar hoeveel we hier lopen. Ik heb sinds mijn komst hier wel honderd kilometer gelopen. Lower Field, Upper Field, Lower Field, eetzaal. Het is nog erger dan een tredmolen.

'Hoe zijn je examens gegaan?' vraagt Raf me.

'Niet slecht. De jouwe?'

'Goed, geloof ik. Maar wiskunde was verschrikkelijk. Ik wed dat jij dat niet vond,' zegt hij plagerig.

Raf weet dat wiskunde mijn beste vak is. Ik grijns. 'Het ging wel.'

'Wat voor cijfer had je?'

'Mijn eindcijfer?'

'Ja, je eindcijfer.'

'Negen komma negen.'

Hij lacht. 'Wat is er met de laatste tweetiende punt gebeurd?'

'Heel grappig,' zeg ik met een gelukkige glimlach. Ik vind het heerlijk als hij me plaagt. Ik kijk omhoog naar de oneindige hemel. 'Hé, daar is de Grote Beer!'

Hij knikt. 'En hier ben jij,' zegt hij zacht.

'Hier ben ik.'

'Ik vind het fijn.'

'Echt waar?'

'Heel fijn.'

En dan tilt hij zijn arm op en slaat hem om mijn schouder. Lieve help. Raf heeft zijn arm om me heen. Om míj heen.

Je slaat je arm niet om een willekeurige vriendin heen.

'Hij is verliefd op je,' zegt Alison tegen mij. Ze heeft haar pyjama aan en zit op het voeteneind van mijn bed.

'Denk je?'

'Oh ja,' zegt Poedel, die midden in de kamer haar tanden staat te flossen. 'Absoluut. Hij zat de hele avond smoorverliefd naar je te kijken. Hij heeft het zwaar te pakken.'

Yes!

'Ik heb het ook gezien,' voegt Carly toe. Ze ligt weer op de vloer, haar buikspieroefeningen te doen, haar voeten onder het bed geklemd.

'Je bent zo'n geluksvogel,' zegt Morgan. 'Hij is hier een van de leukste jongens.'

Kom op, zeg. Hij is overal een van de leukste jongens.

'Voordat de lichten uitgaan, moeten we jullie keuzeactiviteiten

nog vaststellen,' zegt Deb, die op Poedels bed zit. 'Ze beginnen donderdag na de lunch, dus vertel me wat je A-keuze is en wat je B-keuze.'

'Wat zijn de keuzemogelijkheden?' vraag ik.

'Je moet er twee kiezen: K&K – dat is kunst en knutsel, Rachel –, pottenbakken, zeilen, windsurfen, kanoën, tennis, boogschieten, toneel, waterskiën, honkbal en basketbal.'

'Basketbal!' zegt Morgan. 'Alle jongens kiezen basketbal.'

Goed idee! Ik kies ook basketbal!

'Kiezen wat zíj kiezen ligt nogal voor de hand,' zegt Poedel hoofdschuddend.

Dat is wel waar.

'Ik kies ook basketbal,' zegt Carly. 'Ik heb een dodelijk schot.'

'Dat is keuze A voor Morgan en Carly. Wat willen jullie als B-keuze?'

'Toneel,' zegt Carly.

'Oh, ik ook,' zegt Morgan. 'Dan doen we mee in de toneelopvoering.'

'Oké,' zegt Deb. 'Poedel? Wat kies jij?'

'Zeilen en zeilen,' zegt ze.

Deb schudt haar hoofd. 'Je moet twee verschillende dingen kiezen.'

'Zeilen en windsurfen dan. Dan kan ik in elk geval op het strand blijven.'

'Genoteerd,' zegt Deb en ze krabbelt in haar schrijfblok. 'Alison?'

'Hetzelfde voor mij. Zeilen en windsurfen.'

'Rachel?'

'Ik kies zeilen en…' Windsurfen klinkt veel griezeliger dan zeilen. Ik bedoel maar, windsurfen doe je alleen, toch? Gewoon op de plank gaan staan en hopen dat de wind je duwt? Dat is echt niets voor mij, voor het oog van de wereld in mijn eentje in mijn badkleding te kijk staan. Hmm, nu ik erover nadenk, ik mag niet eens windsurfen vanwege mijn dolfijnenstatus. Verdorie. Wat nu? Ik heb nog nooit gekanood, getennist of booggeschoten (dat is vast niet de juiste werkwoordsvorm), en samen met Raf rondhangen bij honkbal en/of basketbal klinkt wel leuk, maar hoe weet ik welke hij gekozen heeft, als hij al een van beide gekozen heeft?

'Eh, K&K?'

'Weet je wat?' zegt Alison. 'Ik geloof dat ik mijn windsurfen ook wil ruilen voor K&K.'

'Ik ook,' zegt Poedel. 'Het valt toch niet op?'

Als we klaar zijn, ga ik naar de toiletruimte om me te wassen. Zoals steeds vriest mijn gezicht er bijna af als ik het was. Ik poets snel mijn tanden en trek me dan terug in het toilet om mijn pyjama aan te trekken. Voorzichtig trek ik Rafs trui uit. In plaats van hem op te vouwen en weg te leggen, neem ik hem mee naar bed.

Knuffelen met Rafs kleding is net zoiets als knuffelen met hemzelf. Nou ja, niet echt, maar ik moet het ermee doen.

Deb doet de lichten uit.

Hallo, heerlijke trui. Uiteraard moet ik eraan denken dat bij de beste liefdesspreuk een exemplaar van de kleding van het slachtoffer (ik bedoel de jóngen) betrokken is. Niet dat ik een liefdesspreuk ga uitspreken over Raf. Deze keer heb ik er geen nodig (hoop ik). En deze keer wil ik echte liefde.

'Rachel, wakker worden!'

Er wordt tegen mijn hoofd geduwd. 'Ja?' vraag ik en ik open mijn ogen. Poedel wenkt me om haar te volgen. 'Het is tijd.'

'Waarvoor?' fluister ik.

'Om ze terug te pakken,' vertelt Morgan me. Ze is geheel in het zwart gekleed.

De klok geeft drie uur 's nachts aan. Ik werp mijn dekens af en haast me om me bij hen te voegen. 'Wat is de bedoeling?'

'We gaan hun gezichten beschilderen,' zegt Morgan. 'Poedel heeft verf geleend van K&K.'

Terwijl we ons best doen om niet te giechelen, nemen we onze plaatsen in. Poedel beschildert de meisjes in de bovenbedden, terwijl Morgan de benedenbedden doet. Carly en ik houden de verf vast en gedragen ons als regisseurs. Alison moet in de badkamer opletten of Deb of Penelope niet wakker wordt.

Natalie krijgt een rode bril, Trishelle wordt een dalmatiër en Kristin krijgt de mazelen.

'Wat vind je ervan?' fluistert Poedel, terwijl ze groene snorharen schildert. 'Dit is Molly, de muis.'

Ik slik mijn lach in.

Molly rimpelt haar neus in haar slaap, maar wordt niet wakker. Dan vereren we Liana met ons bezoek.

'Verander haar in een kat!' fluister ik.

'Eerlijk gezegd heb ik een ander plan.' Poedel doopt de kwast in mijn bus zwarte verf en schildert een baardje op Liana's kin en een zwarte snor op haar bovenlip.

'Dat is wel erg gemeen!' mompel ik. Gemeen, maar grappig.

Totdat Liana's ogen beginnen open te gaan.

Poedel springt achteruit.

Oh-oh.

'Vals alarm,' vertelt Poedel me. 'Ze slaapt nog.'

Als Morgan de laatste hand gelegd heeft aan Cece (ik weet niet zeker wat ze voor moet stellen; ze heeft alleen maar strepen en kruisjes op haar gezicht. Boter-kaas-en-eieren?), sluipen we terug naar onze kant van de blokhut.

'Komen ze er niet achter dat wij het waren?' vraagt Carly.

'Misschien wel,' zegt Poedel lachend.

'Misschien moeten we onszelf ook verven, om ze te misleiden,' zegt Carly.

Morgan rolt met haar ogen. 'Dan zijn wij ook beschilderd.'

'Laten we alle bewijzen wegwerken,' zegt Poedel en ze loopt op haar tenen naar de deur. 'Morgie, ga je met me mee? We zetten de spullen voor de deur van K&K neer.'

We blijven met z'n drieën over en kruipen weer in bed. 'Weet je,' zegt Carly, 'ik ga de spiegel verstoppen, zodat ze niet weten hoe ze eruitzien.'

'Maar ze kunnen elkáár wel zien,' probeer ik uit te leggen, maar Carly is al in de badkamer en haalt de spiegel van de muur.

Alison en ik vallen zachtjes giechelend in slaap.

'Zaal veertien, tijd om op te staan!' zegt Janice, rondstampend door onze kamer. Dan verdwijnt ze naar de kastenkamer en vandaar naar zaal vijftien. 'Zaal vijftien, het is tijd om op...'

Hoorbare schrik. 'Wat is er met jullie gebeurd?'

We gaan allemaal rechtop in bed zitten, met een grijns op ons gezicht.

'Er zit iets op mijn gezicht!' gilt Trishelle.

Kristin: 'Op mijn gezicht ook! Wat is het? Wat is het?'

Cece: 'Het is rood!'

Liana: 'Het zit overal op mijn peperdure kussensloop.'

'Nu staan we weer quitte,' zegt Poedel.

Ze proberen de verf eraf te poetsen, maar zonder een fatsoenlijke douche in de buurt zijn ze gedwongen om naar de vlaggenmast te gaan met hun veelkleurige gezichten.

'Ze lijken net Teletubbies,' snuift Morgan aan het ontbijt boven haar stapel pannenkoeken.

'Meiden,' spreekt Deb ons vermanend toe, 'ik hoop dat jullie hier niets mee te maken hebben.'

'Wij?' Poedel werkt onschuldig met haar ogen. 'Waarom zouden wij zoiets doen? Mag ik de stroop even?'

Natuurlijk weet zaal vijftien dat wij het geweest zijn, al kunnen ze het niet bewijzen. Ze blijven vanaf hun tafel woeste blikken in onze richting werpen.

'We hebben ze goed te pakken gehad,' zegt Morgan.

Alison bijt op haar onderlip. 'En vanaf nu moeten we goed opletten.'

Woelige wateren

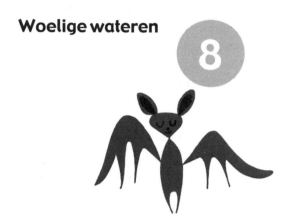

Het is donderdag, een paar dagen later, en Alison en ik liggen op de voorsteven van een zeilboot, onze benen uitgestrekt, terwijl de wind met onze haren speelt en de zon onze huid kust. Ongelooflijk dat ik mijn hele leven de zeilsport heb moeten missen! Wat hebben mijn ouders me nog meer onthouden?

Nadat hij ons reddingvesten had uitgereikt, verdeelde Harris – die echt zo supercool is als mijn zaalgenoten beweerden en die zelfs een kuiltje in zijn kin heeft dat me doet denken aan een superheld uit een stripboek – de Leeuwen die voor zeilen gekozen hadden en stuurde ons in boten het water op.

Gelukkig voor Poedel heeft Harris besloten om met ons mee te gaan en de anderen (met inbegrip van Anderson-met-te-veel-gel, onvolwassen, neuspeuterende Brandon en een paar jongere Leeuwenmeisjes die ik herken uit Miri's slaapzaal – maar geen Miri) op weg gestuurd met een paar KIO's.

Nu is onze boot onderweg en zeilt hij over het prachtige meer.

Maar weet je wat het fijnste aan zeilen is?

Rafs keuzeactiviteit is windsurfen.

Ik kan mijn ogen letterlijk niet van hem afhouden. Gedeeltelijk omdat hij een heldergele zwembroek aanheeft, maar vooral omdat ik er getuige van was dat hij zijn shirt uittrok en daarmee zijn gebruinde en gladde buik-met-sixpack onthulde. Goed dan, het is meer een fourpack, want hij is pas vijftien, maar toch. Het is een slank fourpack als dat van een Griekse god. Niet dat hij Grieks is. Eigenlijk weet ik niets over zijn afkomst. Met een naam als Kosravi ben ik altijd min of meer uitgegaan van Russisch.

'Overstag!' roept Harris, als de giek naar de andere kant van de zeilboot draait zodat we omkeren. Alison en ik klampen ons aan onze zitplaatsen vast om te voorkomen dat we eraf glijden.

Aangezien we nu recht op de windsurfgroep af koersen, in de richting van mijn Russisch-Griekse fourpack, trek ik mijn buik in en neem ik mijn meest verleidelijke pose aan.

Hij zwaait naar me! Oké, zijn bovenlichaam is nu bedekt door zijn zwemvest, maar volgens mij zag ik net zijn armspieren golven.

Uit onbekende hoek steekt er een windvlaag op (een windvlaag, mijn hartslag, wat maakt het uit) die de boot gevaarlijk naar één kant tilt. We gillen allemaal als het koude water over onze armen en benen spat. Een kreet echoot over het water en ik zie dat Colton dankzij mijn kleine magische uitbarsting zojuist voorover van zijn plank in het water gevallen is.

'Ik ben oké, mensen!' brult hij.

'Au,' zeg ik. 'Dat zag eruit of het pijn deed.'

'Heb je ooit geprobeerd om te windsurfen?' vraagt Alison me.

We bukken ons als de giek weer over ons heen draait. 'Nee.' Het klinkt eng. Het is een goede zaak dat Dolfijnen dat niet mogen doen. Aan de andere kant: hoeveel gevaarlijker kan het zijn dan rondvliegen op een bezem?

'Kanoën dan?'

'Nee. Ik ben niet zo boterig.'

'Maak je geen zorgen,' zegt Poedel vanaf de andere kant van de boot. 'Je leert het wel.'

Het uitzicht op Raf die met zijn surfboard bezig is, leidt me af.

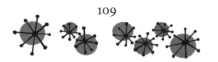

Hij ziet eruit of hij zijn zeil echt onder controle heeft, alsof het een deel van hemzelf is. Hij behandelt het zeil alsof het een danspartner is en hij de leiding heeft genomen.

Ik wou dat hij naar me keek. Waarom kijkt hij niet naar me? Kijk naar mij, Raf, kijk naar mij!

Kijk! Naar! Mij!

Op dat moment gooit een nieuwe windvlaag met de kracht van een babyorkaan hem opzij van zijn plank af, het water in.

'Zag je dat?' vraagt Alison. 'Arme Raf.'

Of ik het zag? Ik was er de oorzaak van!

Raf spartelt rond en trekt zich dan op aan de steiger. Nu kijkt hij me recht aan – en hij glimlacht schaapachtig.

Ah, hij schaamt zich! Wat lief!

Dat moet wel betekenen dat hij verliefd op me is.

Terwijl Alison de rest van de tijd in de zon ligt, flirten Poedel en Harris met elkaar ('Je bent zooo grappig, Harris.' 'Je bent zooo lollig, Poedel.') en staar ik naar Raf. Natuurlijk staar ik discreet naar hem. Heel onopvallend.

'Je hebt het vreselijk te pakken,' zegt Alison.

'Vreselijk,' geef ik toe.

'Attenfie alle kampgangerf en leiderf! Attenfie alle kampgangerf en leiderf! Dit if het eind van de tweede middagactiviteit. Ga alfjeblieft naar de achteringang van de keuken voor ietf lekkerf.'

Het is de volgende dag en Alison, Poedel en ik verlaten K&K en lopen in de richting van Lower Field.

Ik krijg Miri in het oog, die met een frons op haar gezicht in de rij staat voor haar tussendoortje. Als ze de hele tijd zo ongelukkig kijkt gaat ze hier geen vrienden maken.

'Probeer net te doen of je het naar je zin hebt,' adviseer ik haar.

'Waarom? Dat is niet zo.'

'Wat is er aan de hand?'

'Ik wil er niet over praten.'

Ik leg mijn arm om haar smalle schouders. 'Wat is er gebeurd?'

'Interesseert het je echt, of wil je alleen maar voor je beurt gaan?'

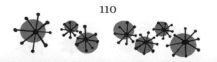

'Allebei?' Ik kietel haar in haar zij. 'Oh, kom op, Miri, een beetje vrolijker. Heb je niet een klein beetje plezier?'

Ze haalt haar schouders op. 'Het is wel oké.'

We lopen een paar stappen door als de rij zich in beweging zet. 'Waar is de rest van je slaapzaal?'

Ze haalt haar schouders op. 'Wat maakt dat uit?'

'Kom op, Mir. Vind je niemand van hen aardig?'

'Ze klitten nogal aan elkaar.'

'Miri, je moet beter je best doen. Ik weet zeker dat ze je geweldig vinden, als je ze tenminste een kans geeft.'

Ze zucht. 'Ik zal het proberen. Ga je met me zwemmen tijdens AZ? Ik heb er zo'n zin in, maar ik heb niemand om tijdens het Algemeen Zwemuur mee te zwemmen.'

'Ehm, Mir, je weet dat ik zwemmen haat.' Tot nu toe heb ik alle AZ's doorgebracht met het vermijden van water en met aan mijn kleur werken.

Haar voorhoofd rimpelt in kleine kreukels. 'Oh, kom op, het is buiten zo heet. En ik heb een buddy nodig om mee het water in te gaan.'

'Vraag iemand van je slaapzaal.'

Ze steekt haar duimnagel in haar mond en begint te knagen. 'Misschien.'

Ik duw haar hand weg. 'Niet doen! Je vingers zijn helemaal vies!'

'Hé, kom je mijn slaapzaal bekijken tijdens vrije tijd? Je hebt hem nog steeds niet gezien.'

'Ik kan niet. Morgan is jarig en Deb heeft cakejes voor ons gebakken. Misschien morgen?'

'Heb je het tijdens vrije tijd ook al te druk? Ga je dan helemaal geen tijd met me doorbrengen?'

Oh, arme Miri. 'Je mag mee naar het verjaardagsfeestje.'

We lopen naar de bar.

'Geniet ervan!' Oscar schenkt voor ons twee glazen melk in en geeft ons twee chocoladekoekjes per persoon. Ik neem er maar één.

'Dank u!' zeggen we eensgezind.

'Vinden ze dat niet erg?' vraagt Miri mij.

'Volgens mij niet. Alison,' zeg ik als ik haar in de rij voorbijloop, 'mogen we andere mensen uitnodigen voor het feestje van Morgan?'

'Natuurlijk,' zegt ze. 'Ik heb Will al uitgenodigd.'

Ik weet zeker dat Miri dat leuk vindt. 'Zie je wel,' zeg ik tegen mijn zus en ik laat per ongeluk mijn koekje in mijn melk vallen, zodat ik het er weer met mijn vingers uit moet vissen.

'Oh, ik begrijp het, mijn vingers zijn vies, maar de jouwe zijn volkomen schoon?'

Goed punt. Ik laat het koekje droevig weer naar de bodem van het glas zakken. 'Dus je komt naar mijn slaapzaal?'

'Ja. En dan neem ik mijn kristal weer mee terug.'

Ik hoopte dat ik het nog een tijdje bij me kon houden. Voor het geval dat. 'Bedankt dat ik het mocht lenen, trouwens.'

'Graag gedaan. Daar zijn we zussen voor.'

'Om te helpen?'

Ze geeft me een van haar koekjes. 'Om te delen.'

Ik ben onderweg naar mijn slaapzaal als ik totaal onverwacht Raf tegenkom. Hij heeft een marineblauwe zwembroek aan; een rode strandhanddoek is nonchalant over de schouder van een dun wit t-shirt geslagen.

'Hoi,' zegt hij. 'Kom je ook naar az?'

'Natuurlijk.'

Hij trekt aan zijn handdoek. 'Wil je mijn buddy zijn?'

Uit zijn mond klinkt het woord 'buddy' net als 'vriendin', en niet alleen als 'zwemmaatje'. (Een meisje mag haar dromen hebben, toch?) 'Ja, graag!'

'Fijn,' zegt hij, terwijl hij achteruit de heuvel afloopt. 'Ik ga even iets te eten halen. Tot over vijf minuten op het strand.'

Mijn moeders badpak, dat ik onder mijn kleren aanheb (omdat mijn betere badpak nog vochtig was van vanmorgen), is niet goed genoeg. Ik sprint terug naar mijn slaapzaal, terwijl de melk en de koekjes in mijn maag klotsen als kleingeld in een jaszak, doe mijn kleren uit en trek mijn sexy oranje bikini aan. Bobby zoekt het maar uit! Misschien leidt het sexy gehalte van mijn bikini af van het abnormale? Ik trek een korte broek en een shirt aan over mijn bikini, grijp een handdoek en ren terug naar het strand.

Yes! Ik ga met Raf zwemmen!

'In de rij met je slaapzaal, allemaal, in de rij met je slaapzaal!' schreeuwt Rose door haar megafoon, zoals ze dat doet aan het begin van ieder AZ.

'Oké, allemaal, denk aan de strandregels. Jullie moeten je aanmelden met een buddy en we geven ieder paar een nummer.'

Ooh. Páár. Dat klinkt geweldig!

Sexy, shirtloze Raf komt naar me toe gewandeld. 'Klaar?'

Ik trek mijn shirt en korte broek uit en kruis mijn armen voor mijn borst. Het is niet nodig om hem uitzicht te bieden op Bobby als het niet hoeft. Hopelijk ziet hij helemaal niets als we eenmaal in het water zijn.

We lopen naar het meldpunt. 'Hebben jullie allebei je Walvis?' vraagt Rose, die kennelijk de hele zoek- en reddingsoperatie vergeten is.

'Yes,' zegt Raf.

Oh-oh. Mijn blauwe kraal brandt op mijn huid als een zwaailicht. Ik kan niet toegeven dat ik slechts mijn Dolfijn gehaald heb. Dat kan ik echt niet. Ik moet mijn toverkracht gebruiken om de kraal geel te maken. Ik staar uit alle macht naar mijn pols en denk: word geel en wel nu, stomme kraal!

Er gebeurt niets. Misschien helpt het als het rijmt. Nog een keer.

**Word geel zodat ik als Walvis kan
en kan zwemmen met deze prachtige...**

'Jouw kraal ziet er nogal blauw uit,' zegt Rose. 'Ik deel je in bij de Dolfijnen.'

Raf zet grote ogen op van verbazing.

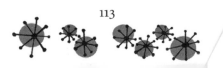

Ze heeft mijn geheim prijsgegeven voordat ik mijn spreuk kon afmaken! Die geëindigd zou zijn met 'man', mocht je je dat soms afvragen. Ik ben een rijmmachine.

Zal ik rapper worden?

Ik schaam me te diep om Raf aan te kijken nu hij mijn vernederende geheim kent, dus loop ik voor hem uit en steek mijn teen in het water.

'Dus, Dolfijn, hè?'

Ik draai me om en zie dat hij grijnst. 'Wat is er zo grappig?' vraag ik.

'Niets.' Hij grijnst nog steeds.

'Waarom grijns je dan?'

Hij lacht. 'Ik vind het schattig dat je niet kunt zwemmen.'

'Het is misschien wel schattig, maar het is niet grappig.'

Hij lacht opnieuw. 'Het is schattig én grappig. Ik kan het je wel leren.'

'Ben je een expert?'

'Nee... nou, een beetje. Ik doe dit jaar examen voor mijn reddingsbrevet.' Hij stapt het water in. Als ik hem niet achterna kom, pakt hij mijn hand. 'Kom maar,' zegt hij. 'Zo koud is het niet.'

Pakt mijn hand. Pakt Mijn Hand. Pakt! Mijn! Hand!

Wahoe! Elektriciteit schiet door onze vingertoppen. Uiteraard geen echte elektriciteit, aangezien we in een meer staan en we, als het wel echt was, nu geroosterd zouden zijn.

Oh, ik ben nu warm genoeg. Hand in hand waden we het water in. Hij gebruikt zijn vrije hand om het touw dat het Dolfijnengedeelte afschermt omhoog te houden. 'Klaar? Laten we erin duiken.'

Hij laat mijn hand los (zucht!) en duikt onder water. Als hij bovenkomt, grijnst hij duivels en stort een tsunami van spetters over mij heen.

'Oh, nu heb je een probleem.' Ik spetter hem meteen terug.

We blijven elkaar natspatten totdat Rose op haar fluitje blaast en roept: 'Stilte op het strand. Oproep aan de buddy's!'

Achter ons roepen twee meisjes uit de Apengroep: 'Eén!'

Kinderen gillen 'twee' tot en met 'tien', en dan knipoogt Raf naar mij. 'Elf!' roepen we eensgezind.

We zijn een paar! Kan het beter dan dit?

We zwemmen en lachen en plonzen nog twee buddy-oproepen lang; dan worden alle zwemmers uit het meer gecommandeerd en worden we gedwongen om weer plaats te nemen in de rij van onze slaapzalen.

'Tot later,' zegt Raf.

'Tot later,' echo ik gelukkig.

Terwijl ik in mijn eentje in de rij zit, kijk ik tevreden rond op het strand, met een dromerige glimlach op mijn gezicht.

'Heel erg bedankt,' hoor ik.

Ik kijk op en zie Miri woedend boven me staan.

'Wat is er?' vraag ik.

'Ik heb je gevraagd mijn buddy te zijn en je zei nee. Maar je ging wel zwemmen met Raf.'

Oh, shit. 'Mir, het spijt me. Echt. Maar hij vroeg me en…'

'Ik vroeg je ook.'

'Technisch gezien niet. Je zei alleen…'

'Hoe dan ook, Rachel,' valt ze me in de rede. 'Ik had niemand om mee te gaan zwemmen. Ik ben boos op je.'

Met mijn handdoek om me heen ga ik staan en knuffel haar. 'Het spijt me. Echt. Maar het was Raf,' fluister ik. 'Probeer het te begrijpen.'

'Hm.' Ze geeft me geen knuffel terug.

'Je kunt niet boos op me blijven.'

'Zaalrijen, allemaal, zaalrijen!' beveelt Rose.

'Ik zie je bij vrije tijd,' zeg ik. 'Er zijn cakejes. Je mag niet komen als je nog steeds boos op me bent.'

Geen antwoord.

'Zei ik al dat het chocoladecake is?'

'Goed dan, maar alleen vanwege de cakejes,' zegt ze en ze loopt terug naar haar eigen zaalrij.

Ik onderdruk een gaap. Al deze opwinding heeft me uitgeput. Misschien doe ik wel een dutje in plaats van te douchen. Het water

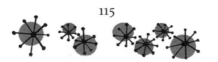

van het meer is waarschijnlijk behoorlijk schoon.

'Ik heb weer in het meer geplast!' hoor ik een van de Koalajongens roepen.

Of toch niet.

Geef de popcorn eens door

Na twee weken kamp heb ik het gevoel dat ik hier al een jaar ben.

Het ongezonde snoep is allang op, mijn bed voelt niet langer vreemd aan (hoewel het nog steeds wel een beetje bobbelig voelt), ik begin te wennen aan het in mijn pyjama bijwonen van het hijsen van de vlag 's ochtends en aan mijn gezicht met koud water wassen en op de een of andere manier ben ik erin geslaagd om mijn moeder, mijn vader en Tammy elk minstens drie brieven te schrijven.

Elke zonnige, prachtige dag is zo ongeveer hetzelfde.

Nu zitten Poedel, Alison en ik bij K&K aan een tafel en maken we een armband van scoubidou. Ik begin net een beetje handigheid te krijgen in de vlinder, de eenvoudigste steek, waar je maar drie draadjes van het veelkleurige plastic voor nodig hebt, terwijl Poedel en Alison door de moeilijkere technieken heen dartelen, zoals het vierkant en de cirkel, waar je vier draadjes voor nodig hebt.

'De westkust heeft een ontspannen sfeer,' zegt Poedel om uit te leggen waarom ze niet van plan is zich in te schrijven bij een school aan de oostkust.

'Maar Manhattan is supercool,' zegt Alison.

'Weet ik,' zegt Poedel. 'Ik hou ervan om ernaartoe te gaan. Maar ik denk niet dat ik ooit een echte New Yorker kan worden. Ik bezit niet genoeg zwartgoed.'

'Je hebt er wel de houding voor,' zegt Alison met een lach.

'Dat is zo. Maar mijn hele, uitgebreide familie woont ook in L.A. Mijn ooms en tantes, hun kinderen… ik heb een hechte band met hen. Ik geloof niet dat ik ergens wil wonen zonder wortels. Heb jij veel familie in New York?'

'Niet zo veel,' zeg ik. We zien nooit iemand van mijn moeders familie. Haar ouders zijn lang geleden gestorven en haar relatie met haar zus, Sasha, is een beetje mysterieus. Ze hebben jaren en jaren geleden een soort van ruzie gehad, toen ik nog een baby was, en sindsdien hebben ze niet meer met elkaar gesproken. Het is het grote familiegeheim, dat mijn moeder niet met ons wil delen.

'Ik heb veel familie in New York, maar we zien hen zelden,' zegt Alison. 'Iedereen heeft het te druk.'

'Overweegt een van jullie om naar Californië te verhuizen?'

'Misschien om naar de universiteit te gaan,' zeg ik, terwijl ik opnieuw mijn steek verpruts en hem weer uithaal. 'Ik haat winters.'

'Wat wil je gaan studeren?' vraagt Alison me.

'Nou…' Nu ga ik echt studiebollerig klinken. 'Ik vind wiskunde nogal leuk.'

'Echt waar? Dat is echt cool,' zegt Poedel. 'Wil je ingenieur worden?'

'Dat heb ik nog niet besloten,' zeg ik. Ben ik erg dom als ik niet goed weet wat een ingenieur doet? 'Misschien word ik wiskundige. Hoogleraar wiskunde? Ik ben goed met getallen.'

'Hoeveel is tweeëntwintig keer drieëndertig?' vraagt Poedel.

Ik doe mijn ogen dicht om te rekenen. 'Zevenhonderdzesentwintig,' zeg ik en ik doe ze weer open.

Poedel legt onder de indruk haar scoubidouwerkje neer. 'Zevenentwintig keer zevenentachtig?'

'Tweeduizend driehonderdnegenennegentig.'

'Lieve help,' zegt Poedel lachend. 'Tweeënvijftig keer…'

'Ze is geen aap,' zegt Alison.

Nu lach ik. 'Wat willen jullie worden?'

'Ik wil regisseur worden,' zegt Poedel. 'Net als iedereen in Los Angeles.'

'Ik dacht dat iedereen in L.A. acteur wilde worden,' zeg ik.

'Dat is ook zo. In het begin. Maar daarna willen ze regisseren.'

'En jij, Alison?' vraag ik.

'Arts,' zegt ze.

'Perfect,' piep ik. 'Ik kan wel een nieuwe dokter gebruiken. De mijne tekent nog steeds lachende gezichtjes op mijn arm voordat hij me inent. Wanneer kun je beginnen?'

'Over zo'n vijftien jaar?'

'Verdorie,' zegt Poedel en ze schudt haar hoofd. 'Ik heb net een steek verprutst. Dit moet perfect worden.' Ze buigt zich naar ons toe, zodat alleen wij kunnen verstaan wat ze nu zegt. 'Ik maak deze voor Harris.'

Natalie en Kristin hebben zich ook ingeschreven voor K&K, en zitten maar één tafel verderop.

'Maak je een armband voor Harris?' vraag ik. 'Is dat niet meisjesachtig?'

Poedel bijt op een van de draden om hem strakker te trekken. 'Het gaat om de gedachte erachter. En ik gebruik zwarte draden om het er macho uit te laten zien.'

'Vind je dat ik een armband moet maken voor Raf?'

Poedel werpt een blik op mijn halfhartige poging tot een vlinder en trekt een grimas. 'Waarom wacht je er niet nog een week of zo mee? Totdat je wat meer geoefend hebt. Het is niet altijd alleen de gedachte die telt.'

'Maar ik heb het gevoel dat ik hem duidelijker moet maken dat ik verliefd op hem ben,' zeg ik. Raf en ik hebben gisteren naast elkaar gezeten tijdens de avondactiviteit, die 'De prijs is goed' heette. Daarna hebben we de periode tot bedtijd samen doorgebracht. We hebben gepraat, we hebben gelachen, we hebben grappen gemaakt. We deden eigenlijk gewoon wat stelletjes doen.

Behalve zoenen.

'Als je nog duidelijker was, zou je een bordje om hebben,' grapt Alison.

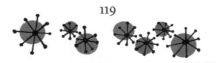

'Haha. Misschien is hij niet verliefd op me?'

Poedel schudt haar hoofd. 'Ik ken Raf al heel lang en ik heb hem nog nooit zo veel tijd zien doorbrengen met één meisje.'

Ik bloos van geluk.

'Het komt wel,' gaat Poedel verder. 'Misschien wacht hij gewoon op het juiste moment. Of de juiste sfeer.'

Of de juiste eeuw.

De sfeer kan niet juister worden dan nu.

Het is een paar dagen later en na een hele middag van poncho's en laarzen en binnenactiviteiten als pottenbakken, toneel, trefbal en zi (oftewel ZwemInstructie) in het overdekte zwembad (wat helemaal niet gek was, want het water was net badwater), is het nu filmavond – de nieuwste *Harry Potter* – in de lw (oftewel de LeidersWoonkamer). De lw is de enige plek in het kamp met een tv.

Janice kauwt op een roze pen en doet de lichten aan en uit. 'Zoek een plekje. Kom op, kom op.'

Raf en ik hebben ons al geïnstalleerd op een plek achter in de lw, tegen de achtermuur. Omdat ik een deken heb meegenomen ('Zorg voor de juiste setting!' instrueerde Poedel me), bied ik aan om samen te doen. Knipoog, knipoog.

Ik hoopte eigenlijk op een romantische film en niet op het verhaal van mijn leven. Maar misschien gaat Raf me tijdens de enge scènes knuffelen?

Janice doet de lichten uit, drukt op play en zakt neer op de supergrote, ingezakte heeft-betere-dagen-gekende bruine bank midden in de kamer.

Als de film twintig minuten bezig is, voel ik Rafs arm om me heen. Yes, yes, yes! Mijn hele lijf tintelt. De lichten zijn uit en iedereen is verdiept in de film. We gaan vanavond zoenen. Het gaat gebeuren. Ik weet gewoon dat het gaat gebeuren. Zijn gezicht is maar een paar centimeter bij het mijne vandaan. Hij hoeft het alleen maar een beetje naar rechts te draaien. Hij lacht om iets op het scherm – alsof het op een moment als dit mogelijk is om een film te kijken! – en nu is zijn wang maar vijf centimeter van de mijne verwijderd. Ik hoef alleen mijn gezicht maar naar hem toe te draaien. Draaien!

Zijn gelach stopt en ik kan zijn ademhaling horen. Ik kan mijn eigen ademhaling ook horen, en met iedere seconde die voorbijgaat wordt hij sneller, omdat mijn hart miljoenen keren per minuut slaat.

Ik draai een centimeter of twee. Hij draait een centimeter of twee. Ik draai een centimeter. Hij draait een centimeter. Jeetje, we zijn zo dicht bij elkaar dat ik het nog maar net aankan. Als we allebei onze tong uitsteken, raken ze elkaar – waar het tenslotte allemaal om gaat. Elkaar met je tong aanraken. Ik vraag me af hoe zijn tong voelt. Ik heb in mijn leven maar één tong aangeraakt en die was van zijn broer. Misschien is het beter om niet aan tongen van andere jongens te denken als ik op het punt sta om iemand te zoenen.

Mijn mond is droger dan een cactus. Ik hoop dat hij niet smaakt naar een cactus. Niet dat ik weet hoe een cactus smaakt, maar ik durf te wedden dat dat niet smakelijk is. Nog afgezien van stekelig.

Nu zijn onze lippen maar twee centimeter van elkaar af! En nu nog één centimeter en hier komt hij; het gaat echt gebeuren…

Plotseling is er een koude windvlaag en flitsen de lampen aan.

'Aaaah!' roept iedereen.

Ik trek met een ruk mijn hoofd terug. Mijn ogen zijn verblind. Ik zie niets.

Janice springt van de bank. 'Wie deed dat?'

Raf trekt zich terug als een kat die geschrokken is.

We kijken allemaal achterom naar het lichtknopje. 'Heeft iemand het licht aangedaan?' vraagt Janice opnieuw. Niemand antwoordt. Janice probeert de lampen weer uit te doen, maar ze geven niet toe.

Heb ik dat gedaan? Was ik zo zenuwachtig dat Raf me ging zoenen dat ik de lampen aangedaan heb om ervoor te zorgen dat het niet ging gebeuren? Wat is er mis met me?

'Misschien was het Harry Potter,' zegt Blume.

Iedereen lacht. Iedereen behalve ik.

Zwevende dvd's

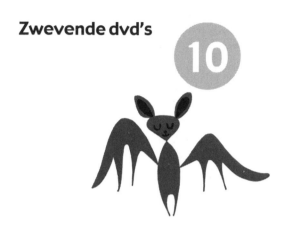

Krak. De haartjes op mijn arm staan onmiddellijk in het gelid.

Gewoon een takje, stel ik mezelf gerust. Niets om bang voor te zijn.

Krak.

Ik ren wat harder, voor het geval dat. Ik weet niet meer waarom ik het een goed idee vond om midden in de nacht door het kamp te sluipen. Oh, dat is ook zo, omdat ik wanhopig ben en onmiddellijk Miri's hulp nodig heb.

Ik heb eindelijk het pad gevonden dat tussen de slaapzalen één en drie door loopt en ik probeer nu bij slaapzaal twee te komen zonder dat een wilde beer me opeet.

Haha. Er zijn helemaal geen beren in het kamp. Toch?

Hier is het. Slaapzaal twee. Ik sluip de traptreden op en doe het onzichtbaarheidsschild dicht – oftewel de betoverde paraplu. Voorzichtig open ik de deur. Nu hoef ik alleen nog maar uit te vinden welk bed van Miri is. Op mijn tenen loop ik door de blokhut en tuur in de bovenbedden naar de gezichten van Miri's slapende zaalgenoten.

In het maanlicht herken ik achterin het lichtgroene dekbed-overtrek van mijn zus, vlak bij de badkamer. 'Miri,' fluister ik. 'Miri, word wakker.'

Als ze niet reageert, stomp ik haar op haar voorhoofd.

Mijn zus opent één oog. 'Wat doe je?'

'Ik heb je hulp nodig. Kom met me mee naar buiten.'

'Hoe laat is het?' mompelt ze.

'Drie uur 's nachts.'

'Ben je gek geworden?'

'Nee, alleen wanhopig. Je had gelijk. Ik heb mijn krachten niet onder controle. Ik heb je hulp nodig. Ik heb wat training nodig.'

'Nu?' vraagt ze.

'Je kunt me niet bepaald op klaarlichte dag trainen, vind je wel?'

'We mogen onze slaapzalen niet in het holst van de nacht verla-ten. We krijgen hier problemen mee.'

'Niet als niemand ons ziet.'

'Wat als er iemand op is?'

'Maak je geen zorgen, daar heb ik maatregelen voor genomen.' Ik zwaai met ons onzichtbaarheidsschild boven haar bed.

'Heb je dat meegenomen op kamp?'

'Natuurlijk heb ik dat meegenomen!'

'Je hebt me niet verteld dat je het ging meenemen!'

Wat, is ze gek geworden? 'Dacht je dat ik zo'n geweldig speeltje thuis zou laten?' Ik dacht het niet. 'Kom op!'

Ze klimt over de rand van haar bed. 'Mag ik me aankleden?' Ze draagt haar blauwe Koekiemonsterpyjama; ik kan me niet voor-stellen dat ik haar die heb laten inpakken. Ze draagt hem in elk ge-val gelukkig niet naar het ontbijt.

'Neu, laten we gaan.'

Ze bromt en propt haar voeten in haar slippers. Voordat we op pad gaan, grist ze een grijs etui van de plank.

'Je zult geen tijd hebben om te schrijven,' snuif ik.

'Het is GOH. Vermomd.'

'Je meent het!' Ik onderdruk een lach als we ons de deur uit haasten. Waarom heeft ze voor een etui gekozen? Ze is zo'n nerd. Ik

open de paraplu. Hup, onzichtbaar.

'Je hebt zeker niet toevallig ook onze nachthelmen ingepakt?' vraagt ze.

Verdorie. Die ben ik vergeten. 'Nee, helaas niet. Maar ik heb iets meegebracht wat net zo handig is.' Ik steek een zaklamp in de lucht.

'Waar neem je me eigenlijk mee naartoe?' vraagt Miri.

'Wat dacht je van LW? Dat ligt nogal afgelegen.'

En de woonkamer van de leiders heeft vloerbedekking, dus heb ik minder kans om gewond te raken als ik tijdens de training op de grond val.

Als we er eindelijk zijn, openen we de krakende deur en gaan dan met gekruiste benen op de doorgezakte bank zitten. Miri legt het etui op de vloer, steekt haar hand in haar zak en haalt er een zakje witte bloem uit. Bloem?

'Wat is dat?'

'Babypoeder. Even stil, alsjeblieft.' Ze schraapt haar keel en zegt:

**'Van een rups kon je in een vlinder verkeren.
Laat dit poeder je verandering absorberen!'**

Als ze het poeder op het etui strooit, zwelt het op en vormt het zich tot GOH. Ken je dat, als je het papiertje van een rietje eraf haalt en er dan water op druppelt om het uit elkaar te zien vallen? Zo ziet het eruit. 'Heel cool.'

Ze tilt het onwaarschijnlijk zware boek met moeite op haar schoot. Aan de buitenkant ziet het eruit als een normaal boek met een harde kaft, maar eigenlijk is het zestig centimeter dik. En het ruikt zuur, naar melk van een maand oud. 'Oké, waar wil je mee beginnen?'

'Goede vraag.'

'Nou, wat is het probleem?'

'Ik weet het niet! Het lijkt of ik mijn krachten niet onder controle heb. Neem nou vanavond. Raf stond op het punt om me te zoenen tijdens de film…'

'Nog bedankt dat je een plekje voor me vrijhield.'

'Miri, je moet niet bij je zus gaan zitten. Je moet bij je vriendinnen zitten.'

Ze haalt haar schouders op. 'Ik heb er geen.'

Mijn hart voelt alsof er een kilo lood in zit. Ook al was ze thuis niet bepaald Miss Populair, ik had min of meer gehoopt dat het hier anders zou zijn. 'Maar waarom niet?'

Ze haalt haar schouders op. 'Dat heb ik je al verteld. Ze zijn allemaal al vriendinnen sinds ze zeven zijn.'

'Maar dat is in mijn slaapzaal ook zo!'

'Misschien,' piept ze, 'maar de meisjes in de mijne zijn niet geïnteresseerd in het leren kennen van nieuwe mensen.'

De overspannen toon van haar stem bezorgt me rillingen over mijn rug. 'Pesten ze je?'

Haar gezicht wordt rood. 'Een beetje. Wat maakt het uit. Het kan me niet schelen. Thuis heb ik ook niet zo veel vrienden.'

'Geen vrienden hebben is wat anders dan mensen die gemeen tegen je doen.'

Er komen tranen in haar ogen. 'Ik wil er niet over praten.'

'Je moet wel. Ik ben je zus.'

Ze begint aan haar nagels te pulken en deze keer laat ik haar begaan. 'Gisteren werd ik wakker toen ze mijn vingers in heet water aan het dopen waren om me in bed te laten plassen of zo. En vandaag had iemand shampoo in mijn hardloopschoenen gedaan. Maar misschien was dat een ongelukje…'

'Meen je dat nou? Hoe kan shampoo per ongeluk in iemands gympen terechtkomen?' Mijn wangen gloeien en ik sla met mijn vuist op een kussen van de bank.

Au. Mijn rechtse hoek stelt niet veel voor.

'Laat maar,' zegt Miri ontwijkend. 'Het maakt niet uit. Echt waar. Het kan me niet schelen. Ik verspil mijn tijd niet met erover te piekeren. Ik wil me kunnen richten op het helpen van de daklozen als ik thuiskom, dus heb ik al mijn vrije tijd nodig om onderzoek te doen.'

'Maar Miri, ze sluiten je alleen maar buiten omdat je niet je best doet om met hen te praten!'

Ze rolt met haar ogen. 'Maar ik vind ze niet eens aardig. Waarom moet ik dan mijn best doen?'

'Misschien als je met je leiders praat…'

'Dat zou de zaak alleen maar erger maken.' Ze steekt haar kin naar voren. 'Ik ben hier niet midden in de nacht helemaal naartoe gekomen om mijn problemen met je te bespreken. Kunnen we het weer over de jouwe hebben?'

Hoewel ik liever over haar blijf praten, wil ik haar niet van streek maken. 'Mijn toverkracht doet raar,' vertel ik haar, van onderwerp veranderend. 'Als ik mijn pure wilskracht gebruik, gebeurt er niet altijd wat ik wil.'

'Daar is GOH voor.'

'Dat weet ik, dat weet ik. Maar dat is het niet alleen. Als ik emotioneel word, gaat mijn toverkracht gek doen. Ik was bijvoorbeeld zo zenuwachtig over zoenen met Raf dat ik de lampen aanzapte.'

'Was jíj degene die ze aandeed?'

'Ja! Ik moet het wel geweest zijn. Mijn hart sloeg als een bezetene en…' Pauze. Ik was hier vanavond niet de enige persoon met magische krachten. Is het mogelijk dat Miri mijn eerste zoen met Raf probeerde te saboteren? Misschien zit ze erover in dat mijn relatie met Raf haar nog eenzamer zal maken. Nee, dat zou ze me niet aandoen. 'Nou, aangezien jíj het niet gedaan hebt,' – ik zend haar een betekenisvolle blik voor het geval er iets is wat ze wil bekennen – 'moet ik het wel geweest zijn. Dus moet ik leren om mijn toverkracht te beheersen. Heb jij dit probleem ooit bij de hand gehad?'

'Nooit. Ik denk dat ik als heks volwassener ben.'

Alsof het niet al ergerlijk genoeg is dat ik mijn jongere zus om hulp moet vragen, moet ze het me ook nog inwrijven. 'Kun je in het boek opzoeken of er een soort controletechniek bestaat die ik kan gebruiken?'

Ze slaat het boek open en bladert door de flinterdunne bladzijden. 'Een oefening of zo?'

'Precies.'

'Je toverkracht moet getraind worden. Net als bij je zindelijkheid.'

'Laten we niet te beeldend worden.'

'Misschien moet ik een magische luier voor je zoeken.'

'Miri, als ik jou was zou ik ophouden met die grappen over zindelijkheidstraining. Vergeet niet dat ik twee jaar ouder ben en dat ik daardoor erg gedetailleerde herinneringen heb aan het moment waarop jij je luier afrukte en over de woonkamervloer pla...'

'Ik heb iets gevonden.'

'Nu al?'

'Ik ben supersnel. Geef me twee seconden om het te lezen.'

Ik tik twee seconden met mijn begympte voet. 'Klaar?'

Ze negeert me.

'Hallo?'

'Ssst!' Ze gaat door met lezen en kijkt vervolgens op.

'Oké, dat gaat wel werken.'

'Mooi. Wat houdt het in?'

'Het heet een *megel*.'

'Een wat?'

'Een megeloefening. Je moet gaan trainen om de stroom van je pure wilskracht te stoppen. Het zal je magische spieren sterker maken.'

'Hoe moet dat?'

Ze wijst naar de paraplu, die ik bij de deur heb laten staan. 'Probeer eens of je hem kunt laten zweven.'

'Eh, ik wil best leuk meedoen, maar mag ik, aangezien de paraplu mijn favoriete speelgoed is, iets anders als proefkonijn gebruiken?'

Ze gaat staan. 'Probeer de bank maar. Die ziet eruit of hij al verschillende megels heeft doorstaan.'

'Te zwaar.'

Ze draait rond en kijkt kritisch naar megelbare zaken. 'De tv.'

'En als ik hem laat vallen?'

Ze huppelt naar de dvd-speler en pakt het dvd-hoesje van de *Harry Potter*-film. 'Licht genoeg voor je?' Ze gooit het op het vloerkleed. 'Ga je gang.'

Hallo, druk. Ik focus op het hoesje. Ik probeer alle kracht die ik

in me voel te bundelen en plotseling zijn mijn armen bedekt met kippenvel. Ik probeer al mijn energie te richten op het hoesje – vlieg, Harry, vlieg! – en het plastic begint te trillen. Het lukt! Het zweeft maar een paar centimeter boven de grond...

'Freeze!' beveelt Miri. 'Laat het daar blijven. Kun je dat?'

Ik probeer het voor elkaar te krijgen, maar het hoesje trilt als een gek, mijn armen en benen beven en voor ik het weet gaat het hoesje open, zeilt naar het plafond en stort dan neer op de vloer.

'Oeps,' zeg ik. 'Sorry, Master Yoda, ik heb je in de steek gelaten.'

Ze giechelt. 'Je moet oefenen.'

Echt? 'Maar kan ik niet oefenen door spreuken te gebruiken uit GOH? Die zijn toch veel makkelijker onder controle te krijgen? De woorden en ingrediënten doen het meeste werk, hoeveel kan ik dan nog verprutsen?'

'Dat is zo, ze zijn makkelijker onder controle te krijgen, maar ze zijn ook veel krachtiger. En gezien het feit dat jouw pure wil zo oncontroleerbaar is, kon dat wel eens gevaarlijk zijn. Wie weet wat je op zou wekken? Of neer,' voegt ze eraan toe met een blik op de kapotte dvd-hoes op de vloer.

Opeens horen we een hard gekraak buiten.

'Er komt iemand aan,' fluistert Miri gejaagd.

'Wat moeten we doen?' vraag ik in paniek.

Ze wuift met haar hand naar de deur. 'Ik probeer hem dicht te' – ze steunt en kreunt – 'houden.'

'De deur klemt,' zegt een jongen aan de andere kant.

'Duw eens harder,' zegt een tweede stem. Een vrouwelijke stem.

'Het onzichtbaarheidsschild!' fluistert Miri, die nog steeds met de deur worstelt.

Ongelukkigerwijs is de paraplu aan de andere kant van de kamer. 'Hij is te ver weg!' Ik probeer mijn pure wilskracht te gebruiken om hem naar ons toe te laten zweven, maar natuurlijk werkt dat juist nu niet. 'Kun je hem hiernaartoe toveren?'

'Te zwaar' – hijg – 'om twee' – puf – 'spreuken tegelijk' – hijg en puf – 'te doen! Gebruik je voeten!'

Oh ja, die was ik vergeten. Ik ren naar de andere kant, raap de

paraplu op en ram hem open, net op het moment dat Miri haar strijd verliest. De deur vliegt open op het moment dat Miri naast me achter de paraplu duikt.

'Goed werk,' zegt de vrouwelijke stem.

Ik kan niet zien wie het is, omdat de paraplu ons uitzicht blokkeert. Maar ik herken de stem. Die is van Deb.

Ik hoor de deur dichtgaan. Fantastisch. We zitten in de val. Mijn leidster gaat het doen met een of andere jongen en ik zit hier vast tot ze klaar zijn.

Ik geloof dat ik nog liever naar mijn moeder en Lex kijk dan hiernaar te moeten luisteren.

'Geef me eens een kus,' hoor ik de jongen zeggen. Hij klinkt als Anthony.

Deb heeft in elk geval smaak.

Twee uur later zijn Miri en ik eindelijk vrij. Vrij, uitgeput en chagrijnig.

'De volgende keer moeten we een plek vinden met wat minder verkeer,' zeg ik als we Upper Field oversteken. 'Hé, kijk, de zon komt op boven de bergen. Heb je zin om naar het meer te gaan om te kijken?'

'Tuurlijk, waarom niet?'

We haasten ons naar de waterkant. Het meer ligt er als een spiegel bij, maar is vol gele, oranje en blauwe strepen. We laten onze schoenen achter op het zand, gaan op de steiger zitten en laten onze benen in het koele water bungelen.

Met mijn grote teen stoot ik de voet van mijn zus aan, waardoor ik rimpelingen op het meer veroorzaak. 'Mooi hè?'

'Ja,' zegt ze bijna verlangend. 'Het was leuk vannacht.'

'Maak je geen zorgen, Mir. Het kamp wordt wel leuker. Je zult het zien.'

Wees mijn lief

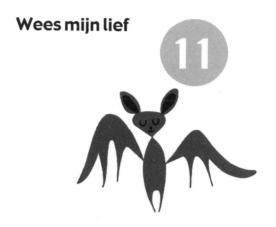

Zodra ik een momentje voor mezelf heb, oefen ik mijn megels. Ik overweeg om er een rustige plek in het bos voor te zoeken, maar ik besluit dat ik nog steeds te bang ben om een beer tegen het lijf te lopen. Of een hert. Of een wasbeer. Of welk dier dan ook dat niet tam is.

Dus kies ik voor plan B. Jammer genoeg houdt plan B het gebruik van een van de toiletten in onze blokhut in. Wat moet ik daarover zeggen? Goed, het stinkt er een beetje, maar het is handig dichtbij en het is de enige plaats in het kamp waar je ooit echt alleen kunt zijn. Ik oefen mijn trainingsopdrachten op een extra rol wc-papier in de hoek van de wc. Gelukkig lopen de wc-deuren door tot aan de vloer, zodat niemand denkt dat ik als een jongen plas.

Het is rustuur en ik ben hier nu ongeveer tien minuten aan het oefenen. Ik word er al wat beter in. Hoger. Stop. Hoger. Stop...

Bám, bám, bám. 'Je zit er al een eeuwigheid in. Het is je privé-toilet niet.'

Oeps. Ik trek door, al heb ik niets gedaan wat je door moet trek-

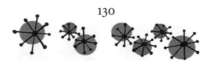

ken, en open de deur op een kier. 'Sorry, ik…' Ik stop midden in mijn zin. Het is Liana. Waarom ben ik me altijd tegenover deze meid aan het verontschuldigen?

'Je kunt de wc niet voor jezelf houden,' zegt ze bits.

Hier is iemand met grote vijandigheidsproblemen. 'Ik zei dat het me speet.'

Ze zwaait haar haren naar achteren en slaat de deur van een wc dicht – maar niet de wc waar ik net uit kom. En op dat moment realiseer ik me iets vreemds: de andere wc's waren allebei vrij. Hmm. Waarom moet Liana me uit mijn wc gooien als er twee andere vrij waren? Waar slaat dat op?

Omdat er nog vijftien minuten van het rustuur over zijn, loop ik door de kastenkamer terug naar onze slaapzaal, trek mijn kussen van mijn bed en maak het mezelf gemakkelijk op Alisons bed, met mijn voeten plat tegen de ladder.

Poedel en Carly spelen een kaartspelletje. 'Wil je meedoen, winnaar?' vraagt Carly me. 'Ons inmaken?'

Het schijnt dat ik goed ben in kaartspelletjes. Wie had dat gedacht? 'Goed, als er nog tijd voor is.'

'Ik heb post!' zegt Deb, met haar armen vol geprinte e-mails, brieven en pakjes. Ze leest de namen voor van de e-mails, die ze als eerste uitdeelt. 'Alison, Poedel, Rachel, Carly, Poedel, Alison, Morgan, Morgan, Rachel.'

Leuk! Ik heb een e-mail gekregen van Tammy (die nog steeds verkering heeft met Bosh en haar zomerbaantje als babysitter in de stad fantastisch vindt) en ook van mijn vader.

Mijn vaders mails zijn schattig. En een pietsie analfabetisch, omdat ze verzonden worden met een BlackBerry. Neem nu die van vandaag:

Genieten van mooie weer Gaan morgen naar conferentie en komen maandag thuis.

Gisteren golf gespeeld. Jennifer naait P's kamplabels op. Ze ook opgewonden jou te zien.

Stuur e mail qua je gangen en hoe kamp vinden.
Hou veel van jullie meiden.
Pap
Gestuurd vanaf mijn BlackBerry Draadloze Palmtop

Ik heb hem geschreven dat we geen toegang hebben tot een computer (één keer per dag print Deb alle e-mails voor onze slaapzaal uit), maar dit gegeven is voor hem kennelijk te moeilijk te bevatten.

Ze gooit een dik roze pak op Poedels bed. 'Voor jou, prinses.'

'Ik hoop dat het nieuwe nummer van de *Yes* erin zit,' zegt Poedel, terwijl ze de envelop openscheurt. 'Oh fijn, de *People* zit er ook in.'

'Er is ook een pakje voor jou, Rachel,' zegt Deb en ze geeft me een kleine gewatteerde envelop.

Voor mij? Een pakje? Ik word helemaal enthousiast.

'Van wie komt het?' vraagt Alison.

Ik draai de envelop om en lees de afzender. Jennifer Weinstein. 'Mijn stiefmoeder,' zeg ik. Wat lief van haar! Ik vraag me af wat ze voor me heeft gekocht. Een boek? Een cd?

Ik scheur het pakje open en vind een flesje Nair. 'Ontharingsmiddel voor de bovenlip'.

Hè? Een opgevouwen handgeschreven briefje zegt: 'GENIET ERVAN! LIEFS, JENNIFER.'

Dit meen je niet.

'Heb je een snor?' vraagt Morgan.

'Nee!' zeg ik snel en ik verstop het flesje achter mijn rug. Ik kan niet begrijpen waarom ze me dit gestuurd heeft. Probeert ze me iets duidelijk te maken? 'Ik geloof het niet. Nee toch?' Ik beweeg mijn bovenlip.

Alison bestudeert mijn gezicht. 'Ik zie er geen.'

'Eerlijk zijn.'

'Ik zweer het je! Wat een gek cadeau.'

Inderdaad.

'Rachel, hier is nog een brief voor je,' zegt Deb.

'Dank je.'

Ik open hem en zie dat hij van mijn moeder komt. Het is zo'n doodgewone 'Het gaat goed met me, hoe gaat het met je, ik mis je'-brief. Ik heb in elk geval nog één normale ouder.

Afgezien van het heksengedeelte dan.

'Vind je niet dat Harris net een filmster lijkt?' vraagt Poedel, terwijl ze haar nieuwe tijdschrift bestudeert.

'Zo knap is hij nu ook weer niet,' zegt Morgan, die haar wenkbrauwen epileert voor een handspiegel. 'Will daarentegen... dát is een lekker ding.'

'Wat is er aan de hand met Harris?' vraag ik Poedel.

Poedel blijft in haar tijdschrift kijken. 'Iets.'

'Wat?' roepen we met z'n allen.

Poedel grijnst en legt haar vinger tegen haar lippen om ons stil te laten worden. 'Ik wil niet' – ze gebaart naar zaal vijftien – 'dat zij het horen.'

Morgan gooit haar spiegel en pincet op haar bed. 'Vertel op!' Poedel draait een lok van haar blonde haar rond haar lange wijsvinger. 'Gisteren, onder het zeilen...'

Gretig luisteren we naar haar.

'...sloeg de boot om en toen we in het water lagen, kuste hij me.'

'Oh! Te gek!' gillen we.

'Alison en ik waren ook aan het zeilen en we hebben niets gezien!' zeg ik ongelovig.

'Daarom liet Harris jullie met Anderson en Brandon het water op gaan,' zegt Poedel.

'Ah,' zegt Alison. 'Ik geloofde al niet zoveel van het 'ze zijn in opleiding voor zeilinstructeur'-gedeelte, want ze hebben ons twee keer laten omslaan.'

'Ik denk dat ze ons expres lieten omslaan,' zeg ik. Ze lachten zich elke keer slap als we in het ijskoude water terechtkwamen. Carly was ontzettend jaloers toen we het haar vertelden.

'Kunnen we het alsjeblieft weer over Harris hebben?' jammert Morgan.

'Als iemand van jullie hier ook maar één woord over zegt tegen wie dan ook,' gaat Poedel verder, 'wurg ik je hoogstpersoonlijk.'

'Je kunt beter uitkijken,' waarschuwt Alison. 'Hier kun je grote problemen mee krijgen.'

'Hij kan erom ontslagen worden,' voegt Carly eraan toe.

Poedel kijkt betekenisvol de slaapzaal rond. 'Daarom moeten jullie nu juist je mond houden. Laten we het ergens anders over hebben.'

'Hoe gaat het met jou, Rachel?' vraagt Morgan, die alweer bezig is met epileren. 'Al enige tongactie bij jullie?'

'Nee,' zeg ik. 'En nu voel ik me nog rotter dat het zo lang duurt.'

'Het is niet hetzelfde,' zegt Alison. 'Harris woont in Boston. Ze worden geen serieus stel of zo.' Ze kijkt naar Poedel. 'Je bent toch niet serieus verliefd op hem?'

'Ik, serieus? Wees even serieus. Mijn langste relatie duurde een week.'

'Ze hebben alleen de zomer maar,' gaat Alison verder, 'dus moeten ze doorwerken. Aan de andere kant, jij en Raf… dit is niet alleen maar een vakantieverliefdheid. Dit heeft consequenties! Jullie zitten bij elkaar op school. Als het niets wordt, moeten jullie elkaar niet alleen de komende vier weken ontlopen, maar de komende drie jaar. Raf wil gewoon helemaal zeker van zijn zaak zijn.'

Klinkt logisch, geloof ik.

'En weet je, jij hebt verkering gehad met zijn broer,' vult Carly aan.

'Geluksvogel,' mompelt Morgan.

Dat is inderdaad het geval. Ik zucht. 'Ik denk het ook.'

Maar als Raf het wel gaat doen, hoe moet het dan als mijn overspannen magische krachten de boel weer in de war sturen en de lichten aan laten floepen?

'Misschien is het probleem wel dat wij steeds in de buurt zijn,' zegt Poedel. 'Jullie moeten ergens heen gaan waar je privacy hebt. Hij gaat het vast niet doen als de hele wereld op onze veranda zit.'

'Daar heb je een punt,' zeg ik. Misschien werkt dat wel. Ik heb tenslotte mijn megels geoefend.

Als we klaar zijn met de avondactiviteit vraag ik Raf of hij zin heeft in een wandeling.

Zijn ogen worden groot van verbazing (vanwege mijn oneerbare voorstel?) en daarna zegt hij snel: 'Oké.'

Dat was niet zo moeilijk.

'Welke kant gaan we op?' vraagt hij.

'Upper Field?' Er zijn minder slaapzalen en er is dus meer privacy. We praten met elkaar terwijl we door de duisternis lopen. De nachtlucht is warm en droog.

'Laten we op de tribune gaan zitten,' stelt hij voor en we lopen langs het tweede honk.

Hij loopt één tree naar boven en pakt mijn hand om me omhoog te helpen. Contact! Hallo, elektriciteit. We klimmen naar boven en strekken onze benen uit naar de rij onder ons.

'Je kunt de Grote Beer zien,' zegt Raf, met zijn hoofd achterover.

Ik was vergeten hoe schattig zijn oorlelletje is. Ik moet mezelf tegenhouden, anders trek ik eraan. In plaats daarvan doe ik hem na en kijk naar de hemel. Ik zou wel een wens willen doen, maar er zijn zo veel sterren dat ik niet meer weet welke ik het eerst zag. En bovendien heb ik geen sterren nodig om wensen te doen. 'Ik wou dat we altijd op kamp konden blijven,' zeg ik toch. 'Het is hier zo prachtig.'

'Ik begrijp wat je bedoelt. Zo'n hemel als hier maakt dat je je afvraagt waarom je ooit in de stad zou willen wonen.'

'Eh, omdat onze ouders ons daartoe dwingen?'

Hij lacht. 'Ja, dat is natuurlijk zo. Maar ik wil naar een universiteit op een coole plek.'

'Waar bijvoorbeeld?'

Het maanlicht gloeit op zijn huid. 'Ik weet het niet. Ergens net als hier, heel afgelegen. De universiteit van... Iowa.'

'Waarom Iowa?'

Hij buigt zijn hoofd naar voren en bestudeert zijn handen. 'Ze hebben er een geweldig goede schrijfopleiding.'

'Is dat wat je wilt worden? Schrijver?'

'Ik geloof het wel. En jij? Wat zijn jouw plannen?'

Mijn enige echte plan op dit moment is hem zover krijgen dat hij me kust. 'Ik denk dat ik wiskunde wil studeren.'

'Cool. Denk je dat je in New York blijft?'

'De laatste tijd droom ik van Californië. Misschien ga ik daar mijn opleiding wel volgen.' Hij neuriet 'California Dreamin'' van The Mamas and the Papas en ik doe mee.

We lachen allebei.

'Zul je New York niet missen?' vraag ik.

'*If I can make it there,*' zingt hij.

Mijn beurt: '*I'll make it – boom, boom – anywhere!*'

En nu samen: '*It's up to you, New York, New York!*'

'Ik ben dol op dat lied,' zegt hij.

Ik ook! Jeetje, Raf en ik hebben een liedje! 'Geef het toe, Raf, je gaat nooit weg uit Manhattan.'

'Ik zou het veel te veel missen. En ik zou mijn familie missen. Jij niet?'

'Neu.'

We schieten weer in de lach.

'Grapje. Ik kan goed opschieten met mijn familie. Meestal. Nou, soms. Maar ik vind het fijn om alleen te zijn. Ik zou mijn zusje wel missen.' Ik leg mijn hoofd in mijn nek en kijk naar de sterren.

'Ja, dat kan ik me voorstellen. Als ik naar Iowa ging, zou ik mijn broers ook missen.'

'Je hebt geluk dat je broers hebt. Ik wou dat ik een broer had.'

Hij kijkt pijnlijk getroffen en ik word me bewust van mijn gigantische misser. Ik had het woord 'broer' niet moeten noemen. Hoe kon ik Will nu ter sprake brengen?

'Rachel, ik wil je iets vragen,' zegt hij.

Mijn Hart Slaat Snel. 'Ja?'

'Je bent toch niet… Ben je nog verliefd op Will?'

'Wat? Nee!' Nee, nee, nee. Dit is mijn kans. Om alles eerlijk te vertellen. 'Eerlijk gezegd… ik wilde je dit al eerder vertellen, Raf… dat ik niet had moeten uitgaan met Will. Na wat er met ons gebeurd was. Je hebt het vast heel raar gevonden.'

Hij gaat verzitten op het harde bankje en leunt naar achteren op zijn ellebogen. 'Ja, dat kun je wel zeggen. Maar het is niet jouw schuld. Ik had hem moeten vertellen dat ik het rot vond.'

Hij vond het rot? Hoera!

'Ik had het je moeten uitleggen van mijn vaders bruiloft,' zeg ik gehaast. 'Waarom ik niet naar het lentefeest kon. Ik had moeten...'

Hij schudt zijn hoofd en wuift mijn woorden weg. 'Ik had begripvoller moeten zijn. Ik weet zeker dat het een moeilijke tijd voor je was, omdat je vader ging hertrouwen.'

Dat was ook zo! Hij is echt slim.

We zijn allebei een poosje stil en dan glimlacht hij en zegt: 'Ik wou dat ik een zusje had.'

'Echt waar?' Beter onderwerp. Het werd net even een beetje te zwaarwichtig.

'Tuurlijk. Dat zou leuk zijn. Jouw zusje is een schatje.'

'Dank je.'

'Ze kijkt altijd zo ernstig. Alsof ze nadenkt over het lot van de wereld.'

Arme Miri. 'Dat doet ze ook min of meer.'

'Vindt ze het leuk op kamp?'

'Ze begint eraan te wennen.'

Hij glimlacht langzaam naar me. 'Vind jij het leuk?'

Ik denk aan het meer, de sterren, de frisse lucht. De gezelligheid van mijn blokhut. Het plezier om in mijn pyjama naar de vlaggenmast te gaan en laat op te blijven en te lachen met mijn zaalgenoten. 'Ik vind het geweldig.'

'Denk je dat je volgend jaar weer komt?'

Mijn linkerknie is maar zo'n dertig centimeter van zijn rechterknie verwijderd. 'Als KIO, bedoel je? Absoluut. En jij?'

'Zeker weten. Ik blijf terugkomen totdat ik hoofd van de staf word.'

'Net als Mitch?'

'Beter dan Mitch. Ik begrijp niet dat ze hem de leiding van wat dan ook hebben kunnen geven.'

'Oh, kom op. Ik zie hem bezig met de kinderen. Hij is leuk! Ze zijn gek op hem.'

En dan is het stil. Dit is een perfect moment voor ons om te gaan zoenen.

Oké. Nu.

Nu.

'Dus,' zegt hij.

'Dus.'

We zijn allebei stil. Bloed stijgt naar mijn wangen en ik voel me licht in mijn hoofd.

Hij draait zijn hoofd naar me toe en kijkt me aan. Zijn ogen zijn net bruine verf. Zijn vingertoppen raken zachtjes de mijne aan en mijn hand staat in brand. Hij buigt zich naar me toe en…

Bam! Aaaaaaaaaaaaaaaaaaaaaaaaaaaaaaaaaaaau!

Er knalt iets tegen mijn voorhoofd. Waarschijnlijk heb ik hardop geschreeuwd, want Raf springt op en zegt: 'Gaat het?'

'Ik weet het niet,' zeg ik en mijn hoofd tolt. 'Wat was dat? Ben ik beschoten?'

Hij bukt zich en rolt iets van de bank in zijn hand. 'Een voetbal.'

'Die heeft me geraakt?'

'Ja. Wat gek. Hij kwam nergens vandaan. Volgens mij is er niemand in de buurt.' Hij kijkt in de verte. 'Hallo?' schreeuwt hij. 'Is daar iemand? Er moet daar iemand zijn!'

Geen antwoord.

Niet dat het me verbaast. Want ik weet hoe het zit. Ik deed dat zelf. Ik deed het alweer. Ik breng mezelf ongeluk. Wat is er toch met me aan de hand? Ik wrijf met mijn hand over mijn bonzende voorhoofd. 'Ik voel me niet zo goed.'

Hij legt zijn hand over de mijne. 'Dat moet echt pijn gedaan hebben. Laat me je naar de ziekenboeg brengen.'

Nee! Niet naar de ziekenboeg! 'Die plek komt regelrecht uit een horrorfilm.'

Hij lacht. 'Dokter Dina is cool. Wees maar niet bang, ik laat je niet alleen.'

'Beloofd?'

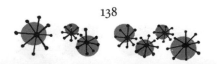

'Beloofd. Ik bescherm je tegen de monsters.'

Ik ben niet bang voor monsters. Ik ben bang voor een heks die steeds de controle verliest.

Voor mezelf.

'Oh thus be ever, when free men shall stand...'

Alison klopt tijdens het volkslied op mijn hoofd. 'Arme Rachel.'

'Arme ik,' echo ik. Ik ben de ellende in eigen persoon. Het is de volgende morgen en ik sta bij de vlaggenmast met een gigantische blauwachtige bult op mijn voorhoofd. 'Ik zie er afschrikwekkend uit.'

'Dat is niet zo. Je ziet het nauwelijks. We doen er wat make-up overheen en hup, je ziet er niets meer van.'

'Ik heb er al make-up overheen gedaan. Dit is after-make-up.' Snik.

'Then conquer we must, when our cause it is just...'

Het enige lichtpuntje in deze rampspoed was dat Raf, toen het moeilijk werd, liet zien dat hij een superlieve schat is. Hij sms'te dokter Dina voor me en bleef toen vijfenveertig minuten bij me zitten, totdat ik te horen kreeg dat ik hersenschuddingvrij was. Ik krijg hem in het oog aan de overkant van de cirkel en geef hem een klein mijn-hoofd-doet-nog-pijnzwaaitje.

Hij trekt een meewarig gezicht en zwaait terug.

'Heb je eindelijk je kus gekregen?' vraagt Alison.

Ik wil mijn hoofd wel schudden, maar dat doet te veel pijn. 'Nee.'

'O'er the land of the free and the home of the brave!'

'Ik heb nog nooit twee mensen meegemaakt die zo veel problemen hebben met verkering krijgen,' zegt ze. 'Jullie zijn vervloekt!'

En ik ben degene die de vloek uitspreekt.

De volgende paar dagen breng ik door met het tegen mijn voorhoofd houden van ijscompressen en het oefenen van mijn megels. Ik oefen zelfs in het megelen van mijn ijscompres, maar hou daarmee op nadat ik het per ongeluk op mijn voorhoofd heb laten vallen, waardoor ik opnieuw hoofdpijn krijg. Maar ondanks het feit dat het ijscompres is gevallen, word ik er beter in. Echt waar. Miri vindt ook dat ik beter word.

We spreken af om elkaar om twee uur 's nachts te ontmoeten, deze keer in de eetzaal.

'Waarom hier?' vraagt Miri, als ik tien minuten te laat verschijn.

'Hier zijn meer plaatsen om ons te verstoppen als het nodig is.'

Ze gaapt. 'We moeten dit gewoon overdag doen.'

Even bij de les blijven, juffie. 'We kunnen elkaar niet overdag ontmoeten. Dan zien ze ons.'

Ze legt haar wang op tafel. 'Nou en? Wat geeft dat?'

Is ze niet goed wijs? 'Hallo? Wil je soms dat de hele wereld weet dat je een heks bent?'

'Wat maakt het uit?'

'Dan gaan de mensen je behandelen alsof je abnormaal bent.'

Ze sluit haar ogen. 'Ze behandelen me nu al alsof ik abnormaal ben.'

Mijn hart breekt een beetje. 'Nog steeds?'

'Het maakt me niet uit of ze me aardig vinden of niet. In de stad ben ik ook niet bepaald Miss Populair. Maar de meisjes in mijn slaapzaal zijn heel gemeen. Hoe dan ook. Ze zijn het echt niet waard dat ik tijd aan ze verspil.'

'Misschien moet je een kleine spreuk op hen loslaten of zo.'

'Ik houd er niet van om met de gevoelens van mensen te spelen. Dat weet je best.' Ze opent plotseling haar ogen en gaat rechtop zitten. 'Maar als ze wisten dat ik een heks was, dan haalden ze geen rottigheid meer met me uit. Dat durfden ze dan niet! Dan waren ze veel te bang voor me.'

Haar ogen gloeien in het donker.

Op dit moment ben ik ook een beetje bang voor haar.

'Jullie hebben kennelijk een plek nodig die nog afgelegener ligt,' zegt Alison. Ze speelt haar tennisbal met een boog over het net.

Ik zou hem met liefde willen terugslaan, maar ik ben helaas niet in staat om mijn racket contact te laten maken met de bal. Ik ben ook niet in staat om mijn lippen contact te laten maken met die

van Raf. De afgelopen dagen wilde Raf, ondanks mijn paarse voorhoofd, tijd met me doorbrengen. Maar desondanks wil het maar niet lukken om lipcontact te maken. Er was bijvoorbeeld die keer dat we gingen zwemmen tijdens AZ: zodra hij zich naar me toe boog, kwam er een enorme golf die hem omgooide.

Waar komt zo'n golf vandaan? We bevonden ons in een meer!

'Ga naar het uitkijkpunt!' schreeuwt Poedel vanaf de baan ernaast, waar ze tegen Carly speelt. Ik buk me om de bal op te rapen en probeer te gaan staan in de positie die Lenny, de tennisleraar, me geleerd heeft. 'Waar is het uitkijkpunt?'

Alison komt naar het net en wijst naar het pad achter de tennishut. 'Ongeveer halverwege de heuvel. Gewoon dat pad volgen. Het is een minuut of tien lopen.'

'Het is afgelegen en heel romantisch,' vertelt Poedel ons en ze slaat dan haar bal in het net. 'Verdorie! Wat is er met me aan de hand?'

Carly zwaait met haar racket boven haar hoofd. 'Waarom probeer je je niet op de wedstrijd te concentreren?'

'Rachel,' vervolgt Poedel, 'vertel hem gewoon dat je gehoord hebt dat het daar leuk is en vraag hem om je de weg erheen te wijzen.'

Wacht even. 'Denk je dat hij al weet waar het is? Met wie is hij daar precies naartoe geweest?'

Alison lacht. 'Oh, rustig maar. Toen we nog kinderen waren, zijn we daar allemaal naartoe geweest.'

Ik weet niet of ik het nog wel een keer wil proberen. Zeg nou zelf: waarom moet ik steeds degene zijn die het in scène zet? Als hij verliefd op me is, moet hij dan ook niet eens proberen om het in scène te zetten?

'Oscar! Oscar! Oscar!'

Oscar komt uit de keuken en buigt voor zijn juichende fans in de eetzaal.

'Oscar! Oscar! Oscar!'

Kennelijk geven we de kampkok, elke keer als hij zijn beroemde lasagne maakt, een staande ovatie.

'Oscar! Oscar! Oscar!'

Hij zwaait naar de menigte die hem aanbidt en verdwijnt dan weer in de keuken.

Wat zal ik ervan zeggen? De lasagne is heerlijk. Ik neem een derde portie.

'Hoi, Rache,' zegt Raf, als hij naar onze tafel toe komt. 'Heb je zin in een wandeling als we vrije tijd hebben?'

'Wandelen? Ik ben niet zo'n wandelaar.'

Poedel schopt me onder de tafel. 'Waar wil je naartoe wandelen?'

Rafs wangen worden rood. 'Ik dacht aan het uitkijkpunt.'

Aha! Het uitkijkpunt! Yes! Hij wil met me zoenen! Het werd tijd.

'Klinkt leuk,' zeg ik. Het zoengedeelte, althans. Het wandelgedeelte niet. Misschien wordt vanavond mijn geluksavond?

'Geweldig. Ik kom wel langs je slaapzaal om je op te halen.'

Yes!

'Jij moet stapelen, Rachel!' schreeuwt iedereen.

Hè? Ik kijk op en zie vingers tegen neuzen.

Verdorie. Dat had ik gemist. Toch doe ik het niet slecht. Mijn resultaat is best goed. Ik heb de hele zomer nog maar zeven keer hoeven stapelen. Morgan al drieëntwintig keer. Poedel heeft nog nooit gestapeld. Ze is de beste bevriezer van de wereld en ze is altijd de eerste die 'varken' doorheeft.

Na het dessert met watermeloen smijt ik de borden snel op een stapel en race dan terug naar mijn slaapzaal om me voor te bereiden. Eerst poets ik mijn tanden (Oscar is nogal scheutig met knoflook in zijn lasagne). Ik race langs Cece de kastenkamer in en overleg met mezelf. Wat draag je op een verkeringswandeling? Ga ik voor lief of voor atletisch?

Ik trek mijn kortste zwarte korte broek aan en een heldergroen topje. Daarna trek ik tijdelijk mijn topje weer uit en doe nog een laag deo op, voor de zekerheid. Van verkering krijgen weet ik het niet zeker, maar ik weet wel dat wandelen heftig kan zijn.

Ik show mezelf aan Alison, die in haar bed ligt. 'Hoe zie ik eruit?'

'Spectaculair. Heb je antimuggenspray opgedaan?'

'Vanavond niet. Ik moet verrukkelijk ruiken en niet naar citroen.'

'Nou, wandel ze.'

'Dank je. Gaat het wel goed met je?'

'Mwa,' zegt ze en ze masseert haar slapen, 'ik heb een beetje hoofdpijn.'

'Doe maar kalm aan. Ik heb gehoord dat de avondactiviteit vlaggenroof is.'

'Doe ik.' Ze trekt haar dekbed over haar schouders. 'Veel plezier.'

Op de veranda passeer ik Morgan, die me succes wenst.

Vanaf de trap kijk ik hoe Raf de heuvel op klimt. 'Klaar?' vraagt hij.

'We kunnen gaan.'

Naast elkaar wandelen we naar de tennisbanen en daarvandaan naar de tennishut.

'Hierachter is een trap,' zegt hij.

'Mooi.'

Onderweg naar boven kletsen we wat. Misschien is wandelen niet zo'n goed idee. Ik ben nu al helemaal bezweet. Zelfs mijn handen zijn vochtig. Of misschien komt dat door de zenuwen. Ik struikel bijna over een steen, maar Raf pakt mijn arm en houdt me vast.

We wandelen verder.

Zijn we er al?

We wandelen nog wat verder.

Zijn we er nu dan? Ik vraag het niet hardop, want ik wil niet op zo'n irritant kind op de achterbank van een auto lijken. Dit is de langste tienminutenwandeling die ik ooit gemaakt heb.

'Wil je wat water?' vraagt Raf en hij zwaait met een fles.

Eindelijk gaan onze monden contact met elkaar maken! Ook al is het indirect via een waterfles. Ik neem een slokje en geef de fles aan hem terug.

'Dank je.'

We lopen nog een paar minuten voordat hij naar een richel wijst en meedeelt: 'Hier is het.'

Wauw! Ik wist dat we bij een uitzichtpunt zouden komen, maar

143

ik wist niet hoe mooi het was. Ik kijk vanaf de richel naar beneden. Het hele kamp ligt als een olieverfschilderij beneden ons. De blokhutten, het meer, de bergen, de bossen… De zon gaat onder boven het meer, waardoor het een vuurrode kleur krijgt. Wauw.

'Mooi hè?'

'Prachtig.'

Hij steekt zijn hand uit en pakt de mijne.

Dit is perfect. Ik ben zo blij dat dit de plek is voor onze eerste echte kus. Wat maakt het uit dat ik bezweet ben en klamme handen heb? Het is hier schitterend en we zijn alleen en de zon gaat onder!

Hij maakt zijn ogen los van het uitzicht en kijkt me aan. En dan, terwijl hij mijn hand vasthoudt, buigt hij zich naar me toe.

Nu! Nu! Nu! Hij sluit zijn ogen. Ik sluit mijn ogen en voel zijn adem in mijn gezicht.

En dan hoor ik gezoem.

Wat is…

Bzz! Bzz! Bzz! Ik open mijn ogen en zie… een zwerm bijen boven ons hoofd.

Dit meen je niet!

Rafs ogen gaan ook open en krijgen de afmeting van tennisballen als hij de tornado van insecten rond onze hoofden ziet.

We springen bij elkaar vandaan. Hij begint in de lucht te slaan, wat geen goed idee is. Ze beginnen te steken. Au! Au! Au! Mijn nek, mijn armen, mijn benen… Rafs nek, Rafs armen, Rafs benen…

Wat heb ik gedaan? Hoe heb ik dit nu weer voor elkaar gekregen? Ik wil dat de bijen ophouden! Stop! Stop! Ze houden niet op. Ik wist wel dat het gevaarlijk is in het bos! Ik heb een spreuk nodig. Ja, een spreuk! Ik schreeuw:

**'Stom en storend bijenvolk,
ga gauw weg met jullie wolk!'**

Het wordt ineens koud, het gezoem houdt op en de bijen vliegen weg.

Au, au, au. Niet gaan huilen waar Raf bij is, niet gaan huilen waar Raf bij is…

'Wat was dat raar,' zegt hij met een wit gezicht. 'En pijnlijk. Hebben ze jou te pakken gehad?'

Ik til mijn opgezwollen armen op en slik mijn tranen in. 'Ja.'

Hij tilt zijn gezwollen armen ook op. 'Mij ook. Wat zei je nou tegen die bijen?'

'Hè?' Oh nee! Mijn handen worden nog vochtiger. Dit kan slecht aflopen. Heel slecht. Wat moet ik doen als hij uitvindt dat ik een heks ben? Of erger nog, wat als hij denkt dat ik een halvegare ben die tegen insecten praat?'

'Je schreeuwde tegen de bijen iets over storend zijn, maar door al dat gezoem kon ik het niet goed verstaan.'

Pfieuw. 'Ik was gewoon bang, dat is alles,' zeg ik en voor ik het weet, begin ik te huilen.

'Och, arme Rachel,' zegt hij en hij slaat zijn arm om me heen. 'Dit is balen, hè? Volgens mij hebben ze zelfs mijn oorlelletjes te pakken gehad.'

Terwijl de tranen over mijn wangen stromen, zie ik dat zijn schattige oorlelletjes nu op overrijpe kersen lijken.

Ik begin te lachen. Ik kan er niets aan doen. Het is ook zo lachwekkend. En nu lacht Raf ook.

Ik weet precies wat onze pijn kan verdrijven. Een zoen. Een grote dikke sappige…

'Een van die ellendige beesten heeft zelfs mijn lip doorboord,' voegt hij eraan toe.

Natuurlijk. Zoen uitgesteld… alweer.

Raf en ik keren terug naar de ziekenboeg.

Dit is de tweede keer in één week dat ik hier ben. Toverkracht kan behoorlijk gevaarlijk zijn, dat staat wel vast. Terwijl we buiten op de bank zitten te wachten op dokter Dina, stel ik vast dat ik hier maar beter m'n intrek kan nemen.

'Au, hou op met me aan het lachen maken,' zegt Raf. 'Dat doet pijn.'

'Bewegen doet ook pijn.' Mijn handen en armen beginnen er al uit te zien of ik een zware aanval van de mazelen heb. Het enige

goede aan deze bijenramp is dat het een soort aankondiging is aan het hele kamp dat wij een stelletje zijn. Je kunt het niet duidelijker laten zien dan door dezelfde bijensteken te hebben opgelopen op het uitkijkpunt. Joehoe! Het is net zoiets als dezelfde tatoeages of zuigzoenen of – durf ik het te zeggen? – trouwringen.

Wáren we maar een stelletje. Nu moet ik wachten tot zijn lip genezen is voordat we dat feit kunnen bezegelen. Hallo, dat is balen. Ik vraag me af of er in Miri's GOH een genees-en-bezegelspreuk staat.

'Ben je ooit eerder gestoken?' vraag ik.

'Nee. Jij?'

'Nee. Het doet pijn hè?'

Hij lacht. 'Au. Ik zei je al dat je daarmee moet ophouden.'

'Attenfie alle kampgangerf en leiderf! Dit if het einde van de vrije tijd. Ga alfjeblieft naar je avondactiviteit. Koala'f naar Upper Field. Apen naar de recreatiezaal en Leeuwen naar de fporthal.'

'We missen de activiteit,' zeg ik.

'Dat geeft niet. Iemand vertelt wel waar we zijn.'

Een paar minuten later steekt dokter Dina haar hoofd om de deur. Ze lijkt verbaasd ons te zien. 'Jullie weer?'

'Ik weer.'

'Ik moest je maar instructies geven om een helm te gaan dragen.'

Reuzegrappig.

'Jij ook al?' vraagt ze aan Raf.

'Yep.'

Ze bestudeert onze bijensteken. 'Ze hebben jullie goed te pakken gehad. Wat hebben jullie gedaan, tegen een bijenkorf geschopt?'

'Niet echt.'

'Het lijkt er wel op. Ik heb nog nooit zo veel steken gezien. Nog een geluk dat jullie er niet allergisch voor zijn.'

Raf zucht. 'Wat hebben wij een geluk.'

Nadat ze de angels eruit geschraapt heeft met een griezelig uitziend metalen voorwerp, wast dokter Dina de betreffende plekken, geeft ons allebei ibuprofen en ijscompressen en vraagt ons of we onze ouders willen bellen.

We knikken allebei. Nu ik zo'n pijn heb, mis ik mijn moeder wel een beetje. Zij had de aanval wel kunnen laten ophouden. Ze had in elk geval een spreuk geweten om de pijn te laten ophouden.

Ik mag eerst.

Tring, tring, tring.

'Hallo! Je hebt Carol, Rachel en Miri gebeld. We kunnen je op dit moment niet te woord staan…'

Ik hang op. Ik wil geen bericht achterlaten. Dat maakt haar alleen maar ongerust.

'Mag ik mijn vader proberen te bellen?' vraag ik aan dokter Dina.

'Natuurlijk,' zegt ze.

Mijn vader neemt ook niet op. Ik probeer de brok die zich in mijn keel heeft genesteld door te slikken.

Mijn ouders zitten niet bepaald thuis naar ons te smachten, vind je wel?

Raf mag na mij en natuurlijk zijn zijn ouders wel thuis en vinden ze het geweldig om iets van hem te horen, inclusief zijn bijensteken.

Voor het eerst deze zomer voel ik een golf heimwee. Ik mis mijn moeder. En mijn vader. Mijn kamer. Mijn onbobbelige bed. Ik mis zelfs mijn moeders kookkunst. Oké, dat is niet echt zo, maar ik mis wel het geluid van haar stem.

Als Raf klaar is, stuurt de dokter ons op weg naar de avondactiviteit. Onze langzame weg, want we kunnen nauwelijks lopen.

Halverwege de heuvel lopen we Mitch tegen het lijf. 'Ik was net naar jou op zoek,' zegt hij.

'Naar mij?' vraagt Raf. 'Waarom? Alles is in orde. Ik heb net met pa en ma gepraat.'

'Niet naar jou, naar Rachel. Haar leidsters vragen zich af waar ze is.' Hij krijgt onze verwondingen in het oog. 'Wat is er met jullie gebeurd? Waarom heb je pa en ma gebeld?'

'We hadden een ontmoeting met wat bijen,' zegt Raf.

'Au. Luister, Rachel, je kunt beter direct naar je slaapzaal gaan.'

'Waarom? En vlaggenroof dan?'

147

Raf tilt zijn opgezwollen arm op. 'Ik denk niet dat we wat voor roof dan ook kunnen spelen in onze toestand,' zegt hij.

'Vergeet die vlaggenroof maar,' zegt Mitch. 'Ga snel naar je slaapzaal. Ik kom net van een spoedvergadering met de hoofdstaf.'

'Wat is er gebeurd?'

'Een van de meisjes van jouw slaapzaal wordt naar huis gestuurd.'

'Wat?' schreeuw ik. 'Wie? Waarom?'

Hij schudt zijn hoofd. 'Die lange.'

De lange? Is dat alles wat hij me kan vertellen? Oh nee. Oh nee. Dat moet Poedel zijn. Ze is natuurlijk gesnapt met Harris! Ik negeer mijn pijnlijke lijf en terwijl ik mijn ijscompressen stevig vasthoud, sprint ik naar mijn slaapzaal, ondertussen met heel mijn hart hopend dat het niet waar is.

Rookgordijn

Tegen de tijd dat ik mijn blokhut bereik, ben ik buiten adem. Alle meiden van mijn slaapzaal staan op de veranda met Deb. Nee, niet alle meiden. Morgan, Carly en… Poedel? Het is Poedel! Wacht eens even. Waar is Alison?

'Meiden? Wat is er aan de hand?'

Poedel rent de treden af en slaat haar armen om me heen.

Au, au, au. Ik ben niet in vorm om geknuffeld te worden. 'Ik begrijp het niet,' zeg ik.

'Alison is van het kamp getrapt!' jammert ze.

'Ik begrijp het niet,' herhaal ik.

'Ze is net naar het kantoor van Janice gebracht. Haar ouders komen haar vanavond nog halen!'

'Maar waarom?' Wat kan Alison gedaan hebben om te verdienen dat ze van kamp getrapt wordt?

'Ze is betrapt terwijl ze in de toiletruimte aan het roken was,' zegt Morgan.

Wat? Onmogelijk!

'Dat slaat nergens op,' zeg ik. 'Ze rookt niet.'

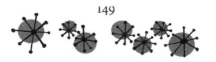

'Kennelijk wel,' zegt Morgan.

'Nee, dat doet ze niet,' zeg ik vurig. 'Ze vindt roken walgelijk! Hoe zou ze aan sigaretten gekomen zijn? Het slaat nergens op.'

'We moeten iets doen,' zegt Poedel. 'Laten we gaan protesteren.'

Deb schudt haar hoofd. 'Er is niets wat je kunt doen. Het is te laat. Rose heeft haar tijdens vrije tijd op heterdaad betrapt.'

'Hoe?' vraag ik. Welke reden kon het hoofd van de waterkant gehad hebben om in onze slaapzaal te komen?

'Ze was bij de blokhut en rook een sigarettenlucht,' vertelt Morgan op een manier alsof ze de gebeurtenis op een scherm in haar hoofd ziet. 'Ze stormde onze hut in en beval Alison om de deur te openen. Toen ze dat deed, stonk de wc naar rook en Alison had een pakje sigaretten bij zich. Ik heb alles gehoord. Ik rook de sigarettenlucht ook.'

'Als jij een sigarettenlucht rook, waarom zorgde je er dan niet voor dat ze stopte?' gil ik.

Morgan haalt haar schouders op. 'Hé, schreeuw niet zo tegen míj. Ik was niet degene die rookte.'

'Dus ze was aan het roken in de blokhut,' zegt Poedel met overslaande stem. 'Erg, zeg.'

Deb legt haar hand op mijn schouder. 'Je weet wat Anthony heeft gezegd. Iedere kampganger die betrapt wordt met sigaretten wordt onmiddellijk naar huis gestuurd, zonder uitzondering. Het is gevaarlijk. Blokhutten zijn brandbaar.'

'En strijkijzers en waterketels dan? Mensen gebruiken die dingen ook in de blokhut en zij worden niet uit het kamp geschopt,' argumenteert Poedel.

'Het mag niet,' zegt Deb. 'Dat is niet toegestaan.'

Heeft er hier iemand een strijkijzer?

'Meiden, jullie weten dat ik dit niet beslis,' gaat Deb verder. 'Ik ben hierdoor net zo van slag als jullie. Maar regels zijn regels. Ik kan er niets aan doen.'

'Praat met Anthony!' zeg ik met dichtgeknepen keel. 'Hij is toch jouw vriend?'

Deb wordt vuurrood. 'Hoe kom je daarbij?'

Ehm, ik heb jullie zien vrijen in lw? Ik weet dat het waarschijnlijk niet is toegestaan dat een leider verkering heeft met de hoofdleider, maar er is geen tijd voor leugens. 'Dit is idioot,' zeg ik in plaats daarvan. 'Kan ze geen waarschuwing krijgen?'

'Het spijt me,' zegt Deb en ze krijgt tranen in haar ogen.

Ik kan niet voorkomen dat er tranen over mijn door bijen gestoken wangen rollen. 'Krijgen we niet eens de kans om afscheid te nemen?'

'Iedereen heeft al afscheid genomen,' zegt Carly. 'We hebben haar geholpen met inpakken. Waar was jij?'

'In de ziekenboeg.'

'Ben je ziek?' vraagt Morgan. 'Je ziet eruit of je de mazelen hebt.' Poedel klopt op mijn schouder. 'Doet het pijn?'

'Ik ben niet ziek, ik ben gestoken.' Op dit moment ben ik te veel van streek om de pijn te voelen. 'Mag ik niet nog even afscheid nemen?'

'Het spijt me,' zegt Deb. 'Ze hebben me opdracht gegeven om jullie allemaal hier te houden.'

Ik weet niet wat ik verder nog moet zeggen. Ik weet niet wat ik moet doen. Ik wil schreeuwen en gillen. Ik geloof het gewoon niet. Ik kén Alison. Althans, ik denk dat ik Alison ken. En de Alison die ik ken, zou niet roken in de toiletruimte. Dat zou ze echt niet doen.

'Dit is zo deprimerend.' Poedel is bezig om met stift onze namen op de muur te schrijven. Ze zei dat ze ervoor wilde zorgen dat Alison voorgoed een deel van de slaapzaal blijft. Of in elk geval tot ze hem opnieuw gaan verven.

De rest van ons ligt in bed, in stilte. De meisjes van zaal vijftien lachen en praten, zonder dat het hun iets kan schelen dat hun oude vriendin naar huis gestuurd is, maar wij voelen ons te ongelukkig om te praten.

'Ik wou dat ze hun kop hielden,' piept Carly met haar hoge teddybeerstemmetje.

Mijn stapelbed voelt eenzaam nu ik er alleen in lig. Alisons bed is helemaal afgehaald. Haar kastje is ook leeg.

Was ik maar niet gaan wandelen met Raf. Ik had Alison kunnen dwingen om haar sigaret uit te maken zodra ik de sigarettenlucht had geroken. Ik had het op haar laten regenen, als ze de wc-deur niet had willen openen. Jee, ik heb het al vaker laten regenen. Dat kan ik wel opnieuw doen. Ik had haar op zijn minst kunnen waarschuwen dat Rose eraan kwam. Of Rose de blokhut uit gewenst hebben.

Was ik maar machtig genoeg om de tijd terug te draaien.

'Hé, waarom neem je het benedenbed niet?' stelt Morgan voor.

'Hoe kun je dat nou voorstellen?' bijt ik haar toe. 'Dat zou heiligschennis zijn!' Ik draai me op mijn andere zij en probeer comfortabel te gaan liggen. 'Wat deed Rose trouwens bij onze blokhut? Ze komt hier nooit in de buurt.'

Poedel laat haar stift vallen en hij klettert op de vloer. 'Denk je dat iemand haar verraden heeft?'

Ik probeer me te herinneren of een van hen nog in de hut was toen ik met Raf vertrok. Het kan zijn dat ik Cece gezien heb… maar zij zou zoiets nooit doen. Scheerschuim is één ding, maar een oude vriendin van het kamp laten sturen?

Ik weet dat Morgan hier was, maar zij zou Alison nooit verraden.

Dat heb ik weer: vind ik een kamp-BV en dan wordt ze van kamp geschopt.

Ik ben degene die zich geschopt voelt. Een verschoppeling.

We mokken tijdens vlaggenmast. We mokken tijdens het ontbijt. We mokken tijdens het schoonmaken. Vandaag heb ik veegbeurt en ook Alisons taak: stoffer en blik, aangezien Morgan, die klusvrij heeft, beweert dat ze te depressief is om te helpen. Jeetje. Het valt niet mee om beide klussen te doen. Het lijkt op het spelen van softbal waarbij er van je verwacht wordt dat je tegelijkertijd werpt en vangt.

Nu ik het toch over softbal heb: we moeten een westrijd spelen tegen zaal vijftien. Omdat het vier van ons tegen zes van hen is, wordt het een wedstrijd van niks.

'Een van jouw meisjes moet eigenlijk voor ons team spelen,' zegt Deb tegen Penelope.

'Wil er iemand van jullie van team veranderen?' vraagt Penelope aan de meiden van haar slaapzaal.

'We hebben geen hulp nodig,' zegt Poedel.

'We redden ons prima zelf,' zegt Carly.

Precies. We kunnen het. Ik kan het. Met een beetje hulp van mijn toverkracht.

De honken staan helemaal vol. Liana staat op het eerste honk, Cece staat op het tweede, Natalie staat op drie, Kristin is achtervanger en Molly staat in het veld. Trishelle, de werper, vernauwt haar zwaar opgemaakte ogen tot spleetjes, brengt haar arm naar achter en werpt de softbal naar mij.

Nu wil het geval dat ik niet over een goede slag beschik. Bovendien helpen mijn zevenduizend bijensteken ook niet mee. Maar het maakt me niets uit. Ik ga een homerun maken. Nu.

Ik concentreer me met mijn pure wilskracht en…

Klabam! De bal scheert over al hun hoofden, ver voorbij het dak van slaapzaal drie.

Zowel de meisjes van veertien als die van vijftien staan met open mond te kijken. Deb fluit.

Morgan, Carly en Poedel rennen naar de thuisplaat, terwijl Deb uit volle borst staat te schreeuwen.

Ik glijd binnen en gooi daarbij per ongeluk Kristin om.

'Mijn oorbel!' gilt ze. 'Ik ben een van mijn oorbellen kwijt!'

Ik ben te opgewonden om dat erg te vinden. Hup team Glinda! We gaan winnen, ter ere van Alison!

De vreugde omtrent mijn homerun duurt slechts kort. Eerst moeten we twintig minuten lang de dug-out uitkammen op zoek naar Kristins kostbare parel, en daarna wisselen Liana en Trishelle van plaats en werpt Liana ons allemaal uit.

Gemeenheid is blijkbaar sterker dan magie. Dat is de enige verklaring die ik kan bedenken. Dat of mijn gemegel werkt gewoonweg niet.

Bij de volgende veldbeurt vliegen alle ballen van vijftien direct naar verre open plekken. Deb staat erop dat zij en Penelope mee gaan doen om het wat in in balans te brengen, maar dat helpt niet. De ballen komen recht op mij af en ik laat ze steeds vallen. Ik probeer mijn toverkracht te gebruiken om me te helpen ze te vangen, maar niets werkt.

Zij winnen met negentien-vier.

Tijdens de lunch zijn we zwijgzaam. Als Deb 'freeze!' roept, negeren we haar en we ruimen allemaal onze eigen spullen op.

Carly laat haar hoofd hangen. 'Ik kan nog niet geloven dat Alison echt weg is. Dit is de slechtste zomer ooit.'

Ik begin het met haar eens te worden. Ik kan het niet geloven. Dit was bedoeld als de beste zomer van mijn leven. Het begon ook als de beste zomer van mijn leven, dus wat is er gebeurd?

Het lunchgehakt is aangebrand en smakeloos en past bij onze stemming.

'Kop op, meiden,' zegt Deb. 'Morgen wordt het een betere dag.'

Slechter kan in elk geval niet, of wel soms?

Helaas kan dat wel. En wordt het dat wel. Na de lunch wordt het veel, veel erger.

Het is rustuur en Deb deelt de post uit.

'Morgan!' Ze gooit een beige envelop naar Morgan.

'Poedel en Rachel, jullie hebben allebei een pakje.'

Poedel krijgt haar tijdschriften *Yes* en *People.* Ik krijg van Jennifer een doos met iets wat Zomerregen heet.

Hè?

Zou het kunnen zijn dat Jennifer me deze keer iets normaals gestuurd heeft, bijvoorbeeld parfum?

Ik lees het opschrift: VOOR VROUWELIJKE REINIGING. EEN DOUCHE.

Jakkes, jakkes, jakkes. Wat heeft ze toch? Kennelijk wil ze niet dat we vriendinnen worden, als ze me zo probeert te vernederen tegenover mijn zaalgenoten.

Het gaat rechtstreeks in de afvalbak.

Als Deb klaar is met uitdelen, kondigt ze aan: 'Slaapzaalvergadering!'

Ik lig op mijn buik een brief aan Alison te schrijven. Of liever, ik probeer het. Ik weet niet precies hoe ik moet beginnen of wat ik moet zeggen. 'Lieve Alison, Hoe kwam je erbij? Waarom heb je mij niet verteld dat je rookte? Ben je gek geworden? Je hebt mijn zomer verpest.' Ik zucht, leg mijn pen neer en rol op mijn zij om naar Deb te kijken.

Carly houdt even op met haar sit-ups en Morgan stopt met het epileren van haar wenkbrauwen. Poedel gaat door met bladeren in haar tijdschrift en vraagt: 'Wat nu weer? Ga je nog iemand van ons naar huis sturen?'

'Kom op, meiden,' zegt Deb. 'Een beetje vrolijker.'

'Wat je wilt,' zegt Carly.

Liana staat heel stil bij de deur, haar armen voor haar borst gevouwen. Wat doet zij hier? Weer afluisteren?

'Ik heb nieuws waar jullie allemaal enthousiast over zullen zijn,' zegt Deb.

'Zorgen jullie ervoor dat Alison terugkomt?' vraag ik, terwijl mijn ogen op Liana rusten.

Deb schudt haar hoofd. 'Nee, dat kunnen wij niet doen. Op dit moment is ze…'

'Onder huisarrest voor de rest van haar leven,' mompelt Morgan.

Arme Alison.

'Thuis,' zegt Deb. 'Hoe dan ook, Janice was ongerust over het kleine aantal meisjes in deze slaapzaal en daarom heeft ze gevraagd of iemand uit zaal vijftien wilde overwegen om te verhuizen naar deze kant. En Liana bood zich aan!' eindigt Deb.

Dat meen je niet. We zwijgen allemaal.

Liana zwaait met haar haren.

On-shit-gelooflijk. Waarom wil ze eigenlijk naar deze kant komen? We hebben zo'n beetje oorlog met haar en haar vriendinnen!

Deb wenkt de indringster. 'Liana, welkom in je nieuwe huis. Je zult het heerlijk vinden aan deze kant van de wereld. Waarom

breng je je beddengoed niet hiernaartoe om je nieuwe bed op te maken?' stelt ze voor en ze wijst naar – nee, doe dat niet! – het benedenbed van mijn stapelbed.

Neeeeeeeeeee. Waarom heb ik dat niet genomen toen ik de kans had? Hoewel ik eerlijk gezegd denk dat het nog erger was geweest als Liana boven lag en elke keer over mij heen moest klimmen als ze naar haar bed wilde. Haar kennende weet ik zeker dat ze expres op mijn gezicht zou gaan staan.

Ik krijg haar wel. Ik ga woelen en draaien en draaien en woelen, zodat ze nooit een goede nachtrust krijgt.

Liana verhuist meteen. Aan het eind van het rustuur heeft ze haar paarse satijnen bed opgemaakt en haar deel van de plank ingericht. Ze heeft daar meer make-up staan dan in een drogisterij en daarnaast een zwaar uitziend antiek juwelenkistje. Wie brengt er nu zoiets fraais mee naar het kamp? Wat als het kapotgaat? En wat voor soort juwelen zitten er trouwens in? Ik zie haar er nooit iets van dragen.

De rest van de meisjes bekijkt haar nieuwsgierig. Ik houd haar met zeer veel achterdocht in de gaten.

Ik trek Poedel opzij tijdens de basketbaltraining op Lower Field om mijn opvattingen met haar te delen: 'Er is iets niet in de haak met Liana.'

Poedels blauwe ogen worden groter. 'Wat bedoel je?'

Ik stuit mijn bal naar haar. 'Ik weet het niet. Maar waarom zou ze willen verhuizen als ze bv is met haar complete slaapzaal? Je kunt niet bepaald beweren dat ze met een van ons bevriend is.'

Ze stuit de bal terug naar mij. 'Daar heb je een punt. Misschien is ze iets van plan. We gaan haar in de gaten houden. Ik zal het de anderen vertellen.'

De volgende dag bekijken en behandelen we haar alle vier achterdochtig. Wij zijn een eenheid en Liana is de buitenstaander en we laten dat zien tijdens de tweede activiteit bij voetbal. Liana hoort nu bij ons team. Niet dat je dat kunt zien: niemand van ons speelt haar de bal toe. Ik geloof absoluut niet dat ze echt tegen haar vriendinnen van zaal vijftien gaat spelen.

Na tien minuten rondrennen, hapt Morgan naar adem. 'Heeft iemand water bij zich? Ik zou zweren dat ik mijn eigen mee had gebracht, maar ik weet niet waar het gebleven is.'

Liana verschijnt naast haar met een volle fles. 'Je mag wel wat van mij,' zegt ze lief.

Morgan doet verrast een stap achteruit. Na een korte aarzeling neemt ze een grote teug uit Liana's fles. 'Dank je,' zegt ze en ze likt haar lippen af.

Liana glimlacht. 'Blij dat ik kan helpen.'

Daarna speelt Morgan de bal naar Liana. En Liana verspeelt haar kans niet. Ze schopt hem rechtstreeks in het doel van vijftien.

'Hup, Liana,' juicht Morgan.

Hup, weg met jou, misschien.

Dus ze heeft een punt voor ons team gescoord. Wat dan nog? Ze is duidelijk iets van plan. Maar wat?

Na voetbal lijkt het erop dat Morgan het handel-met-zorgplan vergeten is of afgewezen heeft. Ineens zijn Morgan en Liana bv. Ze zitten bij elkaar tijdens de lunch. Ze kiezen elkaar als partners bij tennis.

Een deel van me is niet echt verbaasd. Ik vind Morgan aardig, maar soms is ze een beetje gemeen, om niet te zeggen grof.

'Er is iets onprettigs aan haar,' zegt Poedel na tennis, als we verdwaalde ballen lopen te rapen. 'Maar ik kan niet precies zeggen wat het is.'

'Ik heb Morgan ook nooit voor de volle honderd procent vertrouwd,' zeg ik.

Poedel kijkt me vreemd aan. 'Waarom roddel je over Morgan? Ik heb het over Liana. Ik vertrouw haar absoluut niet.'

Mijn gezicht wordt vuurrood. Ik voel me op mijn nummer gezet en ben nog bozer op Liana. Kijk wat ze van me maakt! Een roddelende zaalgenoot. 'Ik vertrouw Liana ook niet,' zeg ik. 'En ik vind haar niet aardig.'

We kijken op en zien dat Liana woedend naar me kijkt. Dan fluistert ze iets tegen Morgan, waarop ze allebei in de lach schieten.

Poedel gooit haar bal in de lucht en vangt hem dan weer op. 'De gevoelens zijn duidelijk wederzijds. Ze vindt jou kennelijk ook niet aardig.'

Raf en ik zijn in de speeltuin naast elkaar aan het schommelen, terwijl we genieten van onze middaglekkernij.

Alles aan dit moment is verrukkelijk tot de derde macht. Eén: in plaats van gewone melk is er als verrassing chocolademelk; twee: ik zit op een schommel; en drie... nou, Raf.

'Wat vind je van je nieuwe zaalgenoot?' vraagt hij.

Ik schop met mijn benen om hoger te gaan. 'Er is iets vreemds aan haar.'

'Wat bedoel je?'

'Gewoon iets,' zeg ik ontwijkend. Met in gedachten wat Poedel zei over roddelen, vertel ik Raf niet alle redenen waarom ik haar niet aardig vind. Ik wil niet dat hij denkt dat ik onvriendelijk ben. Of paranoïde.

'Hallo, luitjes,' hoor ik.

Als je het over de duivel hebt... Liana staat voor ons met Morgan. Morgan heeft haar kenmerkende piepkleine bikinibovenstukje aan en een kort zwembroekje. Liana ziet er daarentegen fabelachtig uit, zoals gewoonlijk, in een wit haltertopje en een lange marineblauwe wikkelrok.

Ze heeft echt de mooiste kleren, en ze heeft er veel. Nu ik erover nadenk, realiseer ik me dat ik haar nog nooit een outfit voor de tweede keer heb zien dragen. Hoe is dat mogelijk? Haar kastje is veel te netjes om zo veel kleren te kunnen bevatten. Maar ik denk dat ze het wel zo moet houden om te onthouden waar ze zich allemaal bevinden.

Ik zou me op dit moment een stuk prettiger voelen als ik niet een behoorlijk groezelig T-shirt en dito korte broek aanhad die ik heel graag draag, maar die ik steeds in de waszak vergeet te gooien.

Liana's ogen zijn op mij gericht. 'Zal ik je duwen?'

'Nee, dank je.' Tenzij het inhoudt dat jij uit de weg geduwd wordt.

Ze keert zich om naar mijn quasivriendje en glimlacht. 'Raf, ik wil je heel graag duwen.'

De chocolademelk in mijn maag wordt zuur. Ik kan niet geloven dat ze dat zei. Wie heeft hen trouwens aan elkaar voorgesteld? Ze glimlacht lief naar hem. Waarom flirt ze met hem? Blijf van hem af! wil ik roepen. Ga weg bij die schommel!

'Het lukt wel, hoor,' zegt hij.

'Weet je, Raf,' zegt ze, 'je lijkt ontzettend op Will. Vind je ook niet, Rachel?'

Wat is ze hiermee eigenlijk van plan? Ze weet het toch niet van ons, of wel? Ze kan het niet weten... tenzij Morgan het haar verteld heeft.

'Ik vind dat hij op zichzelf lijkt,' antwoord ik en ik kijk de meiden woedend aan.

'Meen je dat?' spint Liana. 'Ik vind dat hij sprekend op Will lijkt. Alleen is hij knapper.'

Als ze niet heel snel stopt met Raf aan te vallen, dan ga ik... Voordat ik mezelf onder controle kan krijgen, springt haar chocolademelk uit haar glas en landt op haar tot nu toe schone topje.

Ze zwijgt geschokt en kijkt naar haar shirt. Dan kijkt ze mij woest aan.

Alsof het mijn schuld is.

Oké, het ís mijn schuld, maar dat kan ze niet weten.

Ik voel me een halve seconde schuldig, maar dan springt Raf van zijn schommel en biedt aan om servetten uit de keuken te halen. Liana volgt hem en zendt mij een onaangename grijns.

Morgan krijgt Will in het oog en rent weg om met haar borsten te gaan schudden.

Dank je, Liana, voor het bederven van mijn romantische moment bij de schommels. Ja, ik weet wel dat het mijn schuld is omdat ik mijn toverkracht niet in bedwang had, maar het was niet gebeurd als zij niet had geflirt met mijn vriend.

Terwijl ik in mijn eentje op de schommel zit, besluit ik dat ik vanavond opnieuw op bezoek moet bij Miri. Het wordt steeds duidelijker dat ik iets sterkers nodig heb dan megels.

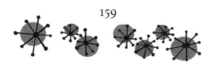

Deb, Poedel, Carly en ik besluiten aan onze kleur te gaan werken tijdens AZ, terwijl Liana en Morgan samen met alle meisjes van vijftien rondspartelen in Walvis.

'Ik kan me niet voorstellen dat ze zomaar ineens BV zijn,' zegt Carly, terwijl ze opnieuw zonnebrandcrème op haar benen smeert.

'Meiden, wees een beetje aardig,' zegt Deb. 'Zo slecht is ze niet. Goed, ze is wat gestrest, maar...'

'Jij móét aardig zijn,' snuift Poedel.

Ik ontdek Miri, alleen in de rij van haar slaapzaal. De rest van haar slaapzaal is in het water. Ik wenk haar. 'Wat was je aan het doen?'

Ze spreidt haar handdoek uit naast de mijne. 'Denken.'

'Waarom ben je niet aan het zwemmen?'

Ze haalt haar schouders op.

'Wil je dat ik met je ga zwemmen?'

'Nee, dank je.'

'Waarom niet?'

'Ik heb geen badpak aan.'

'Miri, je moet een badpak aanhebben op het strand.'

'Ik dacht niet dat ik iemand zou hebben om mee te zwemmen.'

'Ik ga wel met je zwemmen.'

'Ik heb mijn badpak niet aan, weet je nog?'

Ik zucht. 'Je moet je sociaal gedragen tijdens AZ en niet alleen maar denken.'

'Raf gedraagt zich ook niet sociaal.'

Ik kijk in de richting waarin ze wijst en zie Raf op zijn rug liggen, helemaal verdiept in een boek. Hij is zo schattig als hij zo geleerd doet. 'Dat is iets anders. Hij gedraagt zich niet sociaal omdat hij wil lezen en niet omdat hij geen vrienden heeft.'

Ik zweer dat het niet de bedoeling was om het er zo rottig uit te laten komen als het klonk.

'Waarom ben je zo gemeen tegen me?' valt Miri uit en ze wordt vuurrood. Ze krabbelt overeind uit het zand, grijpt haar handdoek en maakt aanstalten om weg te lopen. 'Ik heb trouwens vrienden gemaakt. Niet dat dat jou zou opvallen.'

'Mir, blijf nou. Het spijt me. Kom gezellig bij me zitten.'

Even denk ik dat ze door zal lopen, maar dan gaat ze weer zitten.

'Kunnen we vanavond wat Glindaën?' vraag ik. Mijn codewoord voor trainen.

Ze aarzelt. 'Ik kan niet.'

'Waarom niet?'

Ze speelt met haar scoubidou-armband om haar pols. 'Omdat… omdat ik uitgeput ben. Ik heb de afgelopen nacht niet goed geslapen en ik heb mijn rust nodig.'

'Oh. Nou, oké. Morgenavond dan?'

'Misschien.'

'Fijn. Ik vind je armband mooi. Geweldig vlechtwerk. Ik ben onder de indruk dat je vierkant kunt vlechten.'

Een lange schaduw valt over mijn bovenlichaam. Liana staat in mijn zon.

'Hoi, Rachel.' Ze glimlacht breed naar Miri. 'Hoi, Miri.'

Pardon? Eerst Raf en nu Miri. 'Hoe ken je mijn zusje?'

Liana knielt op de handdoek van mijn zus en Morgan gaat naast haar zitten. 'Mir en ik zijn oude vrienden.'

'Oh ja?' Mir? Houdt ze me voor de gek?

'We spelen samen tennis,' legt Miri haastig uit. 'Als keuzeactiviteit.'

Liana neemt een grote slok van haar water. 'Deb, je ziet er uitgedroogd uit. Je kunt beter wat water drinken.'

'Wat? Oh, dank je.' Deb neemt een slok en geeft de fles daarna terug.

'Poedel, wil jij ook wat? Je ziet ook wat rood.'

'Nee, dank je.'

Liana haalt haar schouders op. 'Carly?'

Jee, bedankt. Ze biedt het iedereen aan, behalve mij en mijn zus. Niet dat ik iets wil. We hebben geen behoefte aan Liana's gelikflooi.

'Je zus is fantastisch, Rachel. Haar service is dodelijk.'

Miri straalt. 'Dat betekent heel veel als jij dat zegt. Wist je dat Liana als speelster op de internationale ranglijst staat?'

161

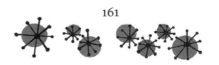

Oh, alsjeblieft. Ze is zo'n leugenaar.

Morgan fluit. 'Wauw.'

Liana veegt het compliment met de rug van haar slanke hand van tafel. 'Niks speciaals.'

'Dat staat ontzettend cool bij de inschrijving voor de universiteit,' zegt Morgan.

Deb bekijkt Liana's slanke benen. 'Blijf je daarom zo goed in vorm?'

Eén punt voor Liana. Maar de wedstrijd is nog niet afgelopen.

De volgende paar dagen gaan in een waas voorbij. Bezoekersdag is aanstaande zondag, daarom zijn mensen zich aan het voorbereiden op de komst van hun ouders. Ik vind het ongelooflijk dat de zomer al half voorbij is. Ik vind het ongelooflijk dat de zomer al half voorbij is en Raf en ik nog steeds niet gezoend hebben.

Op de een of andere manier lukt het niet om tijd met hem alleen door te brengen. Iedere keer dat we even samen zijn, verschijnt er iemand anders. Raf en ik zitten op een avond op de veranda; Morgan komt erbij zitten. We zijn tijdens AZ aan het zwemmen; Trishelle spat ons nat. We zitten tijdens de avondactiviteit bij elkaar; Liana komt naast ons zitten.

Hij zou me absoluut zoenen als hij de kans kreeg. Toch?

Tenzij hij me nog niet gezoend heeft omdat hij niet verliefd op me is. Nee. Dat kan niet! Hij is verliefd op me! Hij heeft het uitgemaakt met Melissa omdat hij verliefd was op iemand anders. Maar als ik dat nu eens niet ben? Hij heeft me proberen te zoenen (verschillende keren, zonder succes), dus ik móét het wel zijn. Wat als ik het wel was, maar hij van mening veranderd is? Wat als hij het nog steeds niet kan begrijpen van mij en Will? Nee. Hij is nog steeds verliefd op me, anders had hij het inmiddels wel opgegeven. Ik moet gewoon tijd met hem alleen hebben. Tijd om de relatie te bezegelen. Met onze lippen. Samen.

Gek genoeg wil het ook maar niet lukken om met Miri tijd alleen door te brengen.

Tijdens de afwas na het avondeten ga ik langs bij haar slaapzaal,

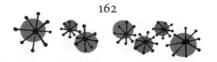

maar dan is ze er niet. Tijdens vrije tijd kan ik haar ook niet vinden. De volgende dag krijg ik haar te pakken bij de zweminstructie. 'Hoe bedoel je, ik ben nog steeds moe?' vraag ik haar. Het is donderdagmorgen, drie dagen voor de bezoekersdag.

We zitten op de bank boven aan het strand te wachten tot de activiteit begint.

'Ik heb meer slaap nodig.'

'En tijdens vrije tijd dan? Dan gebruiken we de onzichtbaarheidsparaplu.'

'Ik ben tijdens vrije tijd bezet.'

'Waarmee?'

'Iets.'

'Miri, kom op.' Ik doe mijn ogen dicht en laat de zon mijn wangen verwarmen.

'Nee. Na de avondactiviteit dan, voordat we naar bed moeten?'

'Dat is voor mij geen geschikt tijdstip,' zeg ik.

'Nee, dan heb je het te druk met Raf.'

Klopt. 'Als ik niet bij hem ben, kan hij me niet zoenen.'

'Je geeft Raf voorrang boven mij,' zegt ze.

'Jij geeft je slaap voorrang boven mij!'

'Hoe dan ook, je hebt mij niet nodig om je megels te oefenen.'

'Maar Miri, volgens mij ben ik er klaar voor om...'

'Gaan je megels al helemaal goed?'

'Nee...'

'Dan heb je me niet nodig. Jullie hebben me geen van allen nodig.'

Ik doe ineens mijn ogen open, draai me om en kijk haar aan. 'Waar heb je het over?'

Haar gezicht is rood en dat komt niet door de zon. 'Hè?'

'Wat bedoel je ermee dat niemand je nodig heeft?'

'Hoeveel brieven heeft mam jou geschreven?'

'Ehm, ik weet het niet. Ongeveer twee per week.' Ik buk, pak een paar zandkorrels en rol ze tussen mijn vingers.

Miri trekt wit weg. 'Oh.'

'Oh wat? Hoeveel heeft ze er aan jou geschreven?'

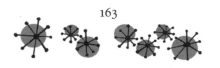

'Niet één.'

'Wat?'

'Ze heeft me niet één keer geschreven.'

'Dat is onmogelijk.'

Ze haalt haar schouders op. 'Toch is het zo.'

'Misschien zijn ze kwijtgeraakt.'

'Waarom zouden jouw brieven je vinden en de mijne zoekraken?'

Goeie vraag. 'Hé, krijg jij ook van die maffe pakjes van Jennifer?'

'Ja! Hoe zit het daarmee? Deze week kreeg ik een doos tampons. Wat is er met haar aan de hand?'

'Beter dan wat ik deze week kreeg: een tube aambeienzalf.'

Ze grinnikt. 'Dat is inderdaad erger.'

'Mir, je krijgt paps e-mails wel, hè?'

'Ja. Pap, die alleen tijd heeft om ons gezamenlijke e-mails te schrijven.'

Ik snap nog steeds niet waarom zij geen brieven van mam krijgt. 'Hé, Mir, misschien vergist mam zich in je slaapzaalnummer en stuurt Stef ze naar de verkeerde blokhut. Zorg de volgende keer dat je haar schrijft ervoor dat je haar het goede nummer doorgeeft.'

'Vergeet het maar. Ik ga haar niet schrijven als zij niet de moeite neemt om mij te schrijven.'

'Miri, ik weet zeker dat dat niet de reden is…'

'Ze heeft het te druk met Lex. Jij hebt Raf en mam heeft Lex. Je denkt toch niet dat hij op bezoekersdag meekomt, hè?'

'Ik weet het niet. Misschien wel niet.'

'En Jennifer?'

'Ja, zij komt waarschijnlijk wel mee. Pap schreef dat ze Prissy meenemen en haar hier achterlaten.'

'Ik vraag me af hoe hij dat voor elkaar krijgt, als het beginnerskamp pas de dag ná bezoekersdag begint.'

'Waarschijnlijk heeft hij hen betaald om haar een dag eerder te nemen.'

'Zie je wel? Hij geeft ook niet om ons.'

'Miri!'

Ze schept met haar hand een bergje zand op en laat het tussen haar vingers door stromen. 'Het is waar. Het enige wat hem interesseert is Jennifer en een nieuwe baby met haar krijgen. Dat is vanaf het begin de reden geweest waarom wij op kamp zijn.'

Ze heeft niet helemaal ongelijk. Ik bedoel, zo is het begonnen met het op kamp gaan, maar ik denk niet dat pap niet om ons geeft. Hij houdt van ons en mam ook. Ze hebben het gewoon druk met hun eigen levens.

'Miri!' zeg ik en ik sla met mijn hand op mijn blote knie. 'Ik bedenk net dat pap en mam allebei naar de bezoekersdag komen! Allebei! Op dezelfde plek! Dat wordt heel ongemakkelijk.'

'Het kan me niet schelen,' zegt ze. 'Ze hebben zelf de scheiding veroorzaakt, dus het is hun probleem.'

Ongelukkigerwijs werkt mijn geest niet zo. Ik zou bijna wensen dat ze niet komen. Nu moet ik de komende dagen doorbrengen met me zorgen maken over de vraag of mijn moeder en Jennifer wel met elkaar willen praten, of het zien van mijn vader mijn moeders gevoelens zal kwetsen en of ze zich allebei wel realiseren dat de ander er ook zal zijn... ik kan er niets aan doen dat ik een beetje kwaad op hen word. De afgelopen maand is heerlijk ouderprobleemvrij geweest.

Rose blaast op haar fluitje en onderbreekt daarmee mijn kind-van-gescheiden-oudersdagdroom. 'Eigenlijk moest er een woord bestaan voor slechte dagdromen,' zeg ik tegen Miri. 'Voor nachtmerries overdag.'

'Dagmerries?' suggereert Miri, terwijl ze haar korte broek uittrekt.

'Iedereen het water in!' beveelt Rose. 'Opschieten, opschieten.'

Oh, dat is ook zo, er is al een woord voor. Het is 'zwemlessen'.

Hallo, mamsie
Hallo, papsie

'Tien, negen, acht, feven, fef, vijf, vier, drie, twee…'

Alle meisjes uit zaal veertien en vijftien staan op de veranda te wachten tot het twee uur is, klaar om weg te sprinten. Vandaag is het bezoekersdag en op dit moment zijn onze ouders zich aan het verzamelen op Upper Field, dat veranderd is in een tijdelijke parkeerplaats. Kampgangers mogen de veranda niet verlaten tot Stef zegt dat het mag.

'Eén!'

Ze blaast op haar fluitje en we rennen weg. Aangezien onze blokhut het dichtst bij Upper Field ligt, zijn wij daar waarschijnlijk het eerst.

We rennen de heuvel af en op dat moment zien we de massa voortsnellende ouders. Het zijn er honderden, allemaal met een glimlach op hun gezicht en met cadeautjes in hun handen, met als doel om hun kinderen te vinden. Ik spring opzij om uit hun looproute te komen. Volgens mij kan ik beter wachten tot mijn ouders deze kant op komen. Het heeft geen zin om tegen de stroom in te worstelen.

Ongeveer tien minuten later hoor ik een hoog stemmetje: 'Moet ik hier slapen, mammie? Hier? Of daar?'

Het is Prissy! Een golf warme emoties spoelt door me heen. Wat dacht je daarvan? Tot dit ogenblik realiseerde ik me niet eens dat ik haar miste. Wie had dat gedacht? Verdraaid nog aan toe – ik ren tegen de stroom in om hen te vinden. En daar zijn ze! Prissy probeert te lopen en tegelijkertijd rond te draaien in haar witte zomerjurkje (dat binnen vijf seconden vies zal worden; ik hoop dat Jennifer wat geschiktere kampkleding voor haar heeft ingepakt). Jennifer draagt een trendy spijkerrok tot op de knie en een zijdeachtig paars shirt zonder mouwen. Haar blonde haar is naar achteren gekamd in een strakke paardenstaart en haar ogen worden aan het zicht onttrokken door een grote zonnebril. Mijn vader is net zo slecht gekleed als anders. Hij heeft een beige korte broek aan die zijn magere, harige benen laat zien en een gestreepte polo die hij in zijn broek draagt. Maar het is zo fijn om hem te zien!

'Hoi!' gil ik en ik probeer hen allemaal tegelijk te omarmen. De vertrouwde geur van hun citroenige wasverzachter brengt de tranen in mijn ogen.

'Hallo, lieverd!' zegt mijn vader en hij knijpt me bijna fijn.

Ik reik omhoog en klop op zijn kale plek. 'Ik heb jullie gemist!'

'Je ziet er ontzettend goed en bruin uit,' zegt Jennifer. 'En je haar is zo lang en mooi geworden!'

Ik til Prissy op en draai met haar in het rond. 'Heb je zin in het kamp?'

'Yep! Ik heb mijn teenslippers ingepakt en mijn badpakken en mijn prinsessenpop en mijn teddybeer en mijn…'

Een bezorgde moeder wringt zich langs ons en ik struikel bijna.

'Sorry,' zegt ze schaapachtig. 'Ik probeer mijn kinderen te vinden.'

'Maak je geen zorgen,' zeg ik à la Poedel.

'Heb je mijn pakjes gekregen?' vraagt Jennifer.

'Oh, ja. Ehm, dank je.'

'Graag gedaan. Geniet ervan!'

Okeetjes.

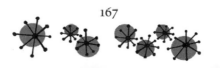

Mijn vader tuurt de weg af. 'Waar is je zus?'

'Ik weet zeker dat ze er zo aankomt. Mijn slaapzaal is hier vlakbij. Zullen we een beetje aan de kant gaan?' Ze volgen me de heuvel op naar mijn blokhut.

Mijn vader leunt tegen de balustrade. 'Dus hier woon je?'

'Hier is het.' Ik blijf uitkijken naar mijn moeder en Miri. Ze komen van verschillende kanten, maar als het goed is kan ik ze allebei over de weg zien aankomen.

'Mag ik hier ook slapen?' vraagt Prissy en ze steekt haar vinger in haar neus.

Jennifer slaat haar hand weg. 'Lieve schat, daar hebben we het over gehad, weet je nog? Er mogen geen vingers in de buurt van je gezicht komen. Niet vergeten!'

'Maar als er eten tussen mijn tanden zit?'

'Ik heb je flossdraad ingepakt. Het zit in je roze prinsessentoilettas.'

'Maar ik vind flossen niet fijn! Het doet pijn aan mijn handen.'

Na een minuut of tien is het ouderlijk verkeer grotendeels afgenomen. Eindelijk zie ik Miri over de weg aankomen. 'Mir! We zijn hier!'

Ze kijkt woedend. 'Waarom kwamen jullie niet naar mijn slaapzaal? Ik zat op jullie te wachten.'

'Ook hallo,' zegt mijn vader. Hij steekt zijn armen uit en wacht tot Miri de heuvel opgeklommen is om hem een knuffel te geven.

'Hoi,' zegt Miri zacht en ze trekt zich terug uit zijn omhelzing. 'Hoi, Jennifer. Hoi, Prissy. Is mam er al?'

'Nog niet,' zeg ik. Wat is er mis met haar? Kan het iets enthousiaster? En waar is mijn moeder? Het is kwart over twee! Alle andere ouders lagen vanaf halftwee op de loer. Ze heeft maar drie uur met ons en ze verspilt ze!

Miri haalt haar schouders op. 'Ze is het waarschijnlijk vergeten.'

'Ze vergeet ons niet,' bijt ik haar toe. Waarom maakt ze onze moeder zwart ten overstaan van onze vader en Jennifer? Ik probeer haar een hou-je-kop-blik te sturen, maar ze is te druk met naar haar gympen staren om het te zien.

'Ik weet zeker dat ze hier zo is,' tsjilpt Jennifer. 'Ze zit waarschijnlijk vast in het verkeer. Hoe komt ze hier, trouwens? Ze heeft geen auto. Richard, waarom heb je er niet aan gedacht om haar een lift aan te bieden?'

Dat zou pas interessant geweest zijn.

'Mag ik nu mijn slaapzaal zien?' vraagt Prissy.

'Nog niet, liefje. We wachten op Rachels mama.'

'Op de mama van Rachel én Miri,' zegt Miri.

'Wat zeg je, lieverd?' vraagt mijn vader.

Mijn zus slaat haar armen over elkaar. 'Miri. Ik. Herinnert iemand zich mij nog?'

'Natuurlijk, schat. We zijn hier om jóú te bezoeken.'

'Nee, jullie zijn hier om Prissy weg te brengen.'

'Wat is er met je aan de hand?' vraagt mijn vader. 'We zijn hier net en je zoekt al ruzie? We hebben je bijna een maand niet gezien.'

'Sorry,' mompelt Miri.

'Zullen we naar Upper Field lopen?' zeg ik extra opgewekt, in een poging wat vrolijkheid in de situatie te brengen. Wat heeft Miri toch? 'Misschien weet mam niet waar ze heen moet.' Ik loop voorop naar Upper Field en zie meteen mijn moeder, die de parkeerplaats oversteekt. Ik denk in elk geval dat het mijn moeder is.

Ze lijkt erop. Min of meer. Maar ze is slanker en stralender en haar kapsel heeft de kleur van dat van Morgan.

'Is dat mam?' vraagt Miri ongelovig.

'Waar?' vraagt Jennifer. 'Ik zie haar niet.'

Als de roodharige vrouw – oftewel mijn moeder – ons ziet, begint ze als een gek te zwaaien.

'Ze ziet er geweldig uit,' zegt mijn vader. 'Wie is er bij haar?'

Ik was te geschokt door mijn moeders nieuwe uiterlijk om Lex op te merken, maar hij is er en hij houdt mijn moeders hand vast. Moeten ze dat doen waar mijn vader bij is?

Ik kijk naar mijn vader om te zien of hij erdoor van streek raakt.

Zijn gelaatstrekken zijn bevroren, alsof hij een botoxbehandeling heeft gehad en hij pakt onmiddellijk Jennifers hand. Het is waar: hij is degene die mijn moeder gedumpt heeft, dus hij heeft er

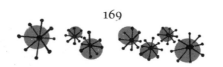

geen recht op, maar ik denk dat het hoe dan ook toch wel vreemd is om je ex met een nieuwe partner te zien.

'Dat is Lex,' zegt Miri. 'Ongelooflijk dat ze hem meegebracht heeft.'

'Hij ís haar vriend,' zeg ik.

'Dit is niet een neem-je-vriend-meedag,' bijt Miri me toe, terwijl ze met de punt van haar schoen tegen de grond schopt. 'Het is een breng-tijd-door-met-je-kinderendag.'

Mijn moeder zwaait nog steeds met haar vrije hand. Ik ren naar haar toe om haar te knuffelen. 'Hoi!' gil ik. 'Je ziet er geweldig uit.'

'Dank je, jij ook.'

'Een beetje hulp gekregen van je sprookjespetemoei?' fluister ik in haar oor.

'Een beetje hulp van een kapsalon in SoHo. Vind je het mooi?'

'Ik vind het geweldig. Je ziet er tien jaar jonger uit!' Ik bekijk haar nieuwe slanke en elegante verschijning. 'Heb je aan fitness gedaan?'

'Lex en ik zijn gaan joggen.'

Als Lex mijn moeder zo ver kan krijgen dat ze gezond blijft, dan is hij het waard om bevorderd te worden tot knuffelstatus. Ik maak me los van mijn moeder en omhels hem vluchtig. 'Heel indrukwekkend, Lex. Je hebt haar van de bank gekregen.'

Hij tikt tegen zijn cowboyhoed. 'Ze loopt me er elke keer uit.'

'Dat komt omdat je honderd bent.' Miri mompelt dit terwijl ze een paar stappen bij ons vandaan staat, maar ik versta haar.

Mijn moeder ook. 'Miri!'

'Wat? Ik maak maar een grapje. Hoi, mam.' Miri geeft haar een knuffel die een milliseconde duurt en maakt zich dan los. 'Jullie zijn laat.'

'We waren een beetje verdwaald,' geeft mijn moeder toe.

'Zo laat is ze ook weer niet,' zeg ik vlug. 'Willen jullie mijn slaapzaal zien?'

'Dat klinkt leuk,' zegt Lex. Hij tikt tegen zijn cowboyhoed als groet naar mijn vader. 'U moet Richard zijn.'

Mijn moeders wangen kleuren rood. 'Lex, dit is Richard. En Jen-

nifer. Iedereen, dit is Lex, mijn vriend.'

Ze schudden allemaal elkaars hand, terwijl ik doodga van ongemakkelijkheid.

'Ik vind je haarkleur prachtig,' zegt Jennifer tegen mijn moeder. Mijn moeder verschikt wat aan haar nieuwe kapsel. 'Dank je.'

'Het ziet er heel leuk uit. Misschien verf ik het ook wel rood. Het is zo flamboyant. Wat vind jij, Richard?'

Volgens mij wil ik me verstoppen in Lex' auto. 'Kom maar met me mee,' zeg ik en ik loop voor de groep uit naar slaapzaal veertien. Hoe kom ik de volgende tweeënhalf uur door? Ik heb echt geen behoefte om samen de middag door te brengen en te discussiëren over flamboyante haarkleuren. Ik duw de deur open en wenk hen allemaal mee.

Poedels bed is bedekt met pakjes. Carly leidt haar ouders, die allebei op haar lijken, rond door de blokhut. Ik stel mijn ouders aan de hare voor.

Van Liana is geen spoor te bekennen, wat ik prima vind. Mijn vader en mijn moeder op hetzelfde moment op dezelfde plek hebben levert al genoeg stress op voor één dag.

Na ongeveer vijf seconden zegt Miri: 'Wanneer gaan we naar mijn slaapzaal?'

Zucht. 'Goed, zullen we daar nu heen gaan?' zeg ik. 'Er is hier toch niets meer te zien.'

'Ehm, waar is jullie kleine kamertje?' vraagt mijn moeder.

'De toiletruimte is achter de kastenkamer,' antwoord ik en ik wijs met mijn kin. 'Maar geloof me, daar wil je niet heen.' Hoewel we extra goed hebben schoongemaakt voor bezoekersdag, vind ik niet dat ouders moeten worden blootgesteld aan onze graffiti, laat staan aan onze poppentoiletten.

'Geloof me, dat wil ik wel. Ik heb vanmorgen vier koppen koffie gehad.' Ze lacht en gaat er op een drafje naartoe.

'Gaan jullie maar vast vooruit,' zeg ik. 'Dan wacht ik wel op mam.'

'Ik blijf ook wel,' zegt Lex en hij ziet er ongemakkelijk uit.

Waarschijnlijk heeft hij geen zin om met mijn vader en Jennifer

mee te gaan, bedenk ik als ik toekijk hoe de anderen vertrekken. Niet dat ik het hem kwalijk neem. Over ongemakkelijk gesproken.

'Hallo, Rachel,' zegt Liana met haar nasale stem. Ze zit op de rand van haar bed, met haar benen op een damesachtige manier gekruist.

Hè? Waar komt zij vandaan? Ze is zo stiekem. 'Hallo, Liana,' zeg ik tussen mijn opeengeklemde tanden door. 'Waar is jouw familie?'

'Ze zijn op zomervakantie, daarom heb ik ze verteld dat ze niet hoefden te komen.'

'Oh, oké. Een prettige dag nog.'

'Ik wil vreselijk graag kennismaken met je familie.'

Je stalkt mijn vriendje en mijn zus al, dus liever niet. 'Je bent te laat.'

'Jammer.' Voor ik het weet is ze overeind gesprongen en geeft ze mijn moeders vriend een hand. 'Hallo Lex, wat leuk om je te ontmoeten. Ik vind je shirt erg mooi.'

Leuk? Wat zou het leuk zijn als ze uit een raam sprong. Waarom is het trouwens zo leuk om Lex te ontmoeten? Waarom interesseert haar dat? En hoezo 'ik vind je shirt erg mooi'? Is er ergens een emmer waarin ik over mijn nek kan gaan?

Nu ik erover nadenk: hoe kan ze zijn naam weten? Ah, Miri. Waarom licht Miri Liana in over mijn familieachtergrond? Ik maak een mentale aantekening om het haar later te vragen. Om haar te ondervragen, liever gezegd. Wat is er in vredesnaam aan de hand met mijn zus?

Lex tikt tegen zijn hoed. 'Het is me ook een genoegen om met jou kennis te maken. En jij bent?'

De wc-deur gaat open en slaat weer dicht. We draaien ons om en zien mijn moeder, die haar kleding in orde loopt te maken. 'Die wc's zijn piepklein,' zegt ze.

Ik draai me weer om, maar Liana is weg. Wat onbeschoft.

'Waar is die zo snel heen?' vraagt Lex.

'Wie weet?' Hopelijk ver, ver weg.

'Over wie hebben jullie het?' vraagt mijn moeder.

'Een van mijn zaalgenoten,' zeg ik. 'Ehm, kunnen we nu alsje-

blieft gaan?' De laatste persoon over wie ik wil praten is Liana.

We begeven ons naar Miri's slaapzaal en voegen ons bij de anderen. Prissy springt van haar ene voet op de andere en lijkt zich dood te vervelen. 'Gaan we nu naar mijn slaapzaal?'

'Ik wil hun de tennisbanen laten zien,' zegt Miri.

'Waarom gaan we niet eerst naar Prissy's slaapzaal en daarna naar de tennisbanen?' zegt Jennifer.

Dus lopen we allemaal naar slaapzaal één, Prissy's slaapzaal. Mijn moeder en Lex besluiten op de veranda te wachten, maar de rest gaat mee naar binnen.

'Kijk, liefje, hier is het!' zegt Jennifer en ze wijst naar een foto op het bed bij het raam. 'Dat is de foto die we vorige maand hebben opgestuurd, weet je nog? En kijk, ze hebben jouw naam in een groot rood hart geschreven. Straks haalt Richard je tassen uit de auto en gaan we je helemaal inrichten. Hoe klinkt dat?'

Eerst kijkt Prissy opgewonden, maar daarna zegt ze: 'Ben ik het enige meisje op deze slaapzaal?'

'Nee, de andere vijf meisjes komen morgen,' zegt een lang bruinharig meisje. 'Ik ben Tilly, je leidster.'

'Oh, hallo!' zegt Jennifer opgetogen. 'Wat leuk om je te ontmoeten. Prissy, zeg eens hallo tegen Tilly.'

Prissy wordt plotseling verlegen en verbergt haar gezicht tegen haar moeders benen. Dan maakt ze zich los, kijkt de slaapzaal rond en verkondigt: 'Ik wil naar huis.'

'Waar heb je het over, schatje? Je hebt de dagen geteld tot je op kamp mocht.'

Prissy stampt met haar sandaal op de vloer. 'Ik wil mijn eigen bed.'

'Dit is de komende twee weken je bed,' zegt Jennifer.

'Ik wil dit bed niet. Het stinkt naar plas.'

'Je gaat het leuk vinden. Rachel, ze gaat het leuk vinden, hè?'

'Ja, Prissy, echt waar,' zeg ik en ik ga op een van de kale matrassen zitten. 'Je gaat het superleuk krijgen!'

Ze denkt hier even over na en vraagt dan: 'Waarom ga ik het leuk vinden?'

Hier ben ik te moe voor. 'Omdat… omdat je hier kunt zeilen.'

'Ik wil niet zeilen.'

'Ze kan waarschijnlijk niet gaan zeilen,' zegt Miri. 'Je kunt alleen zeilen als je je Dolfijn hebt.'

Prissy's gezicht betrekt. 'Maar ik wil wel zeilen!'

Ik kijk Miri vuil aan. 'Je kunt hier wel zwemmen, Prissy.'

'Ik kan niet zwemmen.'

'Dat leer je wel,' zegt mijn vader.

'Ik wil het niet leren.' Ze begint te huilen en daarna te snikken, maar dan ziet ze mijn scoubidou-armbandjes, stopt plotseling met huilen en wijst ernaar. 'Heb je die hier gekregen?'

Ik draai er een rond mijn pols. 'Die heb ik hier gemaakt. Jij kunt ze ook maken.'

'Mag ik ze nu gaan maken?'

'Volgens mij is K&K wel open,' zeg ik.

'Maar we zouden naar de tennisbanen,' jammert Miri.

'Laten we eerst wat scooters voor haar ophalen,' zegt Jennifer.

'Scoubidou,' zeg ik. 'Als mam en Lex nu met Miri naar de tennisbanen gaan en ik met jullie naar K&K? Dan kunnen we elkaar als we klaar zijn weer hier ontmoeten.'

We treffen mijn moeder en Lex vrijend aan op de veranda.

'Jakkie!' gilt Prissy.

Ik schaam me te veel om te kunnen praten. Overal zwerven hier ouders rond. Ook kinderen. Kleine kinderen, die voor hun leven getraumatiseerd raken.

Mijn moeder en Lex laten elkaar los en hebben in elk geval het fatsoen om beschaamd te kijken.

'Vergeet het maar,' zegt Miri geërgerd. 'Ik wil niet alleen met die twee op stap. Laten we eerst maar met z'n allen naar K&K gaan.'

Nadat we bij K&K geweest zijn, kondigt Stef door de luidspreker aan dat het tijd is voor iets lekkers. ('Wat zei ze?' schreeuwt Prissy zo hard als ze kan. 'Wat is ietf lekkerf?') Dus gaan we naar de picknicktafels en leggen Deense broodjes en meloen op onze papieren bordjes. Ik stel mijn vader en moeder voor aan alle andere kinderen. En daarna stellen die kinderen mijn ouders voor aan hun ouders. Ik voel mijn gezicht rood worden als ik hen aan Rafs ouders voorstel, omdat ik de laatste keer dat ik hen zag verkering had met Will.

Dan halen we Prissy's spullen uit mijn vaders auto en richten haar plekje in. Daarna gaan we bij het meer kijken, waar mijn vader besluit dat hij wil gaan roeien en we allemaal – oh ja, de hele clan – reddingsvesten aangemeten krijgen door Harris (Jennifer, mijn moeder en Prissy giechelen en werken met hun ogen), waarna we ons het meer op begeven.

Zei je 'ongemakkelijk gevoel'? Ik kan er niets aan doen dat ik de minuten tel tot alle ouders weer naar huis gaan.

Als we weer aan land gaan, deelt de hoofdstaf ijslolly's uit. Stef spreekt weer door de luidspreker om aan te kondigen: 'Befoekerfdag if over tien minuten afgelopen. Fouden alle ouderf affcheid willen nemen en langfamerhand richting Upper Field willen gaan?'

Als onze ouders wegrijden – gescheiden, uiteraard – en Prissy aan mijn hand haar tranen probeert weg te slikken, realiseer ik me dat Miri hun de tennisbanen niet meer heeft laten zien. 'Waarom heb je ons er niet aan herinnerd?' vraag ik. Ik bedenk ook dat ik nog iets anders vergeten ben – ik was van plan om mijn moeder te vragen of ze haar brieven aan Miri wel naar de goede slaapzaal gestuurd heeft. Oeps.

'Omdat niemand zich ervoor interesseerde,' antwoordt ze.

'Dat is niet waar.'

'Ja, dat is het wel.'

'Wat heb je toch de laatste tijd?'

'Wat heb jíj toch?'

Prissy trekt me naar K&K. 'Mag ik nog meer scoubidou ophalen?'

'We gaan Tilly opzoeken,' vertel ik haar.

'Ik ga terug naar mijn slaapzaal,' zegt Miri.

Nadat ik Prissy heb afgeleverd bij Tilly, ga ik bij Miri's slaapzaal langs om opnieuw met haar te praten.

'Ze is er niet,' zegt een van haar zaalgenoten, een scharminkelig

meisje met talloze versierselen in haar haar. Dus dit is een van de meisjes die Miri pesten? Alsjeblieft, zeg.

'Weet je waar ze is?'

Ze haalt haar schouders op.

Ik zoek bij de tennisbanen, maar vind haar daar ook niet.

Tenslotte zie ik Miri bij het avondeten, maar ze wil niet praten. Prissy daarentegen wil niet stoppen met praten.

'Ik heb meer scoubidou gehaald en toen heeft Tilly me laten zien hoe je de vlinder moet maken, maar ik ben er niet zo goed in, dus toen heb ik ze gevlochten en toen heb ik geholpen om de bedden van de andere meisjes op te maken en ze heten Mandy en Candy en Dahlia en Caprice en ze komen allemaal twee weken, net als ik, alleen zijn Mandy en Candy en Dahlia zeven en Caprice is zes, net als ik...'

'Dat is geweldig, Prissy, maar ik moet nu terug naar mijn tafel, oké?'

Ze is nog steeds aan het woord als ik weer door de eetzaal terugloop.

'Je zag er vandaag uit of je je familie wilde afmaken,' zegt Poedel tegen me.

'Dat klopt. Het was zo ongemakkelijk. Het was voor het eerst dat mijn moeder, haar vriend, mijn vader en zijn vrouw allemaal samen waren. Het was afschuwelijk. Ik schaamde me dood. Carly, mag ik de spaghetti?'

Liana, die naast Carly zit, grijpt de pasta en neemt eerst zelf. 'Vertel eens, Rachel. Waarom was het zo afschuwelijk?'

'Hoe bedoel je? Dat was gewoon zo. Als je ouders gescheiden zijn, wil je ze niet in dezelfde ruimte hebben.'

'Lijkt me nogal onvolwassen. Als het hun niets uitmaakt, waarom jou dan wel?'

'Daarom.' Wat gaat het haar eigenlijk aan?

'Waar was jouw familie?' vraagt Carly aan Liana.

'Ze hebben het veel te druk om hier te komen,' snuift ze. 'Ze varen met een jacht door Frankrijk. Met een of andere Griekse prins.'

Morgans ogen worden zo groot als schoteltjes. 'Echt waar? Een prins?'

'Dat is gaaf,' zegt Deb. 'Heb jij die prins al ontmoet?'

'Natuurlijk,' zegt Liana extra arrogant.

Ik geloof er niks van. 'Oh, kom op.'

'Geloof me maar niet als je niet wilt. In tegenstelling tot iemand als jij vind ik het niet interessant wat andere mensen denken.'

Ik wil haar net vertellen waar ze heen kan lopen, als Deb zo hard als ze kan 'Freeze!' gilt.

Mijn neus jeukt. Volgens mij moet ik…

Nee! 'Hatsjie!'

'Jij stapelt, Rachel,' zegt Deb.

Die niesbui kwam uit het niets opzetten. Ik hoop dat ik niet ziek word.

'Woeps,' zegt Liana, terwijl ze tomatensaus op de tafel knoeit. 'Ik hoop dat jullie niet vies worden bij het afruimen. Sorry, Rachel.'

Nee, daar meent ze niks van.

Het enige waar ik ziek van word, is zij.

De avondactiviteit is Hints in de recreatiezaal. Helaas wordt dat onderbroken door Tilly die me opzoekt en me vraagt of ik met haar mee wil gaan. 'Prissy wil dat je komt. Ze heeft erg veel heimwee.'

'Goed,' zeg ik en ik pak mijn trui. 'Zie ik je straks nog?' vraag ik aan Raf.

'Oké.'

Miri, die twee rijen verderop zit, draait zich om. 'Waar ga je heen?'

'Bij Prissy kijken. Ze heeft heimwee.'

'Zal ik meegaan?'

'Wie ben jij?' vraagt Tilly.

'Ik ben haar zus.'

'Ik dacht dat Rachel haar zus was.'

'Ze heeft twee zussen.'

'Oh,' zegt de leidster. 'Nee, jij kunt hier blijven. Ze vroeg alleen om Rachel.'

Miri's gezicht betrekt.

'Zullen we samen gaan?' zeg ik.

'Laat maar, ik wil helemaal niet mee,' zegt Miri en ze draait zich met een ruk weer om.

'Miri, kom op,' zeg ik, maar ze negeert me.

Waarom is mijn complete familie zo gek?

Ik volg Tilly het hele kamp door naar slaapzaal één, zwaai hallo naar de dienstdoende leidster op de veranda en ga Prissy's blokhut in.

'Hoi, meissie,' zeg ik.

Ze springt van haar bed en slaat haar armen om me heen.

'Er zitten spoken onder mijn bed,' jammert ze. 'Blijf je bij me?'

'Natuurlijk.'

Ze slaat haar armen nog steviger om mijn middel.

Twee seconden stilte en dan: 'Ik wil naar huiuiuiuiuiuiuiuiuis.'

'Prissy, je bent hier maar twee weken.'

'Ik vind het hier niet leuk. Het water is koud. Ik wil warm water. En ik wil in bad!'

'Er is geen bad op kamp, Priss.'

'Ik wil er een.'

'Kom op, Prissy, we gaan je in bed stoppen en dan vertel ik je een verhaaltje.'

'Ik wil geen verhaaltje.'

'Nou, wat wil je dan wel?'

'Scoubidou?'

'Goed, dan gaan we scoubidou doen.'

De volgende twintig minuten breng ik door met het maken van een armbandje voor haar. Het is al halftien, wat lang, lang na haar bedtijd is. De avondactiviteit eindigt nu zo'n beetje. Als ik nu weg-ga, heb ik nog wat tijd met Raf.

'Blijf je bij me slapen?'

'Ik moet in mijn eigen slaapzaal slapen, Priss.'

'Alsjeblieieieieieieieieft?'

'Dat mag niet, Prissy.'

Ze begint weer te snotteren.

'Ik blijf wel tot je in slaap valt, goed?'

Ze houdt onmiddellijk op met huilen. 'Oké.'

Het kost haar uren om in slaap te vallen. Oké, goed, zo'n veertig minuten, maar het voelt als uren.

Langzaam maak ik me los uit Prissy's ijzeren greep en ik loop op mijn tenen door de blokhut. Ik open voorzichtig de deur, waarbij ik erg mijn best doe om hem niet te laten kraken en neem afscheid van de leidster die dienst heeft. Dan steek ik Lower Field over en loop langs de eetzaal en het strand. Enigszins hoopvol constateer ik dat enkele van de oudere kampgangers nog rondlopen. Misschien zie ik Raf nog. Maar geen Raf. Wie weet wacht hij op me op mijn veranda.

Ik haast me langs de weg om er zo snel mogelijk te zijn, zodat we de paar minuten die we nog hebben voor bedtijd optimaal kunnen benutten. Ik sla linksaf, de heuvel op die naar mijn slaapzaal leidt.

Er staat iemand op de trap. Het is een jongen! Dat moet Raf zijn.

Nee, het kan Raf niet zijn. De jongen buigt zich voorover om iemand te zoenen.

Ze staan te zoenen! Anthony en Deb misschien? Hallo, roddels!

Maar ze lijken niet op Anthony en Deb.

Ik zet nog wat stappen. Mijn hart wordt een ijsklomp.

Dat kan niet.

Dat kan niet, maar het is wel zo. Het is Raf.

En hij staat te zoenen met Liana.

De vriendjesdief

14

Ik kan mij niet bewegen. Mijn schoenen zijn aan de grond vastgenageld. Of misschien zijn mijn voeten te zwaar omdat mijn hart in mijn schoenen gezonken is. Ik kan niets anders doen dan toekijken.

Ze staan te zoenen. Mijn zogenaamde vriendje staat een ander meisje te zoenen. Niet kus-kus-leuk-je-weer-te-zienkussen maar echt, hevig tongzoenen. Hun hoofden rollen van de ene naar de andere kant en ik wil tegen hen schreeuwen dat ze moeten stoppen, maar er komen geen woorden.

Volgens mij ga ik zo overgeven.

Uiteindelijk stapt Liana achteruit. Ze draait zich naar mij om en glimlacht.

Rafs ogen worden groot. 'Hoi, Rachel!' zegt hij. Of hij is niet zo slim als ik dacht, of hij denkt dat ik blind ben, want hij vraagt: 'Wat is er aan de hand?'

Eerst ben ik sprakeloos. Na enige tijd stromen er woorden uit mijn mond. 'Je hebt zojuist Liana's tong ingeslikt.'

'Hoi, Rachel,' spint Liana. 'Raf, misschien kun je beter teruggaan naar je slaapzaal.'

'Ik... ik begrijp het niet,' stamelt Raf.

De pure wilskracht komt in me omhooggeborreld. Mijn benen en tenen en armen en vingers beven. Ik wil iets afschuwelijks doen. Iets vreselijks. Ik wil Raf en Liana vastgrijpen en hen in het meer smijten. Ik wil hen met hun hoofd naar beneden op de tennisbanen gooien. Ik wil Raf veranderen in een pad met zes poten en Liana in een kalkoen – vlak voor de kerstdagen.

Raf heeft Liana verkozen boven mij.

Raf is nooit echt verliefd op me geweest.

Maar ik was toch zijn zwemmaatje?

Ik voel me alsof ik zojuist een beachbal van twintig kilo heb ingeslikt. Ja, ik was inderdaad zijn maatje. Ik was zijn... vriendin.

De handdoeken op de balustrade beginnen te bewegen. Ik haal diep adem. Ik laat mijn toverkracht niet uit de hand lopen. Ik moet rustig worden voordat ik per ongeluk het kamp opblaas. Bedenk megels, draag ik mezelf op. Beteugel die energie! Concentreer je!

De handdoeken liggen stil. Ik loop achteruit de veranda af.

Als er ooit een moment was waarop ik Miri nodig had, dan is het nu wel. Niet omdat ze een heks is. Omdat ze mijn zus is.

Ik ren door het kamp, langs de stompzinnig starende kampgangers, de trap op naar haar slaapzaal en naar haar bed toe. Ze ligt er al in, onder haar dekbed, en leest in haar spreukenboek. Ik klim de ladder op en glijd naast haar onder haar dekbed. 'Mir, ik moet met je praten.'

'Wat doe je hier?' vraagt ze.

In hun bedden spitsen de andere meisjes hun oren.

'Ergens waar we alleen zijn,' fluister ik.

Ze trekt een klein zakje tevoorschijn dat gevuld is met een groen met zwarte substantie, strooit wat in de lucht en fluistert:

'De dag is kort en lang is de nacht,
jullie gehoor valt langer uit dan verwacht.'

'Wat was dat?'

'Een nieuwe spreuk die ik geleerd heb. Ze horen ons de rest van

de nacht niet meer. Ze horen de rest van de nacht níéts meer.'

Dat klinkt nogal gemeen. 'Wanneer heb je dat geleerd?'

'Ik heb een leven buiten jou om, weet je.'

Dat blijft ze me steeds vertellen. 'Mir, er is iets vreselijks gebeurd.'

'Wat?'

'Toen ik bij Prissy vertrok, ging ik terug naar mijn slaapzaal en daar zag ik Raf en Liana zoenen!'

Haar mond valt open. 'Echt niet.'

'Wel. Ik zweer het je, ik heb het met mijn eigen ogen gezien.'

'Eerlijk, Rachel, ik geloof niet dat Liana zoiets doet. Ze is niet geïnteresseerd in Raf.'

Ik vernauw mijn ogen. 'Hoe weet je dat?'

'Dat weet ik. Liana en ik zijn vriendinnen.'

'Liana is jouw vriendin niet, Miri. Ze is een afschuwelijk iemand.'

Miri houdt haar kussen tegen zich aan. 'Dat is ze niet! Je mag niet zo over haar roddelen.'

Mijn mond voelt droger aan dan een strand vol met zand. 'Je kunt niet bevriend zijn met iemand die mijn vriendje probeert af te pakken!'

'Raf is jouw vriendje niet.'

Mijn ogen schieten vol tranen. 'Dat is hij wel, min of meer.'

'Het draait niet allemaal om jou, Rachel.'

Het voelt alsof ik een klap in mijn gezicht heb gekregen. 'Waar heb je het over?'

'Je kunt niet alles hebben,' snauwt ze me toe.

'Ik héb ook niet alles.'

Ze zwaait met haar haren, alsof ze Liana is. 'Je gedraagt je alsof je vindt dat je het verdient om alles te hebben. Alsof je er recht op hebt.'

'Wat is er in je gevaren?'

'Zal ik je eens wat vertellen? Ik wil niet meer met je praten.'

'Maar ik wil wel met jou praten,' zeg ik smekend. Ik begrijp niet waarom ze zo gemeen tegen me doet.

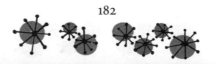

'Jij bent niet degene die alle beslissingen neemt. Ik wil niet meer luisteren.' Ze steekt haar hand weer in het zakje en strooit het groene en zwarte poeder opnieuw uit en zingt:

**'De dag is kort en lang is de nacht,
mijn gehoorverlies komt sneller dan verwacht.'**

'Niet doen!' schreeuw ik.

Ze draait me haar rug toe. 'Sorry, ik kan je niet verstaan.'

Mijn handen beven van woede. Ik storm haar slaapzaal uit en smijt de deur achter me dicht – niet dat iemand het kan horen.

Tijdens de uren die volgen zwerf ik doelloos door het kamp. Als ik eindelijk naar mijn slaapzaal terugkeer, zit Deb op de veranda te wachten.

'Waar ben je geweest?' vraagt ze en ze kijkt me woedend aan.

'Ergens,' zeg ik. Ik kan het niet aan om nu met haar te praten. Mijn hoofd bonst en ik wil alleen maar slapen. Misschien word ik morgen wakker en blijkt dat deze hele klerezooi maar een droom is geweest.

'Ik weet niet wie je denkt dat je bent,' zegt Deb. 'Je mag niet zomaar meer dan drie uur in je eentje gaan rondzwerven.'

'Het spijt me,' zeg ik lusteloos.

'Sorry is niet genoeg,' zegt Deb. 'Je wordt gezapt.'

Ja, dat is zo. Miri heeft me net tot diep in mijn ziel gezapt.

'Voor een week,' voegt Deb toe.

Ik open de deur en strompel zaal veertien binnen. Alle meisjes liggen al in bed, ook Liana. Zij is de enige die nog wakker is.

'Alles goed, Rachel?' vraagt ze.

'Kop dicht, Liana.'

Ik neem niet eens de moeite om me te wassen. Ik klim mijn ladder op en probeer te slapen, maar in mijn hoofd blijf ik Liana's stem horen. 'Alles goed, Rachel?' Wat een huichelaar.

'Mijn besef van Liana is langer weg dan verwacht,' fluister ik tegen de duisternis.

Was ze maar een mug, dan kon ik haar de vergetelheid in toveren.

Raf komt bij de vlaggenmast naar me toe. 'Kunnen we even praten?'

Ik negeer hem.

'Alsjeblieft, Rache, ik begrijp niet waarom je me negeert.'

Dit meen je niet. Ik vind het niet te geloven dat ik me zo lang in hem vergist heb.

Ik ben verliefd op hem sinds septémber. Dat is elf maanden! Wat een tijdverspilling. Wat een energieverspilling.

Wat een sukkel.

Ik vertel Poedel het verhaal als we naar de eetzaal lopen.

'Ik vind het ongelooflijk,' zegt ze en ze schudt haar hoofd. 'Ik ga haar vermoorden. En hem. Hoe kan hij je dat aandoen? We gaan haar boycotten. Maak je geen zorgen. Ik zal Carly en Morgan het plan vertellen.' Ze slaat haar arm om me heen en knijpt me even in mijn schouder. 'Hij is niet goed genoeg voor je.'

Zij is de beste. 'Hé, Poedel, wat houdt zappen precies in?'

'Oei, wanneer is dat gebeurd?'

'Gisteravond.'

'Het betekent dat je de slaapzaal tijdens vrije tijd niet mag verlaten en dat je na de avondactiviteit rechtstreeks terug moet naar de slaapzaal.'

'Deb heeft me voor een week gezapt.'

'Dat meen je niet! Dat is wel erg streng. Ik vraag me af wat er met haar aan de hand is. Ze heeft nog nooit iemand zo lang gezapt. Vorig jaar werd ik voor één nacht gezapt, maar dat was het.'

Wat maakt het uit. Ik heb toch niemand buiten mijn slaapzaal om mee om te gaan.

'Rachel,' zegt Deb met haar handen in haar zij, 'is het niet jouw taak om vandaag de veranda te doen?'

Het is schoonmaaktijd en ik lig in bed, waar ik probeer om mijn pijn weg te slapen en tegelijkertijd Liana te ontlopen. 'Zou kunnen.'

'Ik zou het op prijs stellen als je het ging doen,' zegt ze. 'Het is er een zootje; er liggen overal handdoeken.'

'Ze heeft gelijk,' koert Liana, die naast ons bed loopt te vegen. 'Ik schaam me ervoor. Als het er zo uitziet kan ik hier geen jongens uitnodigen.'

Jongens? Bedriegt ze Raf nu al? Oh jee. Hoe kan ze zo afschuwelijk zijn?

'Helemaal mee eens,' zegt Morgan. 'Dat is geen goede zaak.'

Ik begrijp niet waarom Morgan lelijk tegen me doet terwijl ik een gebroken hart heb. Ik klim de ladder af en begeef me naar de veranda. Buiten hoef ik in elk geval niet naar haar te luisteren.

Of Liana te zien.

Na de schoonmaak hebben we pottenbakken met zaal vijftien. Ik gebruik het uur om met welbehagen de klei te mishandelen, in een poging er dreigend uit te zien. De anderen maken schalen.

Poedel trekt me met een bezorgde uitdrukking op haar gezicht mee naar de wasbak. 'Slecht nieuws,' zegt ze en ze zet de kraan aan, zodat niemand ons kan horen.

'Wat is er?'

'Liana beweert dat de zoen niet heeft plaatsgevonden. Dat jij hem verzonnen hebt om ons tegen haar op te zetten.'

'Wát?'

'Ze zegt dat je vanaf dag één een hekel aan haar hebt gehad.'

Ik storm regelrecht naar Liana, met Poedel in mijn kielzog. 'Wat ben jij een leugenaar,' zeg ik. 'Ik heb jullie zelf gezien!'

Liana schudt met een onschuldig gezicht haar hoofd. 'Ik begrijp niet waarom je zo'n hekel aan me hebt, Rachel. Ik heb je nog nooit iets misdaan.'

'Wel waar! Je hebt mijn vriendje gestolen!' Ik zoek met mijn ogen de ruimte af naar een stuk hard geworden klei dat ik naar haar hoofd kan gooien.

Ze zwaait met haar glanzende haar heen en weer. 'Ik heb geen idee waar je het over hebt.'

'Je meent het,' zegt Poedel ijzig. Dan wendt ze zich tot mij. 'Waarom vragen we het niet aan Raf? Ik weet zeker dat hij weet waar je het over hebt. We halen hem en laten hem bekennen.'

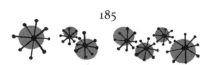

Oh, lieve help. Ik kan me niets beschamenders voorstellen. Wat is ze van plan te doen, regelrecht naar hem toe marcheren en dan zeggen: 'Dus, Raf, ik heb gehoord dat je Rachel bedrogen hebt, die zo gek op je is dat ze er scheel van kijkt en die nu voor het leven getraumatiseerd is'? Ik weet dat Poedel het goed bedoelt, maar...
'Ehm, dat lijkt me niet zo'n goed idee, Poedel.'

Liana grijnst gemeen. 'Toe maar, vraag het hem maar. Ik weet zeker dat hij me steunt.'

Opschepper. Ze weet best dat ik liever in olie gekookt word dan de vernedering onderga van de confrontatie met Raf. Ze bluft.

Of niet?

Natuurlijk doet ze dat. Zeg nou zelf, waarom zou hij het ontkennen? Hij probeerde niet te verbergen wat hij aan het doen was. Hij stond op klaarlichte dag op de veranda te zoenen. Klaarlichte avond, weliswaar, maar toch.

De geur van de klei maakt me misselijk – of misschien komt het door de situatie in mijn leven. 'Ik heb wat frisse lucht nodig,' zeg ik en ik loop de pottenbakkerij uit.

Poedel komt achter me aan naar buiten. 'Ik weet niet waarom iedereen opeens zo dol is op Liana.'

Er komt gelach uit de pottenbakkerij. 'Liana, je hebt helemaal gelijk!' gilt Morgan.

Niets voelt er meer zoals het hoort.

'Mag ik even met je praten?' vraagt Raf, die ineens achter me opduikt als ik na de lunch de eetzaal verlaat.

'Nee.'

'Rachel, alsjeblieft.'

Ik stamp de trap af en doe net of hij niet achter me aan loopt.

'Ik kan er niet tegen dat je boos op me bent,' zegt hij.

'Vind je het gek?' Daar gaan mijn plannen om de confrontatie te vermijden. Maar hé, hij was degene die het ter sprake bracht.

En dan krijg ik een ingeving. Een kleine gelukkige ingeving. Als zij hém nu eens gekust heeft? Wat als hij op de veranda op mij stond te wachten en ze hem toen aanviel of zo en hij haar net wilde wegduwen toen ik eraan kwam en het verkeerd uitlegde? Op tv gebeurt dat voortdurend.

Ik wenk hem mee naar de picknicktafel en ga op de bank zitten. 'Ga je gang,' zeg ik, niet in staat om de hoop die in mijn stem geslopen is te verbergen. 'Praat.'

Hij volgt me als een jong hondje met zijn staart tussen zijn benen. 'Ik ben verliefd op je, Rachel,' begint hij. 'Heel erg.'

Ik wacht tot hij zegt 'En Liana viel me aan'. Ik staar in zijn ogen en vraag me af of ik hem kan vergeven. Ik denk het wel. Als zij hem overvallen heeft, bedoel ik. En als hij op het punt stond om zich terug te trekken.

'En ik begrijp niet waarom je kwaad op me bent.'

Wat? Is hij niet goed wijs? 'Je hebt Liana gezoend,' zeg ik. 'Is dat reden genoeg?'

Hij schudt zijn hoofd. 'Waarom denk je zoiets?'

'Omdat ik het zelf gezien heb!'

Hij ziet eruit of hij een klap gekregen heeft. 'Dat kan niet! Het is nooit gebeurd!'

Is dit een soort complot dat hij en Liana gesmeed hebben om mij te laten denken dat ik gek word? Ik ben wel een beetje van streek, maar ik ben nog niet rijp voor een inrichting. 'Je bent een leugenaar, Raf. Een afschuwelijke leugenaar. Je maakt me misselijk.'

Zijn gezicht wordt bleek. 'Hoe kun je dat nu zeggen?'

'Ik Heb Jullie Gezien.' Ik kan nauwelijks spreken. De brok in mijn keel is zo groot dat ik niet eens kan slikken. Ik kan ook niets zien, omdat mijn ogen zich vullen met tranen. Eerst zoent hij met haar en dan liegt hij tegen me!

'Ik weet niet waar je het over hebt.'

'Je bent een grote sukkel! Ik kan niet geloven dat ik me zo in je vergist heb! Ik wil nooit meer met je praten.' Het uitspreken van deze woorden breekt mijn hart, maar wat moet ik anders?

Ik draai me om en zie Miri en Liana samen de eetzaal uit komen, lachend en diep in gesprek.

Ik kijk van Raf naar Miri en dan weer naar Raf.

Wie is die Liana en waarom steelt ze mijn leven?

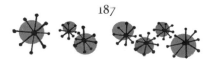

In elk geval heb ik Poedel en Carly nog. In de dagen die volgen zijn zij de enigen met wie ik omga. Liana en Morgan vormen een hecht tweetal en scheuren daarmee onze slaapzaal in tweeën.

En ik weiger naar Raf te kijken. Ik verwacht steeds dat ik hem en Liana samen zie doen of ze een stel zijn, maar dat gebeurt niet. Hij brengt al zijn tijd door met Anderson, Blume en Colton en met de jongens van Wills slaapzaal. Het lijkt bijna of Liana nooit in een relatie met hem geïnteresseerd is geweest. Ze wilde alleen maar kapotmaken wat ik met hem had.

Miri en ik praten nog steeds niet met elkaar. Het doet nog te veel pijn om met haar te praten en zij heeft nog niet de geringste poging gedaan om mij haar excuses aan te bieden. Van mij mag ze met haar nieuwe vriendin Liana omgaan. Ik heb nog een zusje op kamp. Een schattig, vrolijk zusje.

Prissy heeft het enorm naar haar zin. Op elk moment van de dag kun je haar en haar vijf medebeginners uit haar slaapzaal lachend, springend en juichend aantreffen. 'We zijn zaal één en zo leuk is er niet één! We zijn niet voor de poes, maar we houden niet van de douche.'

Haar armen zijn zwaar van tientallen scoubidou-armbandjes, haar witte prinsessenjurkjes en andere kleding zitten vol vuil, haar haar lijkt op een vogelnestje en ik weet vrijwel zeker dat ze haar tube tandpasta nog moet aanbreken, maar ze heeft het super naar haar zin, dus wat maakt het uit?

Ik neem bergen foto's om Jennifer mee aan het schrikken te maken als we thuiskomen. Ze worden mijn terugbetaling voor alle vernederende pakjes. Deze week kreeg ik deodorant voor mijn voeten. Ik bedoel maar, hallo? Dit is een zomerkamp; onze voeten hóren te stinken.

Sinds ik gezapt ben, breng ik al mijn vrije tijd in de toiletruimte door om mijn megels te oefenen. Aan het eind van de week ben ik erg vooruitgegaan. Ik bedoel écht vooruitgegaan. Ik kan de wc-rol optillen en weer neerzetten met mijn ogen dicht en één hand op mijn rug. Niet dat ik beide handen ervoor nodig heb, maar het is een mooie truc. Het kan handig zijn als ik weer eens op een openbare wc zit en de persoon in het hokje naast me zijn hand eronderdoor steekt en vraagt om wat papier.

De zaterdag na bezoekersdag is het bloedheet. De hoofdstaf kondigt een middag zonnen en zwemmen aan, wat betekent dat iedereen op het strand rondhangt in plaats van mee te doen aan binnenactiviteiten. We mogen zwemmen, we mogen gaan varen of we mogen zonnen.

Poedel, Carly en ik liggen op onze handdoeken en proberen ons te ontspannen. Proberen is een actief werkwoord. Hoe kan ik me in vredesnaam ontspannen als Liana en Miri samen op een waterfiets midden op het meer zitten?

Ik begrijp niet waarom Liana met mijn zus wil optrekken. Het is niet logisch.

'Heeft een van jullie gezien hoe Liana aan Morgan vertelde wat ze vandaag aan moest trekken?' vraagt Carly. 'Ze is zo bazig.'

'Morgan gedraagt zich als een robot,' zegt Poedel. 'Het is net of ze door Liana betoverd is. En slaapzaal vijftien is geen haar beter. Ze volgen Liana nog steeds overal en ze hoort niet eens meer bij hun slaapzaal.'

Ze gedragen zich enigszins… betoverd.

Miri.

Nee.

Zou je denken?

Mijn eigen kleine zus een verrader? Een landverrader?

Maar waarom?

Ik staar naar de waterfiets. Liana lacht om iets wat Miri zegt.

Door Liana, daarom doet ze zo. Ik ga ongemakkelijk verliggen in het zand. Wat als Miri aan Liana verteld heeft dat ze een heks is en nu, omdat ze zo graag aandacht wil, alles doet wat Liana haar vraagt? Miri heeft mij verteld dat het haar niet uitmaakte als iemand erachter kwam. Helaas was het Liana, iemand die het heerlijk zou vinden om al die macht in haar hebberige handjes te krijgen.

Poedel legt haar handdoek recht. 'Als ik nog één keer moet luis-

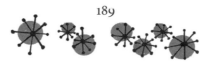

teren naar haar sterrenleven in Zwitserland moet ik haar helaas doodschieten. En waarom is ze zo geobsedeerd door haar waterfles? Ze probeert ons er voortdurend uit te laten drinken.'

'Misschien zitten er drugs in,' lacht Carly. 'Misschien probeert ze je dronken te voeren.'

Waarom is Liana zo geobsedeerd door die waterfles? Nu ik erover nadenk: Morgan heeft eruit gedronken. Iedereen van zaal vijftien ook, tijdens het voetballen, lang geleden op de derde dag. Deb heeft eruit gedronken. Poedel, Carly en ik niet.

Een betovering?

Nee, onmogelijk. Zoiets zou Miri nooit doen.

Kippenvel bedekt mijn lichaam.

Misschien vergis ik me in Miri. Misschien is er een andere verklaring.

Vreemd dat Liana zo veel kleren heeft en toch zo'n leeg kastje.

Vreemd dat Alison niet rookt en toch betrapt werd op roken – door Rose, die toevallig in onze hoek van het bos verscheen.

Vreemd dat Raf zich niet kan herinneren dat hij met Liana gezoend heeft (vreemd, maar niet leuk).

Mijn hart bonst luider en luider totdat ik bang ben dat het gaat exploderen. 'Ik moet gaan,' zeg ik en ik trek mijn shirt en korte broek aan en prop mijn voeten in mijn teenslippers.

'Waarheen?'

'Naar de slaapzaal. Naar de wc. Ik, eh, voel me niet lekker. Kunnen jullie aan Deb vertellen dat ik wegga?' Zonder op antwoord te wachten vertrek ik. Ik ren de hele weg de heuvel op naar de slaapzaal en loop rechtstreeks naar Liana's bed.

Ik moet een bewijs vinden. Ik rommel tussen de spullen op haar plank. Een borstel. Een handspiegel. Lippenstift. Mascara. En dan krijg ik haar juwelenkistje in het oog. Ik weet dat het een gok is, maar alles is beter dan te denken dat mijn zus een verrader is. Ik grijp Liana's babypoeder, strooi het over het kistje en citeer:

**'Van een rups kon je in een vlinder verkeren.
Laat dit poeder je verandering absorberen!'**

190

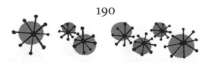

Zodra het poeder het kistje raakt begint het kistje te vervormen, en de geur van een maand oud wordt steeds doordringender.

Het juwelenkistje wordt een exemplaar van GOH.

Liana is een heks.

De waarheid ligt in het midden (van het meer)

15

Ik sla haar spreukenboek op de eerste bladzijde open en lees: EIGENDOM VAN LIANA GRAFF.

Hoe komt het dat iedereen een spreukenboek heeft behalve ik? Het is niet eerlijk.

Ik ijsbeer door de slaapzaal. Liana is een heks. Liana is een heks! Hoe heeft het zo lang kunnen duren voordat ik dat doorhad? Je zou verwachten dat een heks een andere heks op kilometers afstand kon herkennen. Waar was mijn heksenradar?

Miri zal ontzettend opgewonden zijn dat we iemand anders hebben om mee over heksenzaken te praten.

Tenzij Miri het al weet.

Ik blijf ijsberen, met een omweg door zaal vijftien, de kastenkamer en de toiletruimte, dan terug de kastenkamer in en daarna terug door zaal veertien, in een poging de situatie te begrijpen. Miri en Liana zijn de laatste tijd goede vriendinnen, dus de kans bestaat dat Miri het weet. Maar hoe is het ter sprake gekomen? Heeft Liana mijn zus een betovering zien uitspreken, haar zover gekregen dat ze haar geheim verklapte en toen haar eigen geheim verteld? Of was het andersom? Of misschien heeft Miri het er gewoon uitge-kraamd, zoals ik oorspronkelijk dacht.

Als Miri het wist, waarom heeft ze het me dan niet verteld?

Zeg nu zelf: dit is iets machtigs. We hebben nog nooit andere heksen ontmoet behalve die in onze naaste familie. We hebben zelfs nog nooit gehoord van andere heksen. We wisten natuurlijk wel dat ze bestonden, maar we hebben nooit inlichtingen gekre-gen over andere heksen dan onze overleden grootmoeder en onze tante.

Ik sjor het spreukenboek in mijn rugzak (het steekt boven de rand uit, maar dat kan me niet schelen), slinger hem op mijn rug en ren naar het strand. Mijn plan is om een kano te nemen, hen op het midden van het meer op te zoeken en hen ermee te confronte-ren.

Voor iemand die confrontaties haat, krijg ik mijn portie wel.

Ik verander van plan als ik zie dat ze hun boot aan de steiger aanleggen. Ik gris een reddingsvest mee, haast me de steiger op en spring in de boot voordat zij eruit kunnen stappen. 'Trappen,' be-veel ik.

'Wat doe je?' wil Liana weten.

'Met jullie meegaan. We moeten eens met elkaar praten.'

'Waarover?' vraagt Miri.

Ik trek Liana's spreukenboek uit mijn rugzak en houd het in de lucht. 'Dit.'

Miri hapt naar adem. Ik weet niet zeker of Miri naar adem hapt omdat ze niet wist dat Liana een heks is of omdat ze vindt dat het feit dat ik een GOH mee heb genomen naar het strand een of ande-re ethische heksencode geweld aandoet.

'Voorzichtig!' zegt Liana en ze begint te trappen.

Omdat de waterfiets slechts twee zitplaatsen heeft, ben ik ge-noodzaakt om dwars over de bagageruimte achterin te gaan liggen. Als we midden op het meer zijn stoppen ze met trappen, draaien zich om en kijken mij aan. 'Dus,' zegt Liana en ze kijkt me recht aan.

'Je bent een heks,' zeg ik zakelijk.

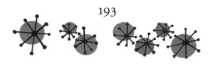

Ze blijft me strak aankijken. 'Ja.'

Ik knipper een paar keer en wend me tot mijn zus. 'Wist jij dat, Miri?'

Miri's gezicht vertoont een brede glimlach. 'Is het niet geweldig?'

Huh. Dus ze wist het. Een steek van iets onaangenaams (gebrek aan aandacht? verontwaardiging? jaloezie?) schiet als een pijl door me heen. 'Waarom hebben jullie het mij niet verteld?'

'We waren het wel van plan,' zegt Miri. 'Ik zweer het.'

'Wanneer? Volgend jaar in de zomer?' Ik schop geërgerd tegen de zijkant van de boot.

'Er is nog iets,' zegt Miri en haar ogen glanzen. Ze knijpt in Liana's arm. 'Zal ik het vertellen of wil jij het doen?'

Nog iets? Wat kan er nog meer zijn? Ik weet niet precies hoeveel meer mijn hersens nog aankunnen. 'Me wat vertellen?'

Liana houdt haar hoofd schuin. 'Doe jij het maar.'

Miri haalt diep adem en gilt dan: 'Ze is onze nicht!'

Op dat moment explodeert mijn hoofd. Oké, niet echt, maar zo voelt het wel. 'Wát?'

'Liana…' Miri pauzeert om meer effect te bewerkstelligen '…is de dochter van tante Sasha.'

Ik kijk van Miri naar Liana en weer terug naar Miri. Is Liana de dochter van mijn moeders enige zus? De tante die ik me niet meer herinner? Mijn moeder zegt dat ik haar maar één keer gezien heb, toen ik een jaar oud was. 'Waar heb je het over?'

'Tante Sasha heeft een dochter, Liana, die jij ontmoet moet hebben toen je een baby was.'

'Maar waarom zou mam ons niet verteld hebben dat we een nichtje hebben?'

'Wie zal het zeggen? Na de ruzie wilde ze niet dat we ook maar iets te maken hadden met die kant van de familie.'

Een miljoen verschillende emoties trekken en duwen vanbinnen aan me. Aan de ene kant: hoera! Een nicht! Ik heb altijd al een nicht van mijn eigen leeftijd willen hebben. Wat zou dat leuk zijn! Het is net zoiets als een identieke tweelingzus hebben, maar dan zonder je kamer of je DNA te hoeven delen. Aan de andere kant: moet het

van alle mensen die mijn nicht zouden kunnen zijn nu uitgerekend Liana zijn, mijn nieuwe noodlot?

Niet dat ik echt overtuigd ben van het feit dat ze mijn nicht is.

'Vind je niet dat ze op ons lijkt?' vraagt Miri.

Haar haren zijn langer en donkerder dan de onze. Hekseriger. Maar haar ogen en kin hebben dezelfde vorm, denk ik.

En ze heeft onze genetische aanleg.

Het is mogelijk...

'Ik lijk erg op mijn moeder,' zegt Liana. 'Daarom mocht je moeder me niet zien op bezoekersdag. Ze heeft me niet meer gezien sinds de ruzie, maar waarom het risico lopen?'

'Hoe weet je van hun ruzie?' vraag ik haar. Hun grote gehéíme ruzie.

Miri lacht. 'Liana was degene die ermee op de proppen kwam. En daardoor wist ik dat ze onze nicht is!' Ze kijkt bewonderend naar Liana. 'Niet dat ik daaraan twijfelde.'

'Maar hoe wist je dat we jouw nichtjes waren?' vraag ik.

'Mijn moeder heeft jullie bestaan nooit geheimgehouden. Ik wist dat ik twee nichtjes had, Rachel en Miri Weinstein, maar ik mocht geen contact met jullie zoeken.'

Het is heel oneerlijk dat haar moeder haar over ons verteld heeft terwijl mijn moeder haar bestaan geheimhield. 'Weet jij waar de ruzie over ging?' Eindelijk komt het lijk uit de kast!

Liana haalt haar schouders op. 'Mijn moeder heeft het me nooit verteld.'

Oh, nou ja. Dan gaat het lijk de kast maar weer in.

'Is het niet ongelooflijk?' gaat Miri opgewonden verder. 'Na de ruzie hebben onze moeders nooit meer met elkaar gesproken en dertienenhalf jaar later komen we elkaar op een willekeurig kamp tegen! Het is net een film.'

Ja, een film die ik twee keer gezien heb: *The Parent Trap* en daarna *It Takes Two.* Ik weet niet wat ik moet zeggen. Ik weet niet wat ik moet denken. 'Het is nogal onwaarschijnlijk,' zeg ik uiteindelijk. Hoe bestaat het dat we op hetzelfde kamp zijn? 'Hoe wist jij van Camp Wood Lake?'

Liana strijkt haar haren achterover en glimlacht naar mijn zus. 'Ik wilde deze zomer ergens heen en ik las hierover op internet. Zodra ik het zag wist ik het. Ik voelde dat dit de plek was waar ik heen moest.'

'Het is het lot,' zegt mijn zus. 'Dat moet wel.'

Klinkt mij verdacht in de oren. Wacht eens even. 'Mir, hoe lang wist jij dit al?'

Ze bloost en staart naar haar afgekloven vingers. 'Een paar weken.'

'Wat? Al voor bezoekersdag? Mam was hier en je hebt haar niet verteld dat haar nichtje hier ook was?' Ik staar Miri stomverbaasd aan.

'Ik... we waren bang dat mam me van kamp zou halen als ze het wist. Je weet hoe ze over tante Sasha denkt. Ze wil niets met haar te maken hebben. Ik... we waren bang dat de verbanning zich ook tot Liana uit zou strekken.'

'Maar ik dacht dat je juist hier weg wilde,' zeg ik. 'Dit was je ticket naar de vrijheid.'

'Dat was voor die tijd.' Ze lacht naar haar nicht.

De steek van gebrek aan aandacht/verontwaardiging/jaloezie slaat weer toe. 'Je had het míj toch wel kunnen vertellen.'

'Ik wilde het wel, maar Liana zei dat ik het niet moest doen. Ze zei dat jij haar niet aardig vond.'

Dat is waar, en dat is nog steeds zo. Ze heeft met mijn vriendje gezoend! Waarom wil mijn nicht trouwens mijn vriendje stelen? Maar wat nog belangrijker is: waarom houdt mijn zus iets geheim voor mij?

Liana pakt haar arm.

Ah. Natuurlijk. Eindelijk had Miri iemand voor zichzelf alleen en ze wilde haar niet delen.

'Jij was niet erg aardig tegen haar,' houdt Miri vol. 'Bijvoorbeeld toen je je vriendinnen vertelde dat ze haar niet moesten vertrouwen toen ze naar jullie slaapzaal verhuisde.'

'Hoe weet jij dat?' vraag ik.

'Nieuws gaat hier als een lopend vuurtje,' zegt Liana.

'Zie je wel?' gaat Miri verder. 'Jij hebt zonder reden geruchten over haar verspreid. Liana is alleen maar aardig tegen je geweest.'

Houdt ze me voor de gek? 'Liana, jij hebt mijn vriendje gestolen!'

Ze zet grote onschuldige ogen op. 'Eerlijk, Rachel, ik weet niet waar je het over hebt. Ik zweer het je, ik heb Raf nooit gezoend.'

'Ik heb je gezien!'

'Dat kan niet. Je moet het je verbeeld hebben. Nieuwe heksen hebben soms hallucinaties als ze nog maar kort over hun krachten beschikken.'

Miri knikt. 'Het gebeurt met veel heksen, dus je moet er niet door van streek raken.'

'Miri heeft me alles over je probleem verteld,' zegt Liana. 'Daarom vergeef ik je dat je roddels over me verspreid hebt.'

Allereerst kan ik mijn oren niet geloven dat Miri haar over mijn probleem verteld heeft. Ik neem even een moment om woest naar Miri te kijken. In de tweede plaats heb ik die kus niet gehallucineerd. Of wel? 'Ik weet niet wat ik hiervan moet denken.'

'Het spijt me, Rachel. Jaloezie kan vaak hallucinaties oproepen. Dus ik vergeef het je. Soms denk ik dat mijn uiterlijk een vloek is. Soms wilde ik dat ik meer op jou leek, Rachel.'

Jee, bedankt. Zou het? Heb ik het me allemaal verbeeld? Raf heeft het steeds ontkend... En mijn toverkracht is een beetje wispelturig.

Mijn pasgevonden nicht is arrogant, onaangenaam en manipulatief, maar – zucht – ze is wel mijn nicht.

'Je moet haar geloven,' zegt Miri. 'Geef haar het voordeel van de twijfel! Ze is ons nichtje!'

Ik kijk naar Liana. 'Goed dan.' Ik geef haar een kans. Ik vind haar versie van de gebeurtenissen wel wat – de versie waarin Raf haar niet zoent. Hoera! Nu wou ik dat ik niet zo kwaad op hem geworden was...

'Jullie worden vast dol op elkaar!' dweept mijn zus. 'Jullie moeten alleen wat meer met elkaar optrekken. Ik durf te wedden dat jullie als baby's samen gespeeld hebben.'

Het fluitje van Rose echoot over het water. 'Alle boten terug!' schreeuwt ze.

'Dit is volgens mij het einde van ons babbeltje,' zegt Liana. 'Miri, trap even achteruit, dan zal ik ons omkeren.'

Miri gehoorzaamt blij.

Daar is die steek weer.

Liana mag dan haar nichtje zijn, maar ik ben haar zus. Wie denkt die meid dat ze is, dat ze mijn zus opdrachten geeft? Dat is míjn werk.

'Oh, say can you see...'

In plaats van te zingen, bestudeer ik alle kampgangers en leiders bij de vlaggenmast. Als Liana een heks is, zijn er dan nog meer mensen op kamp heksen?

Deb? Tilly? Will?

Raf?

Ik betrap Raf erop dat hij naar me kijkt en ik kijk snel weg. Ik scháám me zo voor alles wat ik tegen hem gezegd heb. Ik heb nog niet precies bedacht hoe ik mijn excuses moet aanbieden voor mijn belachelijke beschuldigingen.

Ik kijk toe hoe Rose een Koalajongetje uit de rij trekt en tegen hem schreeuwt dat hij stil moet zijn. Ha. Als er hier nog iemand een heks is dan is zij het wel.

Of misschien schreeuwde ze helemaal niet tegen dat jongetje. Misschien verbeeldde ik het me wel. Misschien schreeuwde het kind juist tegen haar.

Ik blijf de kring rond kijken. Prissy zingt zo hard als ze kan in potjeslatijn. 'O'erway ethay andlay ofway ethay andway ethay omehay...' Potjeslatijn spreken is Prissy's nieuwste hobby. 'Ikmay benay Issypray' is de manier waarop ze zich momenteel voorstelt. Als ze klaar is met het volkslied, wroet ze met haar vingertje in haar neus en veegt het dan af aan Tilly's mouw.

Voor Tilly's bestwil hoop ik dat ik sta te hallucineren.

Terwijl Carly aan het stapelen is (haar linkerarm trilde tijdens het 'bevries'), staat Deb aan het hoofd van onze tafel en klapt in haar handen. 'Raad eens, meiden!' gilt ze.

'Wat?' zeggen we als uit één mond.

'Zoek je Camp Woodlake-T-shirts maar op! Morgenochtend vertrekken we voor een tweedaagse kanotocht!'

Twee dagen doorbrengen op een boot? Ik heb op kamp maar twee keer geprobeerd om te kanoën en ik was er niet goed in. En dat is wel erg veel tijd met Liana. Intensieve tijd. Ik wil haar wel beter leren kennen, maar... nou ja, ze heeft zich niet erg ingespannen om míj beter te leren kennen. Ik was er al toen ze kwam en ze koos een plek aan de andere kant van de tafel.

Ik wist niet zeker of we het nieuws over ons nichtschap aan de rest van de slaapzaal moesten vertellen, maar aangezien zij het niet ter sprake bracht heb ik besloten dat ook niet te doen – wat ik prima vind. Ik heb namelijk maar twee vriendinnen over in de blokhut. Twee vriendinnen die niet bepaald dol zijn op Liana. Ik zou hen niet graag van me vervreemden met mijn vriendjespolitiek.

Ik vraag me af of iemand een extra T-shirt heeft om aan mij uit te lenen, zodat ik mijn Oodle Wamp Ack niet hoef te dragen.

'Alleen wij vijven?' vraagt Morgan. 'Of gaat zaal vijftien ook mee?'

'Zaal vijftien gaat ook mee,' zegt Deb. 'En ik. En een leider.'

Poedel spitst haar oren.

'Wie is die leider?' vraag ik om Poedel te plezieren. 'Is het Harris?'

'Nee, Harris gaat alleen maar met jongensgroepen mee. Rose gaat met ons mee.'

We roepen allemaal boe.

'Kom op, meiden,' zegt Deb. 'Zo erg is ze niet.'

'Ja, dat is ze wel,' zegt Poedel. Ze is zo te zien om andere redenen teleurgesteld.

'Waar gaan we naartoe?' vraagt Carly.

Deb steekt haar duim op. 'Harbor Point.'

'Ze zeggen dat het daar leuk is,' zegt Carly. 'Mijn zus is daar twee

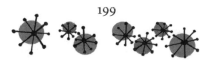

jaar geleden geweest en ze vond het geweldig.'

Ik begrijp niet helemaal wat een kanotrip inhoudt. Slapen we ook in de kano's?

'Waar slapen we eigenlijk?' vraagt Liana.

Jemig, ze las mijn gedachten! Wat nichterig!

'In tenten,' zegt Deb.

Ik ben niet erg dol op tenten. Ik stel me voor dat er in tenten bergen spinnen zitten. En als het gaat regenen? Zijn die tenten wel waterdicht? Ik wil niet helemaal nat worden. 'Wie zet die tenten op?' vraag ik me hardop af.

'Wij,' zegt Deb.

Wij? 'En waar gaan we naar de wc?'

Poedel lacht.

'In de HT,' zegt Morgan. 'Houten ton. Of je plast bij een boom. Of op een takkentoilet als je je behoefte deftig wilt doen.'

Ik kom uit Manhattan. Ik plas niet in het bos.

'Ik haat kanotochtjes,' jammert Carly. 'Moeten we mee?'

'Ja!' zegt Deb.

'Het kan best leuk worden,' zegt mijn nicht, de slijmbal.

'Dat is de juiste houding,' zegt Deb. 'In plaats van de avondactiviteit gaan we inpakken en morgenochtend om negen uur vertrekken we vanaf de steiger. Dan kanoën we tot een uur of één en daarna vermaken we ons bij Harbor Point. De volgende morgen vertrekken we weer.'

Ik vraag me af hoeveel rollen wc-papier we mee moeten nemen. Ik neem aan dat ik er altijd meer kan megelen, helemaal vanuit het kamp. Die specifieke megel heb ik helemaal onder de knie. Jammer genoeg lijkt dat het enige te zijn wat in mijn leven momenteel op rolletjes loopt.

'Dus jij denkt echt dat Liana een goede heks is?' Ik zou me niet graag genoodzaakt zien om een huis op haar te laten vallen of iets dergelijks. Het is vrije tijd en Miri en ik verlaten de eetzaal en lopen naar de sportvelden van Upper Field.

'Absoluut. Ze heeft me zo veel leuke toverspreuken geleerd! Zo-

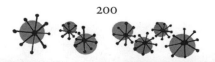

als automatisch bed opmaken en vegen. En ook wat gevorderde, zoals communiceren met dieren. Ik ga het uitproberen op Tigger en Goldie als we weer thuis zijn.'

Ik kan nog begrijpen dat ze wil proberen te communiceren met onze kat – katten worden tenslotte geacht als mediums voor heksen te fungeren –, maar met onze goudvis? Dat moet ik nog zien.

'Wist je dat ze tig andere heksen kent? Ze trekken allemaal met elkaar op in Zwitserland. Ze gaan naar kostschool en zo.'

Ik trek mijn wenkbrauwen op. 'Wat zeg je, gaat ze naar Zweinstein?'

'Nee, Rachel, doe niet zo flauw. Het is meer iets ondergronds. We boffen enorm met zo'n deskundige heks als nicht,' zegt Miri met een dromerige blik.

Als je de waarheid wilt weten: ik ga ervan over mijn nek. 'Ik vind haar een beetje raar,' zeg ik.

'Ik vind haar geweldig.'

Hou me tegen, anders ga ik vreselijke dingen zeggen. 'Miri, is het niet een beetje vreemd dat ze zo veel tijd met je wil doorbrengen?'

Miri staat plotseling stil. 'Nee, Rachel, dat is het niet. Sommige mensen vinden het leuk om met mij om te gaan. Niet iedereen ziet me als een blok aan het been.'

Hallo, *drama queen*. 'Dat weet ik, maar Liana is twee jaar ouder dan jij. Ik vraag me af waarom ze zo veel moeite doet om met jou bevriend te raken en niet met mij, dat is alles.'

'Is het voor jou zo moeilijk te geloven dat iemand de voorkeur geeft aan mij boven jou?'

'Dat bedoelde ik niet.'

'Het is wel zo. Ja, Liana vindt het leuker om met mij om te gaan dan met jou. En zal ik je eens wat vertellen? Ik ga liever om met Liana dan met jou. Ze respecteert me en vindt het leuk om bij me te zijn. Ze geeft om wezenlijke dingen, dingen die belangrijker zijn dan populariteit, steil haar en jongens die háár niet eens leuk vinden!'

Ik hap naar adem. 'Ik kan niet geloven dat je dat net zei.'

'Nou, ik deed het wel. Het is waar. Ik kan maar niet begrijpen dat je zo met jezelf bezig bent.'

'Dat ben ik niet! Je kunt maar beter je excuses aanbieden,' zeg ik tegen haar.

'Waarom? Verander je me in een rol wc-papier als ik het niet doe?'

Ik ben zo boos dat ik wegren en haar op de weg achterlaat. 'Ik praat niet meer met je tot je je excuses aanbiedt,' roep ik over mijn schouder.

'Kan me niet schelen! Ik heb een veel beter iemand om mee te praten!'

Slijmbal. Als Liana en ik op onze kanotocht zijn, is Prissy de enige die met haar wil praten.

Ik hoop dat Miri potjeslatijn kent.

Tenten en andere rampen

'Knokkels naar buiten, Rachel, knokkels naar buiten,' zegt Carly.

Helaas kan ik nog steeds niet goed kanoën. Wat verbazingwekkend is, want het is slaapverwekkend eenvoudig. In-uit, in-uit, herhaal dit proces een miljoen keer.

Carly zit bij de achtersteven achter me, want daar hoort de beste kanoër te zitten. Poedel heeft beslag gelegd op de voorsteven. Ik zit in het waardeloze midden, de enige plek waar geen bankje zit en die dus pijnlijk knielen vereist.

'Liet er iemand een wind?' vraagt Carly.

'Jakkes, nee,' zegt Poedel.

'Toch ruik ik iets.'

'Wie het 't eerst ruikt, heeft het zelf gedaan,' plaag ik Carly.

'Misschien zijn het de kalkoensandwiches,' zegt ze.

'Kalkoen stinkt niet,' zeg ik. We bewaren onze lunch in de kano. Het avondeten (hotdogs), het ontbijt voor morgenochtend en een griezelig ogende vegetarische optie, waar Rose naar verwijst als vegapasta, zitten in de koelbox van de leiderskano.

'Wel als het twee uur in de zon heeft liggen bakken,' zegt Carly.

'Mogen we even rusten?' smeek ik. 'Mijn armen doen ontzettend zeer.'

We tillen onze peddels uit het water en leggen ze dwars over de boot. Ah. Dat is beter.

In onze kano liggen ook een tent en drie plastic vuilniszakken (om spullen droog te houden). In mijn vuilniszak zitten mijn opgerolde slaapzak, een handdoek, extra kleren en waterflessen.

Cece, Liana en Morgan zitten vlak achter ons.

Poedel draait zich om en kijkt ons aan. 'Rachel, je bent aan het verbranden. Heb je wel zonnebrandcrème opgedaan?'

'Ja, maar volgens mij werkt het niet. Jij bent ook vuurrood.'

Carly geeft ons de fles en we smeren ons opnieuw in.

Ik steek mijn hand in het kalme water. 'Hoe lang nog, denken jullie?'

'Het is pas elf uur, dus nog twee uur,' antwoordt Carly.

'Is het hier niet prachtig?' zegt Poedel, die het berglandschap bewondert.

Ik kijk eens goed rond. 'Net of ik in een ansichtkaart rondvaar. Was het maar niet zo heet. Ik wou dat ik in het water kon springen.'

'Niet doen,' zegt Carly. 'Dan kun je niet meer in de boot komen zonder ons te laten omslaan.'

'Weet ik, weet ik,' brom ik.

Poedel maakt een kommetje van haar hand, schept wat water op en druppelt het op haar voorhoofd. 'Probeer dat eens.'

Ik buig me opzij en maak een kommetje van mijn hand en…

We hellen naar rechts over. Oh-oh.

We hellen naar links. Weer oh-oh.

'Voorzichtig, Rachel!' roept Carly.

We hellen weer naar links en dan gaan we te water.

Plons!

Ik land met mijn gezicht naar beneden in het meer en de rand van de kano slaat tegen mijn scheenbeen. 'Au!' jammer ik. Hoe kreeg ik dat in vredesnaam voor elkaar? Ik boog me niet verder over de rand dan Poedel!

Gelach echoot van een paar meter verderop.

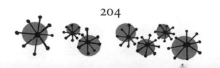

Ik til mijn hoofd boven het ijskoude water uit en zie de meisjes in Liana's boot huilen van het lachen.

Deed zij dat? Nee... dat zou ze nooit doen. Ze is mijn nichtje. Ze wil bevriend met me raken.

'Ze zijn zo gemeen,' mompelt een kletsnatte Carly en ze slaat met haar vuisten op het water. 'Liana moet volgend jaar niet terugkomen.' Ze klappertandt. 'Lieve help, dit meer is net de Poolzee.'

'Shit, mijn peddel drijft weg,' zegt Poedel en ze zwemt erachteraan.

Jammer genoeg lacht Liana het hardst, waardoor ik denk: heb jij er iets mee te maken? Ga nu niet meteen uit van het ergste, houd ik mezelf voor. Ze had geen enkele reden om mijn boot om te laten slaan. Ze wil net zo graag op goede voet met mij staan als ik met haar.

Maar waarom lacht ze dan nog steeds?

Terwijl ik aan het watertrappen ben, hoor ik in mijn hoofd Miri's stem erop aandringen om Liana het voordeel van de twijfel te geven.

Carly krijgt haar vuilniszak te pakken en probeert hem boven water te houden. Ze giechelt. 'Je bent ook zo'n kluns.'

'Maak je niet druk,' zegt Poedel, die op haar rug drijft. 'Dat was verfrissend.'

'Help me even om de boot weer rechtop te krijgen,' zegt Carly en ze zwemt naar de boot.

We verzamelen ons rond de boot en het lukt ons om hem om te draaien en erin te klimmen.

Terwijl we voorzichtig over de rand hangen om onze spullen weer binnenboord te halen, kijk ik naar Liana.

Haar mond vormt het woord 'sorry' en ze grijnst onaangenaam.

Die durft! Zij heeft het gedaan!

Wie denkt ze dat ze voor zich heeft? Ik ben tegenwoordig een megelexpert. Ik zal haar eens wat laten zien. Pure wil, help me even! Mijn vingers beginnen te tintelen. Pure wilskracht, laat me niet in de steek! Ik fluister:

**'Je bent niet zo onschuldig. Weet je wat?
Nu word jij maar eens lekker nat!'**

Mijn armen voelen rubberachtig en koud aan en dan kijk ik gespannen toe hoe Liana's boot naar rechts overhelt, dan naar links,
dan weer naar rechts…

Kom op, kom op, sla om!

…en dan ligt hij weer stil.

Shithola.

Liana kijkt me aan en tuit haar lippen, en voor ik het weet lig ik
weer in het water.

'Dit meen je niet,' gromt Carly.

Wat een expert. Liana is professioneel en ik kom niet eens in
aanmerking voor de kleutergroep.

Na twee uur komen we eindelijk aan bij Harbor Point. We trekken
onze kano's op het strand, gooien onze reddingsvesten uit en slepen onze spullen naar een open plek een eindje verderop.

Voordat we ons gaan installeren, koelen we onszelf af in het water en willen we onze lunchpakketten aanspreken.

Waar zijn onze lunchpakketten?

Het eten is uit onze kano verdwenen.

'Misschien hebben jullie ze in het meer achtergelaten,' zegt Rose
met een luide zucht. 'Jullie hebben geluk dat ik extra vegapasta heb
ingepakt.'

Waarom heb ik het gevoel dat Liana ook hier verantwoordelijk
voor is?

'Hebben jullie je drinken ook verloren?' vraagt Liana. Ze steekt
haar hand in haar vuilniszak en geeft Carly haar waterfles. 'Je mag
wel wat van mij.'

'Drink er niet uit,' zeg ik met bonzend hart.

Carly aarzelt.

'Nou, wil je wat of niet?'

Carly haalt haar schouders op en steekt haar hand uit.

'Niet doen!' schreeuw ik, maar het is al te laat. Ze heeft de helft al
naar binnen geklokt.

Carly knippert met haar ogen en knippert nog eens.
Dan kijk ze door samengeknepen ogen naar mij. 'Wat is je probleem? Ik heb dorst. Waarom zou ik niet uit haar fles drinken?'
Dat was snel.
'Ja, Rachel,' spint Liana. 'Waarom niet?'
'Omdat… omdat…' Omdat je haar vergiftigd hebt, zodat ze jouw vriendin wordt en mij gaat haten? 'Omdat ik er een insect in zag vliegen.'
'Ik heb niets gezien,' zegt Liana. 'Rachel, waarschijnlijk beeld je je dingen in. Alweer.'
Carly lacht en de moed zinkt me in de schoenen. Vergeet mijn vliegenexcuus maar; het is hier net *Lord of the flies*. Ik verlies iedere seconde vrienden.
'Hier, Poedel, jij mag ook wel wat,' zegt Liana en ze biedt haar fles aan mijn laatste overgebleven vriendin aan.
Zeg alsjeblieft nee, zeg alsjeblieft nee!
'Neu,' zegt Poedel en ze kijkt Liana strak aan. 'Ik heb het niet zo op insecten.'

Na de lunch probeert Poedel me al pratend te begeleiden bij het plassen in het bos.
'Doe alsof je op een toilet zit,' zegt ze, met haar rug naar me toe.
'Maar ik zit niet op een toilet.' In plaats van me te concentreren op de klus die geklaard moet worden, vraag ik me af of ik Poedel de waarheid moet vertellen. De héle waarheid, wel te verstaan.
'Ga op je hurken zitten, net als wanneer je op een openbaar toilet bent en je niet met je billen op de bril wilt zitten.'
Nee, ik kan het beter niet doen. Het haar vertellen, bedoel ik, niet het hurken. Wat als ze het aan iemand vertelt? Wat als ze het tegen Harris zegt? Wat als ze denkt dat ik gek ben? Mijn moeder heeft het nooit aan iemand verteld, zelfs niet aan mijn vader. Hoe kan ik het dan zomaar vertellen aan iemand die ik pas een maand ken? In plaats daarvan zeg ik: 'En als het allemaal over mijn korte broek gaat?'
'Als je fatsoenlijk hurkt, gebeurt dat niet.'

207

'Maar als het toch gebeurt?'

'Trek hem dan uit.'

Ik stap uit mijn korte broek en mijn bikinibroekje en hurk boven een boomwortel. Dan probeer ik te plassen. En ik probeer het nog eens. 'Er komt niets.'

'Concentreer je!'

Dit is nog moeilijker dan een megel.

Het kost me ongeveer vijf minuten, maar eindelijk lukt het me. 'Dat was walgelijk,' zeg ik. 'Wat een geluk dat er loodgieters zijn voor binnenshuis.'

Als ik mijn korte broek weer aantrek, valt me op dat er een grote, smerige grasvlek op zit – op een plek waar de zon niet schijnt.

Dat kan ze niet gedaan hebben. Of wel? Ik kijk rond, maar ik zie Liana niet. Maar dat is geen bewijs. Misschien heeft ze haar eigen onzichtbaarheidsparaplu meegebracht.

Daarna beginnen we met het opzetten van de tent, wat niet gemakkelijk is, aangezien Carly van team gewisseld is en er nu op staat om bij Liana, Morgan en Cece te slapen, hoewel ze maar een driepersoonstent hebben.

'Waarom zou je dat willen?' vraagt Poedel, geheel in de war.

'Omdat ik liever met hen optrek,' legt Carly uit.

'Maar vanmorgen haatte je hen nog.'

'Dat is niet waar,' zegt Carly geïrriteerd.

'Laat haar maar gaan,' zeg ik. Ik weet dat er geen hoop is. 'Meer ruimte voor ons. Laat de andere meiden maar ruimte maken voor haar sit-ups.'

Twee uur later zijn we eindelijk klaar. Ik had niet verwacht dat het een eitje zou zijn, maar het kost ons tien keer zo veel tijd als Liana's groep. Dat was te verwachten, aangezien Liana ongetwijfeld haar superkracht gebruikt heeft om het makkelijker te maken. Niet dat me dat verbaast. Ik ben alleen jaloers, omdat mijn toverkracht nog niet zo ontwikkeld is.

Als onze tent eindelijk staat, ontdekken we een gat ter grootte van een dinerbord in de top van de wigwam.

'Hoe is dat in vredesnaam gebeurd?' zegt Rose. 'Ik heb ze alle-

maal gecontroleerd voordat we weggingen.'

Dat is een vraag waar ik het antwoord op weet. Wat ik me afvraag is waarom.

Ik zet Liana klem als ze het water in gaat. 'Waarom?'

Ze buigt haar hoofd achterover om haar haren nat te maken. 'Waarom wat?'

'Waarom probeer je mijn leven zo ellendig te maken? Ik dacht dat we vriendinnen zouden worden.'

'Je bedoelt waarom ik je kano heb laten omslaan, je vriendinnen gestolen heb, je korte broek vies gemaakt heb en een groot, lelijk gat in je tent gemaakt heb?'

Ze probeert het niet eens te ontkennen? 'Ja, dat.'

'Omdat ik je niet mag.'

'Meen je dat?'

'Ja. Dat is de reden. Je hebt me een vraag gesteld en ik heb hem beantwoord. Donder nu maar op.' Ze loopt onbekommerd het meer uit.

Ik ben te geschokt om te antwoorden. Als ze me niet mag is het ook mogelijk dat ze Raf betoverd heeft, zodat hij haar kuste, en daarna de herinnering eraan uit zijn geheugen heeft gewist, simpelweg om mijn leven te verpesten. Wat moet ik doen? Ik blijf nog even in het meer om mezelf te kalmeren. (Oké, dat is een leugen. Ik blijf nog even in het meer omdat ik bang ben voor de bossen en omdat ik alweer moet plassen, maar dat blijft ons kleine geheimpje.)

Het regent de hele nacht.

Nu begrijp ik het gat in de tent.

Tegen de ochtend zijn Poedel en ik allebei koud en rillerig en niet in de stemming om de vier uur terug te roeien naar het kamp. Vooral niet omdat Poedel en ik de slechtste roeiers ter wereld zijn en Carly vastbesloten lijkt om met de anderen mee te varen.

'Carly, we hebben je in de andere tent laten slapen, maar je móét met Rachel en Poedel mee terugkanoën,' zegt Rose, terwijl ze haar reddingsvest weer aantrekt. 'Ze zijn niet sterk genoeg zonder jou.'

'Maar er is plaats voor me in Liana's boot!'

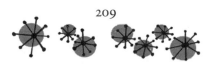

Rose trekt haar ik-meen-het-serieusgezicht, dat hetzelfde is als haar gemene gezicht. 'Pech.'

Ha! In stilte verontschuldig ik me tegenover welke hogere macht dan ook voor iedere onaangename gedachte die ik over Rose gekoesterd heb. Carly is een kanoster van de bovenste plank en we hebben haar nodig. Jammer genoeg voor ons, hoe gemeen Rose ook was, Carly is nu gemener.

'Laat die roeispaan voorzichtig in het water glijden, Rachel, sla er niet zo mee. Je blijft me natspatten.'

'Ik doe mijn best, het spijt me.' Geloof me, ik wil echt graag mijn best doen. Om verschillende redenen is me er veel aan gelegen om zo snel mogelijk in het kamp terug te zijn. Ten eerste is Liana een heks. Ten tweede is Liana slecht. Ten derde heb ik lang en diep nagedacht over de situatie met Raf, en hoewel ik niet zeker weet of ik de zoen gehallucineerd heb, ook als dat niet zo is weet ik zeker dat Liana ervoor verantwoordelijk is. In beide gevallen denkt Raf nu dat ik me als een idioot gedraag, dus ik moet mijn excuses aanbieden. Om vergeving smeken. Hem vertellen dat ik die avond koorts had en ijlde.

Waarom heb ik ooit aan hem getwijfeld? Precies datzelfde bracht me bij het lentefeest in de problemen.

'Je knokkels moeten naar buiten wijzen, Rachel, je knokkels moeten naar buiten!'

Als ze zo doorgaat, krijgt ze mijn knokkels tegen haar voorhoofd.

'Kunnen we even uitrusten?' vraag ik een uur later uitgeput. 'Mijn armen doen heel erg pijn.'

'Ik zou niet weten waarom,' bijt Carly me toe. 'Je doet er niets mee.'

Ik sla met mijn peddel in het water en sproei achter me met water. Dat was met opzet.

Als we het kamp naderen, horen we via de luidsprekers de aankondiging van de lunch. Perfect. In de eetzaal kan ik met Raf praten. Of hem zoenen. Als hij me vergeeft.

Nadat ik mijn spullen op mijn bed gedumpt heb, ren ik naar de

eetzaal en loop regelrecht naar Rafs tafel. Rafs lege tafel.

'Ze zijn net vertrokken voor hun kanotocht,' vertelt Poedel me.

'Maak je een grapje?'

'Ik ben bang van niet. Harris is met hen meegegaan. Hij heeft een briefje voor me achtergelaten.'

Mijn schouders zakken naar beneden van teleurstelling. 'Dat is shit.' Nu moet ik nog een dag wachten voordat ik met hem kan praten. 'In elk geval zijn ze morgen weer terug.'

Poedel schudt haar hoofd. 'Ze zijn voor drie nachten weg. Voor donderdag zijn ze niet terug.'

'Dat is ongelooflijk seksistisch,' roep ik. 'Zij gaan drie nachten weg en wij maar één?'

'Had je langer willen blijven?'

Ik ril van afschuw. 'Geen schijn van kans.'

Maar nog drie nachten in een Rafloze wereld... Ik weet niet hoeveel ik nog aankan.

Na de lunch laat Rose ons de douches bij het zwembad gebruiken, terwijl zaal vijftien naar Upper Field gaat. Ik weet niet zeker of ze aardig doet omdat ze vindt dat er een band is ontstaan tijdens de kanotocht of alleen omdat ze onze stank niet kan verdragen, maar we klagen niet.

Liana, Morgan en Carly gaan eerst, terwijl Poedel en ik op de tribune bij het zwembad wachten.

Morgan en Liana zijn het eerst klaar en dan zijn Poedel en ik aan de beurt. Ik hang mijn badjas aan het haakje buiten het hokje en stap onder de gloeiend hete straal. Ah. Dat voelt goed. Het hete water geselt mijn rug en mijn armen. Als ik klaar ben, steek ik mijn hand uit om mijn badjas te pakken.

En voel.

Waar is mijn badjas? Ik duw het gordijn opzij en ontdek dat het haakje leeg is. 'Poedel!' schreeuw ik. 'Poedel!'

'Wat is er? Heb je conditioner nodig?'

'Ik heb mijn badjas nodig!'

'Hangt hij er niet?'

'Als hij er hing, had ik hem toch niet nodig?'

'Wacht even, ik ben bijna klaar,' zegt ze en ze zet de kraan uit. Door mijn kijkgaatje kijk ik toe hoe ze de omgeving van het zwembad afzoekt. 'Je hebt gelijk, hij is weg.'

'Liana,' zeg ik. Zij is hier ongetwijfeld verantwoordelijk voor.

'Dat is echt misdadig,' zegt Poedel en ze schudt haar hoofd. Inmiddels is Carly ook al weg. We zijn nog met z'n tweeën. 'Wacht hier even. Ik ren terug naar de slaapzaal en haal een handdoek voor je.'

Poedel vertrekt en ik blijf rillend achter. Terwijl ik sta te wachten, verzamel ik al mijn pure wilskracht en probeer een badjas te toveren. Ik knijp mijn ogen stijf dicht en probeer badstof te visualiseren. Ik voel iets op mijn tenen en open mijn ogen. Het is een washandje. Een piepklein washandje, nog niet eens groot genoeg om mijn kleinste borst mee te bedekken.

Ik zet de hete straal aan om warm te blijven. Ik vermoord Liana. Vermoord haar. Of neem in elk geval wraak. Niet boos worden maar wraak nemen, zo was het toch?

Na tien minuten denk ik een vaag geklop op de deur te horen en ik draai snel de kraan dicht. Om eerlijk te zijn heb ik geen keus. Het water is koud.

Ik steek mijn hoofd om het douchegordijn en hoor Poedel roepen: 'De deur zit op slot! Je moet me erin laten!'

Dat meent ze niet. Op hoop van zegen dan maar. Ik controleer de muren van het zwembad, waar ramen in zitten, om zeker te zijn dat de kust veilig is, ren naar de deur, ruk hem open, grijp de handdoek en wikkel hem met een snelle beweging om me heen.

Ongelooflijk dat ik dat voor elkaar heb gekregen.

Of niet. Vanuit mijn nieuwe positie zie ik dat ik vanuit de douche een dode hoek had. Voor het raam staan Prissy en vijf van haar medekampeerders me aan te staren.

Het had erger gekund. Het hadden de jongens van het beginnerskamp kunnen zijn.

Of erger nog, de Leeuwenjongens.

'Ik weet zeker dat jij hem weggehaald hebt.' Ik sta bij ons stapelbed, nog steeds in mijn handdoek en wijs met mijn vinger naar mijn nicht.

Ze kijkt op van haar *Vogue* en rolt met haar ogen. 'Ik heb geen idee waar je het over hebt.'

'Dat heb je wel.'

'Ze heeft je kostbare badjas niet weggehaald,' zegt Morgan. 'Wij waren erbij. Dan hadden we het gezien.'

'Een van jullie heeft hem weggehaald,' zegt Poedel. 'Hij is niet uit zichzelf verdwenen.'

Heel waarschijnlijk dat dat wel zo is.

Nu is het afgelopen. Ik heb het helemaal gehad. Ik kan niet blijven toekijken en dit allemaal laten gebeuren. Geen gerotzooi meer. Ik moet mijn toverkracht zo snel mogelijk op niveau brengen. Vuur moet met vuur bestreden worden, niet met zielige lucifers.

Dit gaat niet meer om wraak; het is oorlog!

Ik heb Miri's hulp nodig. Helaas praat Miri niet meer met me. Ik heb een plan B nodig.

'Waarom neem je je paraplu mee?' vraagt Poedel de volgende dag, als we op weg zijn naar het strand om te gaan zeilen. 'Het regent niet.'

'Die wolk ziet er tamelijk dreigend uit.' Ik leg een hand op mijn maag en kreun. 'Weet je, Poedel? Ik voel me niet goed. Ik ga even langs bij de ziekenboeg om met dokter Dina te praten. Vertel jij aan de zeilers waar ik ben? En aan Deb, als ik niet bij AZ ben?' Volgende halte zijn de Oscars!

Ik haast me de weg op, maar in plaats van naar de ziekenboeg te gaan, sluip ik Miri's lege slaapzaal binnen. Ik begeef me rechtstreeks naar haar bed en snuffel snel tussen haar bezittingen tot ik vind wat ik zoek: haar namaaketui.

Ik heb mijn eigen babypoeder meegenomen.

Ik sluip de eetzaal binnen, open de onzichtbaarheidsparaplu, strooi het poeder op het etui en breng de middag studerend door.

Het is tijd voor een spoedcursus wraak.

'Jemig!' gilt Carly en ze wijst.

We komen net terug van het avondeten, en als we de heuvel op-klimmen wringt een stinkdier zich net door de voordeur van onze blokhut, rent de trappen af en schiet het bos in.

We haasten ons alle vijf de blokhut in om te zien wat de schade is. We lopen achter onze neus aan naar de kastenkamer.

Carly is bijna in tranen. 'Welke heeft hij te pakken genomen?'

Trishelle tuit haar lippen en wijst naar het kastje in de hoek – het perfecte kastje dat eruitziet alsof het nooit aangeraakt wordt.

Liana's gezicht is witter dan mijn lakens.

'Wat jammer is dat,' spin ik. 'Echt, Liana, ik vraag me af waarom hij het jouwe gekozen heeft.'

Ze balt haar vuisten. 'Dat vraag ik me ook af. Ik kan je één ding wel vertellen. Dat stinkdier gaat er spijt van krijgen.'

Goed werk!

'Wakker worden, iedereen, wakker worden!' zegt Janice de volgen-de morgen, terwijl ze onze slaapzaal binnen stormt.

Ik draai me om in bed.

Kriebel. Krab.

Krab, krab.

Mijn hoofd jeukt. Waarom jeukt mijn hoofd?

Ik krab opnieuw en beweeg mijn hand langzaam voor mijn ogen.

Een klein, roodbruin beestje rent langs mijn vinger. Luizen. Ik gil en gil en gil dan nog een keer.

'Liana, er zit iets op je arm,' hoor ik Carly zeggen.

'En op je andere arm. En op je benen.'

Ze komen net terug van het douchen en zijn zich in de kasten-kamer aan het omkleden. Ik ben niet met hen meegegaan, omdat ik al een halve dag heb doorgebracht onder de douches van de zie-kenboeg met een fles luizenshampoo. De andere helft van de dag heb ik op een bank in de ziekenboeg doorgebracht, samen met een verpleegster met een luizenkam. Aangezien mijn lakens en mijn deken nog steeds gedesinfecteerd worden, lig ik op mijn slaapzak.

'Het is rood,' zegt Carly.

'Het is walgelijk,' zegt Morgan.

'Het is uitslag van berenklauw,' sist Liana.

Helemaal juist.

'Ik wil mijn etui. Nu!' schreeuwt Miri, met haar handen stevig op haar smalle heupen.

'Oh, nú praat je wel tegen me.' Ik leg mijn winnende kaarten op de kop op de veranda neer. Het is vrije tijd en Poedel en ik zitten midden in een kaartspel.

'Ik praat niet tegen je,' bijt Miri me toe. 'Ik schreeuw tegen je.'

'Ik kom zo terug,' vertel ik Poedel, als mijn zus me aan mijn arm de blokhut in sleept. Ik raap Miri's boek op en gooi het naar haar toe. 'Alsjeblieft.'

'Naar buiten!' blaft ze. Ik volg haar naar de achterkant van de blokhut.

Haar ogen puilen uit haar hoofd als trapveren. 'Heb jij Liana uitslag van berenklauw bezorgd?'

'Miri, doe even rustig…'

'Ga me niet vertellen dat ik moet kalmeren. Vertel me gewoon de waarheid!'

Best. 'Ja.'

Ze hapt naar adem en verslikt zich daar vervolgens in. 'En je hebt mijn spreukenboek gebruikt om je daarmee te helpen?'

'Ja.'

Een moment van rust en dan explodeert ze opnieuw. 'Hoe kon je dat mijn beste vriendin aandoen!'

'Je beste vriendin' – ik vind het niet te geloven dat ze die slechte heks haar beste vriendin noemt! – 'heeft me luizen bezorgd!'

'Niet waar. Ik weet zeker dat je ze van Prissy of van een van haar smoezelige vriendinnetjes hebt gekregen.'

'Prissy heeft geen luizen. Heeft Liana je dat verteld?'

'Ja, inderdaad.'

Nu ben ik woest. 'En jij gelooft haar? Dat is echt geweldig, Mir.

Je gelooft de woorden van iemand die je amper vijf weken kent eerder dan die van je zus?'

'Zij komt tenminste haar beloften na.'

'Je bent een goedgelovige sukkel.'

'Ik heb genoeg van je!' schreeuwt Miri en ze schopt tegen de groene muur. 'Je bent me altijd aan het kleineren! Alles draait om jou! Zo is het al sinds ik geboren ben!'

'Als je me zo haat, ga dan bij een andere familie wonen!'

'Dat ben ik ook van plan,' zegt ze langzaam. 'Liana wil dat ik met haar meega naar haar kostschool in Zwitserland, en dat ga ik doen.'

Dat is het allerbelachelijkste wat ik ooit gehoord heb. 'Je kunt niet naar kostschool,' zeg ik schamper. 'Mam laat je nooit gaan.'

'Nou, dan heb ik nieuws voor je, Rachel. Ze kan me niet tegenhouden.'

'Natuurlijk wel! Je bent twaalf!'

'Ze heeft geen inspraak in wat ik doe. Wist je dat heksen geloven dat een meisje volwassen is als ze twaalf wordt? Het is net als in het jodendom.'

'Dat kan wel zijn, maar je mag er nog steeds niet heen.'

'Ze is niet de baas over mij.'

'Eh, ja, dat is ze wel, Mir. En ik ga haar vertellen wat je van plan bent.'

'Ga je gang. Ze komt er ooit toch achter.'

'Ik ga haar nu schrijven.'

'Jammer dat ze weg is. En je kunt het vergeten om nu te sms'en of te e-mailen. Liana heeft al een blokkeerspreuk gefabriceerd. Tegen de tijd dat mam terug is, ben ik al weg.'

'Oh, denk je dat? Wanneer ben je precies van plan om te vertrekken?'

'Zaterdagnacht. Liana en ik zien geen enkele reden om nog langer op dit kamp te blijven. Het is nogal een verspilling van onze tijd. Liana geeft om dezelfde dingen als ik. We gaan de laatste paar weken van de zomer besteden aan nuttige zaken. We gaan onze krachten gebruiken om mensen te helpen. En aan het eind van de maand begint het nieuwe schooljaar.'

'Je kunt niet vertrekken. Mam heeft je een locatieboei om je enkel gegeven om te voorkomen dat je vertrekt.' Nou zij weer! Miri wuift mijn woorden weg. 'Liana is een briljante heks. Zij weet hoe je daarvan afkomt.' Liana dit, Liana dat. 'Mag ik vragen hoe je voor die school denkt te gaan betalen?'

'Ik ben een heks, Rachel. Ik tover wel wat geld. Ik tover toelatingspapieren. Dat kan ik; ik ben een ongelooflijk machtige heks, weet je.' Ze speelt met haar scoubidou-armbandje. 'Liana zegt dat ik een van de machtigste heksen ben die ze ooit heeft gezien. Zelfs machtiger dan mam.'

Die loopt een flink eind naast haar schoenen. 'Ze gaan je zoeken. Ze slepen je naar huis.'

'Nee, hoor. Het kan ze niet schelen. Het zal mam niet eens opvallen dat ik weg ben.'

Ik zucht. 'Oh, Miri, natuurlijk wel.'

'Nee, hoor! Niemand zal het merken. Mam heeft het te druk met Lex en pap heeft het te druk met Jennifer en Prissy, en met de nieuwe baby krijgt hij het nog drukker. En jij hebt... jij hebt het altijd druk met je vriendinnen en met je vriendjes.'

Is dat echt hoe ze het ervaart? 'Mir, je weet dat dat niet waar is.' Niet recent althans, want ik heb nog maar één kampvriendin en nul vriendjes. Schuldgevoel sijpelt door me heen. Ik ben te veel met één ding bezig geweest. Maar ik ben een tiener! Die horen met één ding bezig te zijn!

Ze knabbelt aan haar vingers onder ons gesprek. 'Je hebt me de hele zomer genegeerd. Je gaf alleen om me als je me nodig had. Als je mijn magische krachten nodig had. Nu je ze zelf hebt, heb je me nergens meer voor nodig. Maar Liana geeft om me.'

Ik grijp haar stevig bij haar schouder. 'Miri, ik geef om je. Ik wil álles voor je doen.'

Ze kijkt naar de grond in plaats van naar mij. 'Op school zal het niemand opvallen. Ik heb toch geen vriendinnen.'

'Omdat je je best niet doet!'

Ze schudt haar hoofd. 'Je weet best dat ik er niet bij hoor. Niet

zoals jij. En Liana kent heel veel tienerheksen over de hele wereld. Meisjes net als ik.'

'Ik laat je niet gaan.'

'Je hebt geen keus en mam ook niet. Ik ben een machtiger heks dan zij, en met Liana's macht als hulp kan niets me tegenhouden.'

En op dat moment besef ik dat ze dit echt kan gaan doen. We lopen het gevaar net zo te eindigen als mijn moeder en tante Sasha en dan zie ik haar nooit meer terug. Waarom kan ik haar niet naar me laten luisteren? 'Doe dit alsjeblieft niet,' zeg ik en mijn stem slaat over. En dan, heel zacht: 'Ik... ik zal je zo missen.'

Ze aarzelt.

'Wat is er?' vraag ik.

Ze kijkt me aan met grote ogen vol hoop. 'Als je zoveel om me geeft, ga dan met me mee.'

Ik doe een stap achteruit. 'Ik kan niet zomaar weggaan!' Of wel? Goed, mijn ouders zijn maf. Oké, ik woon in een overvol appartement met één badkamer en op school heb ik maar één goede vriendin. Maar je kunt niet zomaar weglopen als het even moeilijk wordt. Je problemen reizen gewoon met je mee. 'Nee,' zeg ik. 'Dat is niet de oplossing.'

'Zie je wel?' zegt ze zacht. 'Je bent een leugenaar. Je wilt niet álles voor me doen.'

En daarmee loopt ze weg en ze kijkt niet meer om.

Laten we iets afspreken

Na bedtijd klim ik mijn ladder af en ga ik naast ons bed staan. 'We moeten praten.'

Het nachtelijk maanlicht glijdt door het raam en verlicht haar onaangename grijns. 'Graag.'

'Laten we ergens heen gaan waar we privacy hebben. De LW?'

'Het nachtelijk vrijcentrum? Daar heb je amper privacy. Ik ga liever naar het uitkijkpunt.'

'Ik ben niet zo in de stemming voor een wandeling.' Of voor bijen, trouwens.

'Alsjeblieft, zeg,' snuift Liana. 'Wat voor heks denk je dat ik ben?' Met een knip van haar vingers stijgt de slaapzaalbezem op van zijn plek bij de deur, zoeft door de zaal en landt in haar hand. 'Kom, we gaan.'

Ik wou dat ik mijn helm had.

We stijgen op van de veranda en zoeven in dertig seconden precies naar het uitkijkpunt.

Ik glijd zodra mijn tenen de grond raken van haar bezem, naar de veiligheid.

'Dus,' zegt ze en ze draait de bezem als een majorettestokje in haar hand, 'waar wil je het over hebben?'

'Je neemt Miri niet mee naar kostschool,' zeg ik, rillend van de kou. Het is hier kouder dan ik had verwacht.

'Ik denk niet dat jij dat bepaalt,' zegt ze kalm.

'Ze is helemaal zichzelf niet meer. Heb je haar betoverd?' Ik weet zeker dat dat het geval is.

Liana lacht. 'Je zult moeten accepteren dat je zus mij mág. Ze is liever samen met míj. Ik kan haar dingen leren waar jij niet toe in staat bent. Je moet je afvragen wat het beste voor haar is, Rachel. Het wordt tijd dat je eens aan iemand anders dan jezelf denkt.'

Ik probeer mijn gedachten te ordenen door naar de met sterren bezaaide hemel te kijken. Ben ik egoïstisch? Is Miri beter af bij Liana?

Nee. Wat zou Liana Miri leren? Hoe ze slecht moet worden? En Miri is veel te jong om alleen te zijn. 'Je bent niet goed wijs als je denkt dat ik haar door jou laat meenemen.'

Ze lacht – kakelt – opnieuw. 'Jij bent niet goed wijs als je denkt dat je mij kunt tegenhouden.'

Daar heeft ze een punt. Hoe zou ik haar kunnen tegenhouden? Haar toverkracht ligt lichtjaren voor op de mijne. Proberen haar te bestrijden is net zoiets als haar uitdagen voor een tenniswedstrijd, een beginner tegen een prof. Ik moet dit anders aanpakken: met smeken. 'Alsjeblieft, Liana. Vertel Miri dat dit een slecht idee is. Je kunt altijd tijd met haar doorbrengen. Je kunt de volgende zomervakantie met haar samen zijn, als je wilt. Je hoeft haar niet te ontvoeren. Denk er eens aan hoe wanhopig mijn ouders zouden zijn.'

Ze houdt haar hoofd schuin, alsof ze hierover nadenkt. 'Tja, als je het zo stelt...'

Mijn hart bonst. Het werkt! Het smeken werkt! Wist jij dat smeken zo effectief was? Ik had Raf vanaf dag één om een kus moeten smeken. Nee, dat heb ik niet gezegd. Een meisje moet wel wat trots hebben, tenslotte. Maar als er een zus op het spel staat, gaat de trots overboord! 'En hoe moet ik het mijn vader uitleggen?' dring ik aan. 'Hij weet niet eens dat we heksen zijn!'

'Er is één andere mogelijkheid,' zegt Liana en ze knikt. 'Maar jij bepaalt dat meer dan Miri.'

Ik denk even na. 'Wat is dat dan?'

Ze kijkt me recht aan. 'Ik neem Miri niet mee naar kostschool als jij met mij van geest wilt ruilen.'

Hè? 'Waar heb je het over?'

'Er is een ruilspreuk, waarbij twee mensen van geest kunnen ruilen zonder dat iemand het merkt,' legt ze gehaast uit.

Waarom wil de geweldige en chique Liana van plaats ruilen met een saaie persoon als ik? 'Maar waarom wil je mij zijn?' vraag ik. Dat slaat nergens op. Ik kan me niet voorstellen dat ze met mij van plaats wil ruilen zodat Miri bij haar kan zijn. In haar gemene geest is ze iets anders aan het bekokstoven. Ik weet het zeker.

Ze haalt haar schouders op. 'Het is echt een coole spreuk en ik heb hem altijd al willen uitproberen. Als je eenmaal geruild hebt, zie je alle herinneringen van de ander en zo.' Ze slaat haar armen over elkaar. 'Nou, wil je het proberen of niet?'

'Voor hoe lang ruilen we dan?' vraag ik met groeiende achterdocht.

Ze kijkt weg. 'Weet ik veel. Niet lang.'

'Hoe lang?' herhaal ik.

Ze aarzelt voordat ze antwoord geeft. 'Tot we allebei terug willen ruilen.'

Er lopen rillingen over mijn rug. En als Liana nooit meer terug wil ruilen? Goed, ik heb zo mijn problemen, in mijn leven, maar zal ik je eens wat vertellen? Ondanks al mijn problemen ben ik blij dat ik ik ben. 'Ik vind dit helemaal geen goed idee,' zeg ik. Ik mag haar nu nog minder. Ze is de laatste persoon die ik ooit zou willen zijn.

'Kom op, Rachel. Je klaagt constant over je leven. Over hoe irritant je familie is. Dat de jongen op wie je verliefd bent je maar niet zoent. Dat je thuis geen vrienden hebt. Zou je er geen móórd voor willen doen om mij te zijn?'

'Ik klaag nooit over...' Ik zwijg. Ze heeft gelijk. Ik klaag wel. Maar zoals ik al zei, ik heb misschien problemen, maar ik wil mijn leven absoluut niet ruilen, zelfs niet voor twee precies even grote

borsten. 'Nee,' zeg ik. 'Absoluut niet.'

'Dan zijn we weer bij optie één,' zegt ze. 'Dan neem ik Miri mee.'

'Dat is chantage!' roep ik. 'Dat mag je niet doen!'

Als de situatie niet zo beangstigend was, zou ik erom lachen. Als Liana in het begin met dit plan bij me gekomen was, voordat ze zo gemeen ging doen, was ik misschien wel akkoord gegaan. Kom op, ik hou best van een goede grap, net als iedereen. Wat ik bedoel is dat het me voor een tijdje best leuk lijkt, voor een dag of twee, of zelfs voor een week. Dan kon ik bij tennis ook eens wat winnen. Maar op dit moment gebruikt ze het om me te chanteren.

De vraag is: waarom wil ze mijn leven? Ik geloof geen moment dat ze ook maar een sikkepit om Miri geeft.

Ze gooit haar been over de bezem en zweeft naar dertig centimeter hoogte. 'Ik kan doen wat ik wil. Snap je het nog niet, Rachel? Ik krijg altijd mijn zin.'

Daarmee vliegt ze weg en laat mij achter in de duisternis. En alsof dat nog niet erg genoeg is, moet ik nu de hele weg terug lopen.

Op de terugtocht krijg ik een totale paniekaanval. Ten eerste zweer ik dat ik in de verte gejank hoor. Echt fantastisch. Om een perfecte avond af te ronden word ik zo opgegeten door een wolf.

Maar wat erger is: wat moet ik doen? Ik moet een manier vinden om Liana tegen te houden, ik moet haar op haar eigen terrein verslaan.

Kon ik maar in contact komen met mijn moeder. Maar Miri zei dat Liana een blokkeerspreuk heeft gebruikt. Ik hoef die blokkade alleen maar op te heffen en daarvoor moet ik Liana's spreukenboek in handen krijgen. Juist, en daarna kunnen jullie me tot koningin van Engeland kronen.

Ik sla een mug uit mijn haar.

Ik moet het proberen. Ik heb geen keus. Ik sluip zachtjes de slaapzaal in en tref mijn vijand slapend aan. Ha! Sukkel. Ik had verwacht dat ze slimmer was. Ik pak gewoon haar juwelenkistje en…

Waar is haar juwelenkistje?

Haar juwelenkistje is weg. Heeft ze het verstopt of heeft ze haar

spreukenboek in iets anders veranderd? Misschien in een kam? Een fles zonnebrandcrème? Ik kijk rond naar al onze eigendommen. Ze kan het spreukenboek overal in veranderd hebben.

Ik grijp mijn babypoeder en begin ermee te strooien, eerst op Liana's spullen en daarna scheutig door de slaapzaal, terwijl ik voortdurend de juiste spreuk mompel.

Niets verandert van vorm. In plaats daarvan ziet het eruit of het hier gesneeuwd heeft. Dat, of iemand heeft echt ernstige roos.

'Pinguïnbeer is helemaal wit!' roept Carly, mij daarmee wakker makend.

Liana's gelach echoot door de zaal.

Ik verstop mijn hoofd onder de deken. Dit is nog niet voorbij. Nog lang niet.

Yes! Raf komt vandaag terug! Niet dat ik de energie heb om dat ook nog aan te kunnen. Zeg nou zelf. Op dit moment heb ik wel iets anders aan mijn hoofd dan me verontschuldigen en de relatie met mijn zogenaamde vriendje veiligstellen.

Hoewel, misschien is het zo dat als ik één aspect van mijn leven op orde breng, de rest ook op zijn plek valt. Net als bij wiskunde: wanneer je bij een wiskundesom begint met wat tussen haakjes staat, dan gaat de rest van de vergelijking ook ergens op lijken.

De jongens worden niet voor vier uur verwacht, wat precies midden onder AZ valt. Poedel en ik liggen op onze strandhanddoeken te wachten, met onze ogen op stokjes om op het meer binnenkomende boten te ontdekken. Ik loop straks recht op Raf af en plant een zoen op zijn lippen. Daarna ga ik me verontschuldigen. Het maakt me ook niet uit wie het ziet. Dit gaat vandaag gebeuren. Nu. Zodra hij zijn kano aan land brengt. (Ik weet niet zeker of je een kano aan land brengt, maar het klinkt goed omdat je hem op het land trekt.) Misschien heeft het een schokeffect op mijn zus – die mij negeert en aan de andere kant van het strand een boek leest – zodat ze van mening verandert.

'Ik mis Harris heel erg,' zegt Poedel en ze frummelt aan haar haren. 'Zie ik er goed uit?'

223

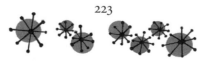

'Je ziet er zoals gewoonlijk fantastisch uit.' Ik, daarentegen, sta geheel onverschillig tegenover mijn uiterlijk. Raf heeft me al in mijn pyjama gezien, met een giganorme buil op mijn hoofd en onder de bijensteken. Ik betwijfel of het gladmaken van mijn haar de weegschaal zal doen doorslaan. Alles wat ik wil, is hem zoenen! 'Je weet dat je Harris niet in het openbaar kunt zoenen, hè? Hij hoort nog steeds bij de staf.'

Ze zucht. 'Dat weet ik. Maar ik wil hem zo graag zien. Ik weet dat ik beweerde dat het maar een zomerverliefdheid is, maar ik geloof dat ik echt op hem val.'

'Maar jullie wonen aan de andere kant van het land.'

Haar ogen stralen. 'We hebben nog twee weken te gaan. En misschien wil hij wel overwegen om over te stappen naar de Universiteit van Californië in Los Angeles.'

'Oh, is dat niet lief?' zegt Liana, terwijl ze behaaglijk naast ons in het zand komt liggen.

'Dit heeft niets met jou te maken,' vertel ik haar.

'Ik meen het, Liana,' zegt Poedel en ze doet haar haren opnieuw goed. 'Wegwezen.'

Liana grijnst. 'Alles heeft met mij te maken. Heb je dat nu nog niet in de gaten, Rache?'

'Daar zijn ze!' gilt Poedel en ze komt overeind. 'Ik ga op de steiger wachten.'

De vier kano's komen in zicht en varen naar het kamp. Harris zit vooraan in de eerste boot; Raf zit achteraan in de tweede. 'Ik kom zo!' roep ik naar Poedel, die over het strand rent.

'Nee hoor,' zegt Liana.

Ik kijk haar woest aan. 'Ja hoor.'

'Domme Rachel. Wanneer leer je eindelijk eens dat ik de boel hier bepaal?' Ze zucht overdreven.

'Ik heb erover nagedacht en we gaan het spel als volgt spelen. Je moet weten dat je me gisteren verbaasd hebt. Ik verwachtte dat je meteen akkoord zou gaan met mijn plan. Ik dacht dat je het geweldig zou vinden om een tijdje in mijn schoenen te staan. Het had een eenvoudige keuze voor je moeten zijn. Je zus gaat met mij mee of jij wordt mij. Maar in plaats daarvan dwing je me om dit veel moeilijker te maken dan nodig was.'

'Waar heb je het over?'

'Kop dicht en luisteren,' beveelt ze met ijskoude stem. 'We gáán van plaats ruilen. Snap je het dan nog niet? Daarom ben ik hier. Juist daarom ben ik op kamp gegaan.'

Pardón?

Liana's ogen gaan onrustig over het strand. 'De vraag is: hoever moet ik gaan om te krijgen wat ik hebben wil?'

De rillingen over mijn rug zijn terug. 'Wat ga je doen?'

Poedel zwaait naar Harris en rent naar hem toe.

'Laat haar met rust,' zeg ik.

Liana negeert me.

'Niet doen!' roep ik en dan voel ik een vlaag koude lucht en moet ik machteloos toekijken hoe Poedel haar armen om Harris heen slaat en hem recht op zijn mond zoent.

Helaas ben ik niet de enige getuige. Deb ziet het. Anthony, Abby, Mitch, Janice, Houser en Rose zien het allemaal ook.

Dat kan niet goed gaan.

Liana zucht. 'Zeg maar dag tegen Harris. Ik durf te wedden dat hem gevraagd wordt om het kamp onmiddellijk te verlaten. Misschien moet Poedel ook wel weg. Jammer. Twee weken te vroeg.'

Ineens word ik overspoeld door misselijkheid. 'Je bent gestoord,' zeg ik.

'Nee, ik weet alleen wat ik wil. Ben je al bereid om te ruilen?'

Ik geef geen antwoord.

Haar ogen zijn gericht op de steiger. 'Kijk eens naar Raf in zijn kano. Ziet hij er niet uit of hij zich goed vermaakt?' vraagt ze.

Ik voel weer een golf kou en met een beweging van Liana's pols draait Blume, met de peddel nog in zijn hand, zich om en slaat Raf van de steiger af. Raf landt ondersteboven in het water en komt hoestend weer boven.

'Laat Raf met rust!' roep ik.

'Dat doe ik als jij met me ruilt.'

In elk geval gaat het goed met Raf. Ik kijk toe hoe hij zich op de

225

steiger hijst. 'Nee,' zeg ik helder. 'Ik laat me niet door jou op mijn kop zitten. Ik ruil niet met je.'

Haar wangen worden rood van woede. Ze knijpt haar lippen op elkaar, kijkt nogmaals het strand rond en krijgt dan mijn zus in het oog, die nog steeds alleen zit te lezen. 'Weet je, Rachel, als twaalfjarige in je eentje door Europa reizen kan gevaarlijk zijn. Echt gevaarlijk. Er kan haar heel makkelijk iets overkomen. Ze kan makkelijk zomaar verdwijnen. Denk je niet?' Ze glimlacht triest. 'Ik heb altijd een jonger zusje willen hebben. Iemand als Miri.' Haar glimlach verdwijnt. 'Jammer hoor.'

Angst verscheurt me. Ik staar naar mijn zus, die zonder iets te merken haar boek zit te lezen en er zo lief en hulpeloos uitziet. Ik kijk even naar haar voordat ik me weer tot Liana wend.

Ik heb verloren. Als ik niet doe wat ze wil, kan ik Miri kwijtraken – voor altijd. Tranen branden achter mijn ogen. 'Oké, ik ruil met je. Maar als ik dat doe, moet je me beloven dat je Miri niets aandoet. Nooit.'

'Zo'n monster ben ik niet, hoor. Ik wil niemand pijn doen.'

Wat een lariekoek. Ze heeft niet anders gedaan sinds ze hier op kamp is. 'Beloof het me.'

Haar gezicht wordt hard. 'Ik beloof het.'

Ik weet dat ik geen enkele reden heb om haar te vertrouwen, maar ik heb geen keus. En trouwens, misschien kan ik haar toch nog te slim af zijn… 'Goed dan.'

Ze staat op en veegt het zand van haar korte broek. 'Kom op, laten we de show beginnen.' Ze glimlacht lief. 'En dan moet ik het gaan goedmaken met míjn zus, wat een eitje is. Laten we het erop houden dat je zus erg kneedbaar is. Ze komt er binnenkort achter dat ik inderdaad de gemene persoon ben voor wie jij haar steeds al gewaarschuwd hebt en dat jij echt geweldig bent. Kijk niet zo somber, Rachel. Is dat niet wat je wilde?'

Ik slik de brok in mijn keel door en volg haar langs het strand. Ik kijk nog één keer naar Raf. De volgende keer dat ik hem zie, zie ik hem door Liana's ogen. De volgende keer dat hij mij ziet, ben ik het niet meer.

Dan kijk ik naar Miri. Ik weet niet waarom Liana dit doet. Ik weet alleen dat ik mijn zus moet redden. Met mijn ogen probeer ik Miri te dwingen om naar me te kijken, maar ze leest door. Als Liana met haar klaar is, wil Miri me nooit meer zien.

De grote ruil

Ruilen is een hele ervaring.

We doen het bij het uitkijkpunt. We moeten tegenover elkaar zitten, met onze benen gestrekt en onze blote voeten tegen ekaar aan.

Liana geeft me een zwarte kaars en een doosje lucifers. 'Als ik tot drie heb geteld, steken we onze kaars aan. Klaar?'

Zo klaar als ik kan zijn, veronderstel ik. Ik wil de heuvel af rennen, maar wat heb ik daaraan? Als ik dit niet doe, kan ze Miri iets aandoen… om maar te zwijgen van Raf, Prissy en alle anderen om wie ik geef.

'Eén, twee, drie!' schreeuwt ze en ze steekt haar kaars aan.

Ik strijk mijn lucifer langs het doosje en de vlam komt in mijn rechterhand tot leven. Met mijn linkerhand raap ik de kaars op en steek hem aan. 'Wat nu?'

Ze steekt haar kaars over het centrum van onze cirkel heen naar me toe. 'Onze vlammen moeten één worden,' zegt ze.

Daar gaat-ie. Of niet. Ik buig me naar voren en laat de vlam van mijn kaars de hare raken.

228

Terwijl ze één worden, draagt Liana me op om haar na te zeggen: 'Als deze vlam brandt in de nacht…' Ik aarzel.

'Zeg het!' blaft ze.

'Als deze vlam brandt in de nacht…' jammer ik.

'Luister naar wat ik verwacht,' zegt ze.

'Luister naar wat ik verwacht,' herhaal ik.

'Ruil onze gedachten op dit moment…' gaat ze verder.

'Ruil onze gedachten op dit moment…' herhaal ik.

Liana: 'En maak ons daaraan dan gewend.'

Ik: 'Want jij bent een groot serpent.'

Liana kijkt woedend en zegt de regel dan opnieuw: 'En maak ons daaraan dan gewend.'

Ik, ook met een woedende blik: 'En maak ons daaraan dan gewend.'

Liana: 'Laat zij mij zijn…'

Ik: 'Laat zij mij zijn…'

Liana: 'En mij haar zijn.'

'En mij' – ik aarzel en ze schopt tegen mijn voet – 'haar zijn.'

Het begint met druk op mijn oren. Eerst voelt het alsof ik verkouden in een vliegtuig zit, maar daarna wordt de druk groter en intensiever, alsof er een spijker in mijn hersenen geramd wordt, in een poging iets eruit te slaan, wat ook gebeurt, volgens mij – er wordt geprobeerd mij eruit te slaan.

Het volgende moment is de pijn weg. Zomaar. Er is helemaal geen pijn meer, alleen vrede. Eigenlijk voel ik me fantastisch, alsof ik een wolk ben, of een gas, zwevend boven het uitkijkpunt. Het is net of ik droom.

Dan voel ik dat rammen weer – maar nu ben ik de spijker die geramd wordt. Een vierkante spijker die in een rond gat geslagen wordt. Dan is de hoofdpijn over en open ik mijn ogen.

Oh jee.

Ik staar naar mezelf. Het is gelukt! Het is echt gelukt! Ik zit tegenover mezelf! Zal ik je eens wat vertellen? Ik zie er leuker uit dan ik dacht. Mijn haar golft misschien, maar het is mooi vol. Ik heb echt een mooie huid en mijn lippen zijn niet te dun. Waar klaagde

ik altijd over? Waarom dacht ik dat ik er zo gewoontjes uitzag? Zal ik je nog eens iets vertellen? Vertrouw niet op spiegels. Of op foto's. Er gaat niets boven naar jezelf kijken door de ogen van iemand anders. Dit is het echte werk. Dit ben ik echt. En ik zie er schattig uit!

De Rachel tegenover me staart net zo verbijsterd naar mij als ik naar haar kijk. Eh, naar mij kijk.

Ik kijk naar mijn handen (dit zijn niet míjn handen!) en dan naar mijn benen (dit zijn niet míjn benen!) en dan naar mijn borsten (dit zijn – helaas – niet míjn borsten!), daarna haal ik niet-mijn handen door niet-mijn haar. Mijn superglanzende niet-mijn haar.

Mijn superglanzende haar dat Liana blijvend gladgemaakt heeft voor het kamp.

Hè? Hoe wist ik dat?

Miljoenen beelden worden op hetzelfde moment in mijn hoofd gedownload.

Wauw. Ik heb toegang tot Liana's verleden. Tot haar hele verleden.

Misschien kan ik iets in haar vinden, een of andere spreuk of zo, wat mij terugbrengt in mijn eigen lichaam – terwijl ik er op hetzelfde moment voor zorg dat zij niemand pijn doet. Ik sluit mijn ogen en laat de herinneringen over me heen spoelen. Het is net of ik naar de film van iemands leven zit te kijken. Het is alleen geen biografie. Het is nu een autobiografie…

Ik ben net vijf geworden en ik zit met mijn moeder, Sasha, op een bezem. Haar lange bruine haar is stevig bij elkaar gebonden in een lage paardenstaart en die zwaait steeds in mijn gezicht.

'Dit wordt ontzettend leuk,' deelt mijn moeder me mee. 'Je vindt het vast prachtig in Parijs. Je gaat Frans leren spreken.'

'Maar ik wil geen Frans leren. Ik wil terug naar Londen,' zeg ik, 'waar Imogene is.'

Imogene was de afgelopen vier maanden mijn beste vriendin, zo lang als ik in Groot-Brittannië gewoond heb. Daarvoor was ik in Rome, daarvoor in Vancouver en daarvoor kan ik me niet meer

herinneren. Alle steden zijn samengesmolten als overbelichte foto's.

'Je maakt wel weer nieuwe vrienden,' verzekert mijn moeder me.
Mijn tranen druppen van mijn wangen op de wolken, maar
mijn moeder merkt het niet.

'Mag ik een zusje?' vraag ik. We zitten op een jacht in de Rode Zee.
Ik heb het afgelopen uur in mijn eentje zitten dammen en ik ver-
veel me suf.
Mijn moeder en haar vriend, op wiens boot we ons bevinden,
lachen.
'Alsjeblieft? Ik wil iemand om mee te spelen.'
'Liana, het gaat prima met je, zo in je eentje.'
'Maar een zusje zou zo leuk zijn! Of een broertje. Een broertje is
ook wel goed.'
'Sasha weet nu al bijna niet wat ze met jou moet beginnen,' zegt
de vreselijke man.
Mijn moeder knikt. 'Eén kind loopt me al genoeg voor de voe-
ten.'

Pas als ik tien ben, wordt mijn toverkracht geactiveerd. Ik ben in
een hotel in San Francisco en zit naar weer een film te kijken op het
filmkanaal van de televisie als het me ineens lukt om hem zonder
de afstandsbediening op een andere zender te zetten. Ik ben zo opgewonden dat ik bijna niet kan wachten tot ik het aan mijn moeder
kan vertellen. Wat zal ze trots op me zijn! Ik wacht gespannen bij de
lift (ik mag niet van de verdieping af als ze uit is, maar ze laat me
wel heen en weer rennen op de gang) en wacht en wacht en wacht.
Als ze eindelijk terugkomt van haar afspraakje, ren ik naar haar
toe, ondertussen honderduit pratend. 'Het is me gelukt! Ik ben ook
een heks! Net als jij! Nu kunnen we samen oefenen en kan ik overal met je naartoe en…'
Ze legt me met een beweging van haar hand het zwijgen op.
'Niet vanavond. Ik heb hoofdpijn.'
Ik huil mezelf in slaap.

Mijn moeder en ik hebben over alles ruzie.

Hoe ik mijn haar moet doen. Hoe ik me moet kleden. Dat ik niet steeds wil verhuizen. 'Ik wil alleen maar een gewoon leven,' smeek ik.

'We worden nooit normaal. Je bent een heks. Ga je spreuken-boek maar bestuderen.'

'Ik wil niet meer studeren!' gil ik. En dan: 'Ik wou dat ik bij mijn vader mocht wonen.'

Mijn moeder praat nooit over mijn vader. Ik ben kennelijk te ver gegaan, want ze schreeuwt: 'Je hebt geen vader!'

'Ooit moet ik er wel een gehad hebben. Ik ben niet uitgebroed.' Zelfs een heks krijgt dat niet voor elkaar. 'Wie is hij? Ik heb het recht om dat te weten!'

'Je had wel een vader, maar toen je zes maanden oud was betrap-te ik hem met een andere vrouw.'

Zelfs voordat ik de volgende vraag stel, ben ik al bang voor het antwoord. 'Wat deed je toen?'

'Ik heb hem in een muis veranderd. En haar in een kat. En dat was het einde.'

Ik breng de nacht door met overgeven in de badkamer.

In het park ontmoet ik een meisje dat Joanna heet. Ze vertelt me dat mijn tanden lang zijn en op worteltjes lijken.

Ik verander haar in een konijn.

Dan voel ik me slecht en verander haar weer in een meisje. Maar als ik wegga heeft ze vreselijke flaporen.

Ik voel me zo alleen dat ik dood wil.

Dan word ik smoorverliefd op een jongen die Matthew heet.

Hij zegt dat hij me aardig vindt, maar gewoon als vriendin, en dat hij een meisje heeft dat Ellen heet.

Ik spreek een liefdesspreuk over hem uit en bezorg Ellen de ma-zelen.

'Waar gaan we heen?' vraag ik mijn moeder. Ze tovert onze kleren in twee grote Louis Vuittonkoffers.

'Ik ga naar wat vrienden in Rio. Jij gaat naar Zwitserland.'

'Waarom?'

'Je gaat naar Miss Rally's school voor jongedames. Het is een van de beste kostscholen ter wereld.'

'Ik wil niet naar kostschool!'

'Jij bent niet degene die dat bepaalt,' zegt mijn moeder.

'Maar ik wil bij jou blijven.'

'Liana, het is beter zo. Je moet naar school en ik moet af en toe alleen op reis.'

'Maar je kunt me niet zomaar in de steek laten!'

'Ik laat je niet in de steek. Ik stuur je naar een school. Andere meisjes zouden er alles voor overhebben om met jou te kunnen ruilen. Je zult het heerlijk hebben op Miss Rally's. Er zijn daar zelfs andere heksen, dus je kunt er eindelijk echte vriendinnen maken.'

'Meisjes vinden mij niet aardig,' zeg ik.

'Omdat je ze altijd betovert. Geef het een kans. Voor mij?'

Ik ga akkoord. Ik wil haar gelukkig maken.

Er ligt een slang in mijn bed. Alweer. Ik wil hem pakken en hem om de nek van mijn nieuwe aartsvijandin Olivia wikkelen.

Hoewel deze school niet speciaal voor heksen is, is Miss Rally zelf wel een heks. En daarom sturen moeders die geen zin hebben in hun heksendochters hen hiernaartoe. Op dit moment zijn er minstens zes of zeven van ons hier, en Miss Rally let extra goed op ons.

De andere meisjes weten van niets.

Stelletje sukkels. Vragen zij zich niet af waarom wij altijd de mooiste kamers krijgen? Het lekkerste eten? De makkelijkste karweitjes?

Niet dat het leven daar aantrekkelijker van wordt. In elk geval niet voor mij.

Ik haat Miss Rally. Ik haat de andere heksen ook, vooral Olivia, die in de kamer naast de mijne slaapt en voor wie het een persoon-

lijk project is om mijn leven tot een hel te maken.

In de herfstvakantie smeek ik mijn moeder om me niet terug te laten gaan. 'Alsjeblieft,' zeg ik, 'ik vind het vreselijk daar.' Ik had wel weg willen lopen, maar mijn moeder heeft me met een enkelboei vastgeketend, zodat ik niet zonder haar toestemming weg kan. Het is net een magneet die ik niet kan afschudden. Voor de komende vier jaar zit ik daar vast.

'Liana, je moet er maar aan wennen. Het gaat daar best goed met je. Je kunt niet bij mij blijven. Ik heb het veel te druk.'

'Waarmee?'

'Ik heb een fantastische man ontmoet, Micha.' Ze gaat zo lang door over de fantastische Micha dat ik van een brug wil springen.

Ik wist al af van Macho Micha. Ik heb een spreuk gevonden om een kristallen bol te maken, en hoewel die de toekomst niet kan voorspellen, kan hij me wel laten zien wat andere mensen aan het doen zijn.

'Leer ik hem met Kerstmis kennen?' Ik kan niet wachten tot de kerstvakantie. Een hele maand vrij van die helse school!

'Oh, over Kerstmis gesproken...' Ze wacht even. 'Micha en ik gaan een week naar Tahiti. Ik heb met Miss Rally overlegd en zij zei dat het geen probleem was als je daar bleef.'

Ik wil weg. Ik zoek in mijn spreukenboek naar een manier om mijn onzichtbare enkelboei te openen, maar er is er geen. In plaats daarvan vind ik een vijfbezemspreuk die het mogelijk maakt dat twee mensen van plaats ruilen.

Als ik met iemand van plaats ruil, leeft zij in de Miserabele Hel (mijn koosnaampje voor Miss Rally's school) en ben ik vrij.

Het enige wat ik hoef te doen is iemand vinden met wie ik kan ruilen. Mijn keuzemogelijkheden zijn beperkt, want ze moet een bloedverwant zijn. Dus begin ik met het raadplegen van mijn kristallen bol.

En op dat moment ontdek ik Rachel, de dochter van Carol, mijn moeders zus. Ik wist dat er jaren geleden een gigantische ruzie is geweest, maar ik wist niet dat ik een nicht had! Een nicht van mijn leeftijd. Een nicht die alles heeft wat ik altijd al heb gewild. Als ik afga op wat ik in mijn kristallen bol zie, heeft zij een volmaakt leven maar weet ze dat niet te waarderen. Waarom loopt ze voortdurend te klagen? Ze maakt me zo boos dat ik niet naar haar kan kijken zonder dat mijn armen beginnen te beven en ik begin te klappertanden.

In de eerste plaats hoeft ze niet steeds te verhuizen. Ze mag op één plaats blijven en dan heb ik het nog niet over een kostschool. Ze heeft een normaal leven. Een fantastisch leven. Vrienden. Een moeder die van haar houdt. Een vader die gek op haar is. Maar wat me het meest jaloers maakt is dat ze een zusje heeft. Twee zelfs. Twee zusjes die dol op haar zijn. Die haar aanbidden. Maar het zusje dat bij haar woont is degene in wie ik geïnteresseerd ben. Rachel is zo geobsedeerd door populair willen zijn en onzinnige modeshows en stomme vriendjes, dat ze haar negeert. Wat mij betreft is Miri rijp om te plukken. Om haar míjn zus te maken.

Rachel is voor mij de perfecte kandidaat om mee te ruilen.

Ik wil Rachels leven. Ik wil Rachel zijn.

Maar hoe? In mijn kristallen bol zie ik dat ze praat over het kamp en in mijn hoofd ontvouwt zich een plan. Als ik ook op kamp ga, kan ik de ruil bewerkstelligen. Het is een peulenschil om mijn moeder ervan te overtuigen mij te laten gaan. Ze wil niet dat ik de hele zomer om haar en Macho Micha heen hang.

Het probleem is dat ik Rachel zover moet krijgen dat ze akkoord gaat met de ruil. Ze is lang niet gelukkig met haar leven, maar is dat erg genoeg om haar ertoe over te halen? Het irritante is dat ik geen gehoorzaamheidsspreuk over haar kan uitspreken. Ze moet uit pure en vrije wil akkoord gaan.

Natuurlijk bestaan er geen regels die zeggen dat ik haar niet doodongelukkig mag maken. Ik moet ervoor zorgen dat ze een nog grotere hekel aan haar leven krijgt. Ik moet haar de druppel die de emmer doet overlopen toedienen.

Ik moet haar zover krijgen dat ze me smeekt om te ruilen.

Ik herinner me dat ik de lichten liet aangaan in LW.

Ik herinner me dat ik een honkbal in de richting van Rachels hoofd lanceerde.

Ik herinner me dat ik iedereen uit slaapzaal vijftien, Deb, Morgan en Carly van mijn betoverde water heb laten drinken.

Ik herinner me dat ik Raf en Rachel op het uitkijkpunt heb aangevallen met een zwerm bijen.

Ik herinner me dat ik Alison betoverd heb, zodat ze ging roken in de toiletruimte.

Ik herinner me dat ik Raf betoverd heb, zodat hij me zoende. En toen heb ik bij hem de herinnering gewist.

Ik herinner me dat ik Miri's post heb laten verdwijnen.

Ik herinner me dat ik Jennifers lieve pakjes met lipgloss en kauwgum veranderd heb in de meest beschamende cadeautjes ooit.

Ik herinner me dat ik Miri een vergrotingssieraad heb gegeven in de vorm van een scoubidou-armbandje. Het zaad voor Miri's woede was al aanwezig. Het enige wat ik nog hoefde te doen, was het laten ontkiemen.

Ik herinner me dat ik Miri ervan overtuigd heb dat ik haar enkelboei die haar aan deze plaats bond kon afdoen. Alsof ik dat kon! Als ik had geweten hoe dat moest, zou ik helemaal niet in deze rotsituatie zitten. Maar het was nodig dat ze geloofde dat ik haar met me mee zou kunnen nemen. Het was nodig dat Rachel en zij mijn bluf zouden geloven, om ze op die manier over te halen tot mijn plan.

Ik open mijn ogen. Ik – de nepversie van mij – zit nog steeds tegenover me en kijkt me aan. 'Heb je het naar je zin?' vraagt Liana nonchalant.

'~~Als je niet~~ zo afschuwelijk was, zou ik medelijden met je hebben.' Ik voel me afschuwelijk… want ik had moeten weten dat Miri haar familie nooit zou verlaten zonder de hulp van magie. Maar… haar ongelukkigheid kwam niet nergens vandaan, bedenk ik me met een schuldgevoel. Ze voelde zich thuis echt niet geliefd en gewild.

'Maakt niet uit. Veel plezier in de hel. Ik hoop dat je niet bang bent voor slangen.'

'Dus dit is het? Zo blijf ik voortaan?' De misselijkmakende waarheid overvalt me. Ze wil natuurlijk nooit meer terugruilen. Ik kan het niet geloven dat ik aan haar plan heb toegegeven.

Ze haalt haar schouders op. 'Ik kijk wel hoe het me bevalt om jou te zijn. Misschien ruil ik wel terug als jij examen doet.'

Ongelooflijk dat dit gebeurt. Ik kan me niet meer voorstellen dat ik goedvond dat Liana dit deed. Ik wil mijn leven terug! Ik wil mezelf weer zijn!

Maar zelfs als ik de ruil ongedaan kon maken, zou ik nooit het risico willen lopen om mijn zusje pijn te doen!

'Natuurlijk,' zegt Liana, 'ga ik echt niet ruilen voordat Miri helemaal van mij is, zonder de hulp van de uitvergroting. Je bent een sukkel, Rachel. Kijk wat je hebt opgegeven. En dan heb ik het niet alleen over de liefde tussen twee zussen. Ik heb het over kracht. Zussenkracht. De samengevoegde kracht van heksen die familie van elkaar zijn. Niemand zal ons nu nog kunnen tegenhouden. Mij kunnen tegenhouden, liever gezegd, want iedere beweging die Miri maakt, ga ik vanaf nu controleren.'

In plaats van me nu nog misselijker te voelen, ben ik opgetogen. Liana heeft me zojuist de oplossing aangereikt. In elk geval voor een deel. Samen kunnen Miri en ik haar verslaan. Samen kunnen we haar laten ophouden om ons of iemand anders om wie we geven te kwetsen.

De vraag is alleen: hoe ruil ik terug?

Miri en ik kunnen daar samen wel achter komen. Zo niet, dan zal ze maar moeten wennen aan mijn nieuwe uiterlijk. (Mijn nieuwe borsten vind ik trouwens eigenlijk wel mooi.) We zijn in elk geval samen.

Ik moet alleen eerder bij haar zijn dan Liana. Ik sta langzaam op, omdat ik niet wil dat Liana doorheeft wat ik van plan ben.

'Ik dacht het niet,' zegt ze geamuseerd lachend en dan, met een knip van haar vingers, verschijnt er een bezem in haar hand en stijgt ze op.

Waar is ze naartoe? Hoe deed ze/ik dat? Ik sta even stil en denk na. Als ik toegang heb tot al Liana's herinneringen, heb ik dan ook toegang tot haar gevorderde heksenvaardigheden? Ik knip met mijn vingers en wens een vliegende bezem.

Noppes. Niet dus. Dat is heel gemeen! Ik krijg wel haar shitleven en haar herinneringen, maar niet haar deskundigheid. Wat is daar nu aan?

Ongeveer tien minuten later kom ik hijgend en puffend aan bij Miri's slaapzaal. Miri en de nep-ik staan op de veranda op me te wachten. 'Miri,' zeg ik, 'ik moet je vertellen wat er gebeurd is.'

'Ik wil niet met je praten,' zegt ze en ze zwaait met haar scoubidou-armband. 'Ik kan niet geloven dat je me dit hebt aangedaan, Liana. Je moet me wel een grote idioot vinden.'

Ik schud mijn hoofd. 'Je moet naar me luisteren.'

'Nee, dat doe ik niet. Ik word misselijk van je. Hoe kwam je erbij om te denken dat je zomaar een uitvergrotingsspreuk over me kon uitspreken?'

'Wat? Dat heb ik niet gedaan! Dat heeft zij gedaan!' Ik wijs naar mijn misdadige nicht.

'Rachel heeft me alles verteld. Je probeerde me zover te krijgen dat ik mijn hele familie zou dumpen! En ik liet het bijna gebeuren! Eerst geloofde ik mijn zus niet eens, maar ze zei tegen me dat ik het armbandje af moest doen... en poef, geen uitvergroting meer.'

Ik heb zin om te gaan huilen. 'Nee, je begrijpt het niet! Ik ben Rachel! Ik ben Liana niet! Ze heeft met me geruild!'

'Hou maar op. Je bent ziek, Liana. Ziek in je hoofd. Ik geloof nooit meer iets van wat je zegt.'

Ik moet haar bewijzen dat het waar is! Wat kan ik doen? 'Vraag me iets over ons verleden. Dan zul je zien dat ik het antwoord weet!'

'Natuurlijk weet je dat; je hebt me met je kristallen bol het hele jaar bespioneerd. Ik wil niet dat je in mijn buurt komt.'

'Liana,' zegt de nep-ik tegen mij, 'je kunt maar beter uit de buurt van mijn zus blijven. We hebben een beperkingsspreuk gevonden.'

Miri pakt een koffiebekertje dat naast haar staat, gooit de inhoud naar me toe en zegt:

'Door deze magische beperkingswens wordt twintig meter voor jou de grens.'

Plotseling bevind ik mij op tien meter hoogte. Ik land op mijn achterwerk (in een hoop zand, gelukkig) bij Lower Field. Ik probeer weer terug te komen bij de slaapzaal van mijn zus, maar een onzichtbare muur laat me er niet door. 'Dit mag je niet doen!' schreeuw ik. Maar het heeft geen zin. Ze kan me niet eens horen.

Voor alle anderen zijn de laatste twee weken op kamp de leukste. Het weer is mooi en zonnig, de regels zijn weggesmolten en iedereen krijgt links en rechts verkering.

Anthony breekt zijn eigen regels door met Deb verkering te krijgen, dus hij kan Harris niet bepaald ontslaan. In plaats daarvan maken Deb en hij hun relatie openbaar en ze vertellen Harris en Poedel dat ze met elkaar om mogen gaan als Poedels ouders het goedvinden, wat ze gelukkig doen.

Anderson verklaart Carly eindelijk zijn liefde en als je haar verhalen moet geloven, kan zelfs Morgan haar niet langer preuts noemen.

Nu we het toch over Morgan hebben... ze komt over Will heen en krijgt verkering met Blume, ongeacht het veelbesproken korstje spuug.

Zelfs Prissy heeft de tijd van haar leven. 'Nee, ik wil niet weg!' huilde ze schoppend en schreeuwend toen haar beginnersprogramma van twee weken afgelopen was. Haar leiders lieten haar Jennifer opbellen, die, nadat ze had moeten luisteren naar veel gehuil, het uiteindelijk goedvond dat ze de laatste anderhalve week bleef.

We hebben kleurenoorlog (Engels tegen Duivels), zwembadparty's en nog meer kampvuren.

We hebben de kampplaybackshow, het kamptoneelstuk, de kampdansshow.

Iedereen heeft het enorm naar zijn zin. Iedereen behalve ik.

Ik voel me ellendig. In de eerste plaats omdat ik, iedere keer dat

ik twintig meter van Miri verwijderd ben, word neergeslagen alsof ik een soort menselijke bowlingkegel ben. Ik heb overal op mijn lichaam gigantische niet-onzichtbare blauwe plekken en niemand weet hoe ik eraan kom.

In de tweede plaats raakt het eindelijk aan met Raf. Ik verontschuldig me voor mijn hallucinaties en Raf vergeeft het me bijna meteen. Iedere avond na de avondactiviteit wisselen we grote, sappige zoenen uit op de veranda van de blokhut. Helaas ben ik niet degene die ervan geniet, want ik ben niet langer Rachel.

'Ik vind het zo fijn dat jullie eindelijk verkering hebben,' zegt Carly tegen de nep-ik.

Liana heeft haar giftige vriendschapspreuken ongedaan gemaakt, dus Carly, Morgan en Deb zijn weer dol op me. Op de nep-ik. En ze haten Liana allemaal weer, dat is dus de echte ik. Dus nu hebben ze allemaal een hekel aan me, inclusief Poedel, die vanaf het begin nooit betoverd is geweest.

De enige persoon die met me wil praten is Prissy. Ze noemt me Ianalay en ik laat haar mijn haar vlechten.

'Je hebt het mooiste haar van de hele wereld. Lang en glad en mooi, net als dat van Belle uit *Beauty and the Beast*,' zegt ze als ik in haar slaapzaal op bezoek ben.

Ik ben nog nooit zo gelukkig geweest met een vriendinnetje van zes.

Het is de laatste dag van het kamp en iedereen loopt te huilen.

Grote baby's, denk ik. Waar moeten zij nu om huilen? Zij wonen niet in het lichaam van iemand anders.

Ik pak Liana's spullen in haar reistassen.

'We gaan het als volgt doen,' deelt ze me mee. 'Ik verklein de beperkingsspreuk tot drie meter, zodat je samen met ons de bus terug kunt nemen naar Manhattan. Daar neem je een taxi naar JFK en neem je je vlucht naar Zürich. Ik weet zeker dat je nog steeds niet in staat bent op een bezem te vliegen, dus ik heb een reservering voor de vlucht gemaakt. Was dat niet aardig van me?'

'Haalt je moeder me niet op bij de bushalte?'

Ze snuift. 'Ja, dat denk ik ook. Ik weet zeker dat zij en Micha hun reis naar Antarctica af zullen breken om jou op te halen. Je staat er alleen voor, nicht. Je nieuwe moeder geeft helemaal niks om je, dus je kunt er maar beter aan wennen.'

Ik sleep me door het laatste diner (en geniet nog maar even van Oscars lasagne), de diavoorstelling, het laatste kampvuur (ik ken nu eindelijk de woorden, maar ik heb niemand om het lied mee te zingen) en ten slotte het eindfeest. Aangezien ik niet naar het bal kan (Miri is binnen en dus zal ik tegen de muur gesmeten worden), sta ik buiten de recreatiezaal en gluur door het raam.

Alle meiden van mijn slaapzaal hebben geweldig veel plezier met het Vegen, de Voetballer en het Tandenpoetsen.

Dan zie ik mezelf schuifelen met Raf.

Ik kan mijn ogen niet geloven. Na een heel jaar dromen en hopen dat ik op een dag met Raf naar een bal zou gaan, komt mijn droom uit.

Familiereünie

Door de voorruit van de bus zie ik mijn moeder en Lex staan wachten bij de plek op Fifth Avenue waar we afgezet worden. Ze houden elkaars hand vast en staren in elkaars ogen.

Dit is mijn laatste kans. Als ik mijn moeder kan bereiken voordat Miri binnen twintig meter van haar komt, ziet ze misschien mijn gelijkenis met haar zus en wil ze naar me luisteren. Misschien gelooft ze me.

De bus stopt en ik wurm me naar de deur.

'Niet zo snel,' fluistert Liana in mijn oor als ik blijf staan om te wachten tot de deur opengaat. Voordat ik me realiseer wat ze van plan is, wrijft ze een soort gel in mijn nek en fluistert:

**'Tot de volgende volle maan
kan niemand je verstaan.'**

Ik open mijn mond om tegen haar te schreeuwen, maar ik kan niet praten.

Dit was mijn laatste kans! Wat nu? Was mijn vader maar hier en

niet bij het afhaalpunt op Long Island om Prissy van de bus te halen... Ik stap de bus uit en word opzijgeduwd, terwijl Miri en haar onzichtbare muur (die nu weer op twintig meter van haar ligt) uit mijn leven verdwijnen. Ik kan niets anders doen dan van verderop in de straat hulpeloos toekijken. Ik moet hun de waarheid vertellen! Maar hoe?

Door de massa ouders, terugkerende kampgangers en toeristen kijk ik toe hoe mijn moeder eerst de nep-ik knuffelt. De nep-ik bloost van blijdschap. Dan knuffelt mijn moeder Miri. Mijn zus houdt haar langer vast dan ooit tevoren. Ik denk dat ze door het hele weglooplan erg bang geworden is. Ik kan hun monden zien bewegen, maar ze zijn te ver weg om te kunnen horen wat ze zeggen. Dus verzamel ik al mijn pure wilskracht en denk:

**Vergroot de klanken via de wolken uit
en geef hun stem tien keer zo veel geluid!**

Ja, ik weet dat dit niet mijn beste rijmpje is, maar wat wil je ook? Ik sta momenteel onder grote druk!

'Laat me jullie helpen met je rugzakken,' zegt Lex.

Ik kan hem verstaan! Hoera!

'Oh, dank je wel,' koert de nep-ik. 'Je bent zo'n popje.'

Ik probeer aan het gezicht van mijn zus haar reactie af te lezen. Kom op, Miri! Zou ik Lex ooit een popje noemen? Nee! Nee, echt niet!

Tenzij ik hem een antieke pop noemde.

Miri kijkt een seconde langer dan nodig is naar mijn nepgezicht, maar kijkt dan weg en loopt verder.

Nee, Miri, nee!

Ik probeer me achter hen aan te haasten, maar ik bots tegen de muur. Ik leg me erbij neer dat ik alleen kan volgen op twintig meter afstand en luister ondertussen naar hun gesprek.

Miri en Nep-Ik blijven wat achter bij mijn moeder en Lex, terwijl ze naar de hoek van de straat lopen. 'Mam is vast erg onder de indruk van hoe groot je toverkracht geworden is,' zegt mijn zus.

Dat kun je wel zeggen. Het is alsof ik al jaren heks ben.

Mijn moeder en Lex wachten tot Miri en Nep-Ik hen ingehaald hebben. 'Ik heb jullie iets te vertellen,' zegt ze.

Oh jee. Ze is verloofd. Is ze verloofd? Ik tuur naar haar, en probeer te zien of ze een verlovingsring omheeft.

'Wat?' vraagt Miri.

'Ik heb Lex verteld... over ons.'

Echt waar?

'Echt waar?' vraagt mijn zus. 'Wauw. Ongelooflijk. Dat is echt fantastisch.'

'Ik wilde het deze keer goed doen. Een schone lei. Ik wilde eerlijk zijn. Tegen mezelf en tegen Lex.'

'Je bent geweldig, mam,' zegt Nep-Ik. 'Eerlijk zijn is heel belangrijk.'

Liana, leugenaar, boter op je hoofd.

'Ik ben blij dat je niet uit angst bent weggevlucht,' zegt Miri tegen Lex.

Lex lacht. 'Bang voor haar? Nooit. Maar ik moet toegeven dat ik dacht dat ze niet helemaal fris was toen ze me het voor het eerst vertelde. Zeg nu zelf: toverkracht? Ga toch weg. Maar ze heeft het aan me laten zien en nu kan ik ermee omgaan.'

'Hoe heeft ze het aan je laten zien?' vraagt Miri.

Lex knipoogt. 'Laten we het erop houden dat er twaalf rozen bij betrokken waren.'

Mijn moeder giechelt. 'Het is niet langer ongebruikelijk als een vrouw bloemen geeft aan een man.'

'Het gebeurde toen ik zag dat ze uit de vloerbedekking van mijn woonkamer groeiden,' zegt hij.

'Ik kan het niet geloven!' roept Miri.

'Nou, niet te enthousiast,' zegt mijn moeder. Het licht springt op groen en ze steken allemaal de straat over, met mij er zo dicht mogelijk achteraan. 'Ik ben nog steeds een niet-praktiserende heks.' Ze pakt de hand van Lex. 'Meestal.'

'Je zorgt goed voor mijn moeder,' zegt Miri tegen Lex en ze voegt er dan aan toe: 'Ik deed behoorlijk stom op bezoekersdag. Ik wil je mijn excuses aanbieden. Ik had wat problemen.'

'Dat is oké,' antwoordt hij. 'Voor ons ook een schone lei.'

'Je moet wel oppassen,' piept Nep-Ik. 'Als je niet aardig bent tegen mijn moeder, dan kon ik je wel eens in een muis veranderen.'

Mijn moeder steekt haar vinger waarschuwend op. 'Rachel! Zoiets willen we niet horen.'

Nep-Ik wordt vuurrood. 'Ik maakte maar een grapje.'

Mijn moeder slaat haar arm om Nep-Ik heen. 'En hoe gaat het met je Glinda?'

'Het wordt steeds beter,' zegt Nep-Ik.

'Ze is écht goed geworden, mam,' zegt Miri.

'Geweldig,' zegt mijn moeder, terwijl ze op de stoeprand gaat staan en Nep-Ik omarmt. 'Ik ben zo trots op je, liefje.'

De glimlach van Nep-Ik verlicht mijn hele neppe gezicht.

Ongelooflijk dat ik al deze familierelatievorming van twintig meter afstand gadesla! Ik ben de koningin van de familierelatievorming!

Dit is een nieuw dieptepunt.

'Je weet natuurlijk,' zegt mijn moeder, 'dat je nog veel werk voor de boeg hebt. Controle, controle, controle!'

'Nemen we een taxi?' vraagt Nep-Ik.

'Nee, Lex rijdt. We staan op een parkeerplaats op Madison Avenue.'

'Dank je wel dat je ons komt ophalen,' zegt Miri.

'Graag gedaan. Ik ben wel blij dat de tassen al gebracht zijn.'

Ik haast me achter hen aan als ze oversteken naar de andere kant van de straat en dan een ondergrondse parkeergarage in lopen.

De beperkingsspreuk staat me niet toe om hen tot in de garage te volgen, maar van waar ik me bevind, kan ik hen nog steeds zien als ik op mijn hurken ga zitten. Lex opent de kofferbak van de auto en propt onze twee rugzakken erin. Dan klimmen Miri en Nep-Ik in de auto.

Dit is het dan. Ze gaan weg. Wat moet ik doen? Blijf ik hier gewoon staan? Volg ik hen in een taxi? Liana zal waarschijnlijk over het hele appartement een beperkingsspreuk uitspreken. Over de hele school. Over heel Manhattan. En ieder moment kan ik terug-gezogen worden naar Zwitserland, vanwege Liana's enkelmagneet.

Ik kijk toe als Lex het portier voor mijn moeder opent en het dan weer sluit.

Hij loopt naar de parkeerwachter om te betalen en krijgt zijn sleutels.

Hij opent zijn portier. Gaat zitten. Start de auto.

Mijn leven is officieel voorbij.

'Dank je, liefje,' zegt mijn moeder en ze draait haar raampje open. 'Hoeveel krijg je van mij voor het parkeren?'

'Niets,' zegt Lex met een glimlach. 'Het was gratis.'

'Oh, kom nou, zeg op. Het moet een fortuin gekost hebben. De meisjes waren zo laat.'

'Echt waar?' vraagt Miri. 'Hoe lang hebben jullie moeten wach-ten?'

'We waren hier om halfeen, omdat jullie om één uur zouden aankomen,' zegt ze, terwijl ze in haar portemonnee zoekt. 'Het is nu kwart voor twee. Lex, vertel me hoeveel je van me krijgt.'

'Eén kus.'

'Rachel, help me eens even,' zegt mijn moeder en ze wijst naar de prijslijst aan de muur. 'Het eerste halfuur kost het acht dollar en voor ieder volgend halfuur kost het vier zestig. Hoeveel moet ik hem betalen?'

Zeventien twintig, denk ik meteen, maar ik zeg het niet omdat ik niet kan praten.

'Pardon?' vraagt Nep-Ik.

'Hoeveel moet ik Lex betalen?' vraagt mijn moeder. 'Je weet dat ik niet goed ben met getallen.'

Nep-Ik aarzelt. 'Eh, ik weet het niet.'

Ha! Maar ik durf te wedden dat ze weet dat ze het zou móéten weten. Ze weet tenslotte alles over me, toch? Pech dat ons inzicht niet overdraagbaar is.

Mijn zus ziet ineens het licht. 'Wat bedoel je met "ik weet het niet"? Jij zou het wel moeten weten.'

'Natuurlijk weet ik het. Het is eh… eh…'

'Tel je op je vingers?' vraagt Miri ongelovig.

'Nee! Waarom zou ik dat doen?'

Als ze de straat op draaien hoor ik mijn zus schreeuwen: 'Stop de auto! Dit is Rachel niet!'

Hoera tot de miljoenste macht!

Lex trapt op de rem. 'Pardon?'

'Ze is een indringer!' schreeuwt Miri. 'Het is Liana in vermomming!'

Pfieuw. Wat kan ik daaraan toevoegen? Het werd tijd.

Lex zet ons af bij ons appartement. Hij kust mijn moeder (nog steeds onsmakelijk, maar ik leer ermee leven) en zegt: 'Veel plezier, dames.'

'Haantje,' plaagt mijn moeder zachtaardig. Maar ik weet dat ze opgelucht is. Dit is een kippenhok. Geen hanen toegestaan.

Toen mijn familie de waarheid besefte, gaf Liana de zwijg- en beperkingsbetovering toe, die mijn zus meteen ongedaan maakte. Daarop rende ik naar hen toe, zwaaiend met mijn armen en snotterend als een kind van vijf. Miri sloeg – ook snotterend – haar armen om me heen en liet me niet meer los.

Nu zitten we met z'n vieren – mijn moeder, Miri, de neppe ik en de echte ik – in de woonkamer. Helaas kan mijn moeder de ruilbetovering niet ongedaan maken. Daarvoor moeten beide ikken vrijwillig toestemmen in de terugruil. En de nep-ik is daar niet zo happig op.

'Pech,' blijft ze herhalen. 'Je kunt me niet dwingen.'

'Het heeft geen zin dat jij Rachel blijft als we allemaal weten dat zij het niet echt is,' legt Miri verstandig uit. Ze draait zich met een schaapachtige uitdrukking op haar gezicht naar me om. 'Het spijt me nog steeds. Ik had je moeten geloven.'

En ik zeg: 'Ik weet het, Miri, dat heb je me al honderd keer verteld.' Meer zoiets als driehonderd keer, maar wie telt dat nou? Ik vertel haar steeds dat het haar schuld niet is. Ik blijf haar eraan herinneren dat zij me gered heeft. Als zij niet was ingegaan op dat wiskundegedoe, dan was ik nu naar Zwitserland verbannen.

'Ik wil met je moeder praten,' zegt mijn moeder tegen Liana en we happen allemaal naar adem.

'Waarom denk je dat ze met je wil praten?' vraagt Liana spottend. 'Jullie hebben meer dan dertien jaar niet met elkaar gepraat.'

'Waar is ze, Liana? Zeg het me.'

Maar Liana geeft niet toe.

'Vertel me waar ze is,' beveelt mijn moeder en ze injecteert deze keer een klein beetje pure wilskracht.

Liana spuugt de informatie uit.

'Vlieg je erheen om haar te halen?' vraag ik, dol op de dramatiek hiervan.

'Ik wilde maar eens beginnen met een telefoontje,' antwoordt mijn moeder en ze verdwijnt naar de keuken.

Goed.

Tiktak, tiktak. De spanning is om te snijden. Wie weet wat er gaat gebeuren? Wat als er weer ruzie van komt?

Plotseling gaat de rookdetector af.

'Dat is mijn moeder,' zegt Nep-Ik. 'Ze vindt het leuk om rokerig binnen te komen.'

'Ze was altijd al een drama queen,' zegt mijn moeder met een trieste glimlach.

We rennen naar de keuken. Als de rook optrekt, verschijnt er een lange, dunne figuur bij het fornuis. Een lange, dunne figuur met donker haar, die op mijn moeder lijkt, alleen heeft ze grotere borsten en minder rimpels. Minder rimpels is logisch. Ze is de jongste van de twee zussen. 'Hallo, Carol,' zegt ze.

'Hallo, Sasha,' zegt mijn moeder en ze loopt naar haar toe. 'Dat is lang geleden.'

De twee vrouwen staan een halve meter bij elkaar vandaan en staren naar elkaar.

Niemand beweegt.

Niemand haalt adem.

Niemand...

'Hatsjoe!' nies ik.

'Stil!' bijt de neppe ik me toe.

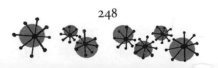

'Gezondheid!' zegt mijn zus.

'Dus,' zegt Sasha en ze loopt om mijn moeder heen.

'Dus,' zegt mijn moeder en ze blijft rustig met gevouwen armen staan waar ze staat.

'Dat is een tijdje geleden,' zegt Sasha.

'Een hele tijd.'

Sasha bekijkt haar van top tot teen. 'Je haar is rood.'

'Nieuw uiterlijk,' zegt mijn moeder. 'Jij ziet er nog net zo uit.'

'Ik ben op een mooie manier ouder geworden. Beter dan jij.'

'Wat is het: plastic of magisch?' pareert mijn moeder.

'Puur natuur, uiteraard,' zegt tante Sasha. Ze maakt haar blik los van mijn moeder en kijkt naar Nep-Ik. 'Je bent gegroeid.'

Ja, duh.

'Eigenlijk,' zegt mijn moeder, 'sta je naar je eigen dochter te kijken. Ze zit in mijn dochter en andersom.'

Sasha kijkt naar de neppe ik, dan naar de echte ik en dan weer terug naar de neppe ik. 'Weet je het zeker? Mijn dochter zou haar haren nooit zo krullerig dragen.'

'Mam!' roept Nep-Ik uit. 'Ik kan het niet helpen; het is haar haar!'

Sasha fronst haar wenkbrauwen. 'Liana, wat denk je dat je aan het doen bent?'

Nep-Ik steekt haar kin naar voren. 'Ik ga niet terugruilen.'

'Dat ga je wel.'

'Nee,' zegt Nep-Ik. 'En je kunt me er niet toe dwingen. Als ik niet instem met de ruil, vindt hij niet plaats.'

En mijn moeder vond míj moeilijk.

Sasha kijkt hulpeloos rond. 'Wat moet ik met haar beginnen? Ze is zo lastig!'

Mijn moeder is er ineens helemaal bij. 'Je wordt geacht haar op te voeden. Ze is pas veertien. Jij bent de moeder.'

'Maar ze luistert nooit!'

Ik kan niet voorkomen dat ik de pijn zie op het gezicht van Nep-Ik. Ik weet hoe ze zich voelt. Ik kan haar herinneringen zien. Ik weet wat ze het allerliefste van de hele wereld wil. 'Waarom probeer

je niet naar háár te luisteren?' stel ik voor.

Het wordt stil in de keuken.

'Dat is nog eens een goed idee,' zegt mijn moeder.

'Het kan haar niet schelen,' zegt Nep-Ik. 'Dat heeft ze nog nooit gedaan.'

Haar stoeremeidenact houdt me geen moment voor de gek. Haar lippen trillen en ze ziet eruit of ze elk moment in huilen kan uitbarsten. 'Vertel het haar, Liana,' dring ik zacht aan. 'Vertel haar hoe eenzaam je bent. Vertel haar hoe erg je de kostschool haat. Vertel haar hoe erg je haar nodig hebt.'

'Waarom?' Haar stem breekt. 'Ik heb het haar al vaker verteld. Ze luistert nóóit.'

'Ik luister nu, dus vertel op,' zegt Sasha ongeduldig.

'Maar het kan je niet schelen! Het kan je niet schelen dat ik kostschool haat. Het is net of je wilt dat ik me ellendig voel. Je geeft helemaal niets om mij!'

'Natuurlijk wel.'

Als dit tussen mijn moeder en mij was gebeurd, zouden we elkaar op dit punt in de armen vallen, onze liefde uitspreken en misschien even huilen. Maar dit is mijn familie niet. Nou, oké, misschien wel, maar het is de maffe tak van mijn familie. (Iedere familie heeft een maffe tak, toch?)

Nep-Ik stampt met haar hak op het vloerkleed. 'Als je om me geeft, waarom wil je dan geen tijd met me doorbrengen?'

Sasha sluit haar ogen. 'Liana,' zegt ze langzaam, 'we weten allebei dat je beter af bent zonder mij.'

Nep-Ik maakt een wanhopig gebaar met haar armen. 'Ben je gek?'

'Ik zal nooit een goede moeder worden,' gaat Sasha verder. 'Ik ben nooit ergens goed in geweest. Vraag het maar aan Carol.'

Mijn moeder kijkt verbaasd op. 'Waar heb je het over?'

'Over toen we opgroeiden. Ik was nooit goed genoeg op school. Ik was nooit populair. Ik was nooit mooi.'

'Natuurlijk wel!'

'Nee, dat is niet waar. Niet van nature. Voor alles wat ik wilde

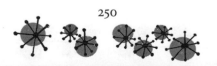

moest ik toverkracht gebruiken om het te krijgen. Ik was nooit ergens zelf goed in. Niet zoals jij. Jij had geen magie nodig om vrienden te maken. Om het goed te doen op school. Om ervoor te zorgen dat mannen verliefd op je werden.' Ze kijkt naar mij en Miri. 'Om een goede moeder te zijn.'

'Je was altijd al zo onzeker,' zegt mijn moeder hoofdschuddend. 'Ik heb nooit begrepen waarom. De magie waar je zelfs als klein kind al toe in staat was... ik was er zo jaloers op.'

'Niet waar!'

'Natuurlijk was ik dat wel! Maar jij weigerde dat te zien. Het heeft me altijd verbaasd dat iemand met zo veel toverkracht zo onzeker kon zijn.'

'Hoe kon ik zeker zijn van mezelf als ik Miss Perfect als oudere zus had? Iedereen vond jou altijd het liefst. Mama. Papa. Mensen struikelden over elkaar om bij jou in de buurt te zijn.' Ze wendt zich weer tot Liana. 'Dat was een goed idee van je, van plaats ruilen met Rachel. Je zou veel beter af zijn met Carol als moeder.'

'Misschien.' Nep-Ik kijkt haar moeder aan en zegt dan, met haperende stem: 'Maar het enige wat ik altijd heb gewild, was tijd met jou doorbrengen.'

Sasha's blik vangt die van haar dochter. Dan knikt ze. 'Goed.'

'Wat is goed?' vraagt Liana.

'Als je het zó erg vindt op Miss Rally's,' zegt Sasha zacht, 'dan bedenken we wel iets anders.'

Zolang ze niet op het JFK-college verschijnt, ben ik gelukkig.

'Nou, Liana, als je het niet erg vindt,' zegt mijn moeder en ze pulkt aan haar nagels, 'zou je dan alsjeblieft weer terug willen ruilen met mijn dochter?'

'Nee,' zegt Liana, en ze verbreekt eindelijk het oogcontact met haar moeder. 'Er zijn nog andere dingen die ik wil.'

Wat? Wil ze mijn ziel? Mijn kamer? Mijn roze suède designgympen? Wát?

Liana leunt tegen het aanrecht, met een vastberaden trek op haar gezicht. 'Geen reisjes meer,' zegt ze tegen haar moeder.

Sasha aarzelt. 'Zelfs niet met jou?'

Liana lacht een beetje. 'Natuurlijk wel mét mij.'

'Wat nog meer?' vraagt Sasha.

'Eh, mag ik een zusje?'

'Geen sprake van.'

Liana's gezicht betrekt. Oh-oh. Ketst het daarop af? 'Je mag met Prissy optrekken,' bied ik aan. Liana geeft geen antwoord. 'Ze vindt het heerlijk om je haar te vlechten,' zeg ik, 'en op deze manier eet je van twee walletjes. Je kunt haar aan haar ouders teruggeven als ze huilerig wordt.' Ik weet niet zeker hoe mijn vader en Jennifer denken over mijn onderhandelingen ten aanzien van hun dochter, maar ik weet vrij zeker dat ze de gratis oppas op prijs zullen stellen.

'Ik zal erover nadenken,' zegt Liana en ze lijkt het voorstel te overwegen.

Sasha pakt de pols van haar dochter. 'Liana, je móét het wel doen. Hoe kan ik proberen een echte ouder te zijn als jij niet in je eigen lichaam zit?'

'Goed dan,' zegt Liana. 'Maar alleen als je de enkelboei om mijn echte lichaam nu ongedaan maakt.'

'Zodra we thuis zijn.'

'Nee, nu. Voordat we ruilen.'

'Goed dan,' zegt Sasha. 'Carol, heb je toevallig sojamelk in huis?' Ze opent haar tas en haalt er een zakje zout uit.

Mijn moeder wijst naar de koelkast. 'Ga je gang.'

Een paar seconden en een enkelboeiverwijderspreuk later heeft Sasha het lichaam van Liana oftewel mij bevrijd en mijn nicht tevredengesteld.

Pfieuw.

'Hebben wij dat ook nog nodig?' vraagt Miri en ze kijkt naar haar voeten.

'Ik heb die van jullie gisteravond al verwijderd, voordat jullie het kamp verlieten,' zegt mijn moeder.

Oh, mam, wat attent.

'Ruil nu terug, Liana,' beveelt Sasha.

'Wacht even,' zeg ik en ik steek mijn hand op. 'Nu is er nog iets wat ík wil.' Alle hoofden draaien zich naar mij. Ik gebaar naar mijn

moeder en mijn tante. 'Voordat we ruilen, wil ik graag weten wat er tussen jullie beiden gebeurd is.'

'Ja,' zegt Miri. 'Waarom praten jullie niet meer met elkaar?'

Mijn moeder geeft geen antwoord.

'Een schone lei?' helpt de echte ik haar herinneren.

'Ik vind het moeilijk om erover te praten,' zegt mijn moeder.

Sasha grijpt direct haar kans. 'Carol heeft onze moeder vermoord,' zegt ze plompverloren.

Oh Lieve Hemel.

'Ze kreeg een beroerte, Sasha,' zegt mijn moeder.

Sasha wijst met een lange rode nagel naar haar zus. 'Het was je enige fout, maar het was een joekel. Mama kreeg een beroerte en jij had haar kunnen redden. Je had haar kunnen genezen, maar je deed het niet.'

'Ik kon het niet,' zegt mijn moeder.

De rode klauw wijst nog steeds naar mijn moeder. 'Waarom niet?' vraagt Sasha met een stem vol minachting. 'Omdat Miss Perfect dacht dat het gebruik van toverkracht beneden haar waardigheid was? Alsjeblieft zeg. Je bent alleen een niet-praktiserende heks als het jou uitkomt. Als iemands leven op het spel staat grijp je in, Carol. Dan doe je wat je moet doen. Ik vergeef je nooit dat je haar hebt laten sterven.'

Miri pakt mijn hand.

'Kun je het mij niet vergeven?' zegt mijn moeder. 'Of jezelf niet? Mag ik je eraan herinneren dat je hier niet was toen het gebeurde? Je was in Parijs met de vader van Liana. Of was het Londen? Het is moeilijk om het bij te houden. Je bleef maar bij ons vandaan vluchten.'

'Ik had het nodig om op eigen benen te staan,' zegt Sasha met vuurspuwende ogen. 'Ik moest ergens naartoe waar ze me niet steeds zouden vergelijken met jou.'

'Dat is geen excuus voor de manier waarop je handelde. Door ons niet te laten weten hoe we je konden bereiken. Waarom gedraag je je altijd zo onvolwassen? Tegen de tijd dat je terugkwam was het te laat. Toen was ze al een jaar dood.'

Sasha wordt lijkbleek. 'Er gaat geen dag voorbij dat ik niet wou dat ik hier was geweest. Maar ik was er niet. Ik was een afschuwelijke dochter en ik geef het toe. Maar jij!' spuugt ze naar mijn moeder. 'Jij was hier wel en je deed niets. Je had haar moeten redden.'

Tranen stromen over mijn moeders wangen. 'Denk je soms dat ik dat niet wilde? Denk je dat ik wilde dat ze stierf?'

Mijn zus en ik gaan onmiddellijk naar onze moeder toe en slaan onze armen om haar heen.

'Maar je hebt gelijk,' zegt mijn moeder treurig. 'Ik had haar kunnen redden en ik heb het niet gedaan.'

Ik onderdruk een kreet. 'Waarom niet?'

Mijn moeder zwijgt een ogenblik. Ze laat haar hoofd in haar handen zakken, kijkt dan weer op en zegt: 'Om een mensenleven te redden, wordt een ander leven genomen.'

Jemig. Heftig.

'Je had de spreuk toch moeten uitspreken!' schreeuwt Sasha.

'Ze vond het niet goed dat ik dat deed. Ze zei dat ze nooit met zo'n schuldgevoel kon leven. En ze wilde ook niet dat ik daarmee zou moeten leven. Papa wilde ook niet dat mam hem gebruikte toen hij ziek was. We waren toen nog jong, maar ik weet het nog. En mama luisterde naar hem.'

'Nou, mama had ongelijk. En jij ook,' zegt Sasha toonloos. 'Je hebt haar gewoon laten sterven.'

'Ik wist niet wat ik moest doen. Ik aarzelde en aarzelde en aarzelde. En toen was het te laat. Ze was al dood.'

Sasha schudt haar hoofd. 'Je had het toch moeten doen.'

'Maar, mam,' zegt Nep-Ik en ze kijkt haar moeder aan, 'iedereen had in haar plaats kunnen sterven. Iemand van wie je hield. Of wat als jij het zelf geweest was?'

Sasha knippert twee keer met haar ogen. 'Dan was jij nooit geboren.'

Dat zou fijn geweest zijn voor ons. Grapje. Min of meer.

We zwijgen allemaal.

Sasha kijkt naar haar handen. 'Ik mis haar zo. Misschien zoek ik iemand die ik de schuld kan geven.'

Mijn moeder legt haar hand op de schouder van haar zus. 'Ze miste papa zo. Ze zei dat ze er klaar voor was. Dat ze ergens anders nodig was. Dat hij op haar wachtte.'

De lampen gaan uit en dan weer aan. En dan gebeurt het opnieuw.

We kijken allemaal op.

'Wie deed dat?' vraagt Sasha.

'Ik niet,' zegt mijn moeder.

'Ik niet,' zegt Miri.

'Ik niet,' zegt Nep-Ik.

'Kijk niet naar mij!' zeg ik.

'Denk je…?' vraagt mijn moeder.

We kijken elkaar verbaasd aan.

'Hé, ze was een heks,' zegt Miri. 'Alles is mogelijk.'

Liana springt op, met vuurspuwende ogen. 'Misschien kunnen we contact maken met mijn vader.'

'Wat is er met je vader gebeurd?' vraagt mijn moeder.

'Tante Sasha heeft hem in een muis veranderd,' zeg ik.

'Nee toch!' zegt mijn moeder geschokt. 'Sasha, dat heb je toch niet gedaan!'

'Ja,' zegt Nep-Ik. 'Dat heeft ze me zelf verteld.'

'Ik heb het nooit echt gedaan,' geeft Sasha toe. 'Maar ik wilde het wel.'

'Bedoel je dat mijn vader nog leeft?' vraagt Nep-Ik opgewonden.

'Waarschijnlijk wel,' zegt mijn tante schouderophalend.

Mijn moeder schudt haar hoofd. 'Ik vind het niet te geloven dat je je dochter verteld hebt dat je haar vader in een knaagdier hebt veranderd. Hoewel Sasha altijd al een zwak had voor knaagdieren,' vertelt ze Miri en mij. 'Ze had vroeger een muis als huisdier.'

Sasha lacht. 'Ik noemde hem Mickey.'

Wat origineel.

'Weet hij van mijn bestaan?' vraagt Nep-Ik.

'Hij weet wel dat je bestaat, maar ik wilde niet dat hij ook maar iets met je te maken zou hebben.'

'Wist hij dat je een heks was?' vraagt de echte ik.

255

Sasha zucht. 'Ja, hij was een tovenaar.'

Nep-Ik gilt blij.

'Word maar niet te opgewonden,' zegt Sasha. 'Hij is niet zo'n goede.'

Nep-Ik rent naar de deur. 'Kom, we gaan hem zoeken!'

Mijn moeder schraapt haar keel. 'Eh, vind je het geen goed idee om jullie eerst terug te ruilen voordat je over de wereld gaat galopperen? Je wilt waarschijnlijk wel dat je vader de echte jij te zien krijgt, toch?'

'Oh, dat is ook zo.' Ze kijkt naar beneden, naar haar ongelijke borsten. 'Ik wil niet dat hij denkt dat ik misvormd ben of zo.'

Jee, bedankt.

Tot ziens, borsten; hallo, ik.

Ik hoop dat het zich allemaal goed ontwikkelt voor Liana, echt waar.

En toch weet ik tamelijk zeker dat ik beter af ben.

Het werd tijd

'Is het erg dat ik opgelucht ben dat ze weg zijn?' vraagt Miri. We liggen met z'n drieën onderuitgezakt op de bank in de woonkamer. Miri's hoofd rust op de ene leuning, het mijne op de andere en onze voeten liggen in het midden tegen elkaar aan op de benen van mijn moeder. Ik hou van mijn voeten. Ik hou ook van mijn benen. En van mijn hoofd en van mijn woeste haar en van elk deel dat van mij, van mij, van mij is.

'Ze waren een beetje overweldigend,' zegt mijn moeder. 'Ik moet eerlijk toegeven dat ik ook opgelucht ben. Jullie mogen blij zijn dat jullie zo goed met elkaar kunnen opschieten.'

De ogen van mijn zus zoeken de mijne. 'Dat klopt,' zegt ze. 'Niets kan ooit nog tussen ons komen.'

'Nieuwe huisregel,' zeg ik. 'Miri zal zich nooit meer zorgen maken over de vraag of haar familie wel om haar geeft.'

'Geaccepteerd.'

'Dat is een goeie,' zegt mijn moeder.

'Nieuwe huisregel,' zegt Miri. 'Rachel zal haar zus nooit meer verwaarlozen.'

'Of haar moeder,' zegt mijn moeder.

'Geaccepteerd,' zeg ik. 'Ik zal ook nooit meer klagen dat mijn leven zo ellendig is. Ik mag trouwens helemaal niet meer klagen.'

'Vooral niet nu je het spel mee kunt spelen,' zegt mijn moeder en ze zendt me een van haar vreselijk foute knipogen.

Ik knipoog terug. 'Je bedoelt sinds ik Glinda heb.'

Om mijn punt te onderstrepen tover ik drie bekers warme chocolademelk voor ons.

Mijn moeder wrijft met haar knokkels tegen de onderkant van mijn voet, waardoor ik moet giechelen. 'Vertel eens, Rachel. Hoe kan het dat je magie zo goed is geworden terwijl je op kamp niet mocht oefenen?'

Lalala. Afleiding! Snel! 'Jeetje, mam, heb ik je al verteld dat ik eindelijk heb leren zwemmen?'

'Dat klopt!' zegt Miri, die het sos-signaal in mijn ogen leest. 'Geweldig, hè? En ik heb leren tennissen.'

'Ik heb ook in het bos leren plassen,' voeg ik eraan toe.

Mijn moeder lacht. 'Jullie kunnen naar hartenlust proberen te doen of Rachel deze zomer haar toverkracht niet gebruikt heeft, meiden. Ik zal jullie niet voor het gerecht dagen.'

Pfieuw.

Ze strekt haar armen uit en klopt liefkozend op ons hoofd. 'Maar ik ben blij dat jullie deze nieuwe regels hebben ingevoerd. Want ik ga er de rest van het jaar op toezien dat jullie je eraan houden.'

Ik ben bang dat ik er met open ogen ingetuind ben. 'Prima, mam. Regel maar naar hartenlust. Maar ik moet met onmiddellijke ingang weten wat je van één speciaal onderwerp vindt.'

'Oh ja? Waarvan? Huiswerkspreuken? Taartjes toveren? Vliegen op een bezem?'

'Nee,' zeg ik met een glimlach. 'Vriendjes.'

Eerst bellen we mijn vader.

'Zijn jullie allebei aan de telefoon?' vraagt hij.

'Miri zit naast me,' zeg ik.

'Wacht, ik ga Jennifer even halen.'

Er is een kleine pauze en een gesmoord geluid en dan zeggen mijn vader en Jennifer als uit één mond: 'We zijn zwanger!'

Miri en ik staren elkaar aan. Ik zie de caleidoscoop van mijn emoties – de blijdschap, de opwinding en de angst – in de ogen van mijn zus weerspiegeld. Tuurlijk, we willen graag een broertje of zusje erbij, en we vinden het fantastisch voor hen, maar we kunnen er niets aan doen dat we ons afvragen wat voor gevolgen dat heeft voor de relatie met onze vader. Wat als hij geen tijd meer voor ons heeft? Wat als hij meer van de nieuwe baby houdt dan van ons? Wat als ik…

Diep ademhalen.

'Gefeliciteerd,' mompel ik. 'Gefeliciteerd!' herhaal ik met meer enthousiasme.

'Niet te geloven,' zegt Miri hoofdschuddend. Dan grijnst ze. 'Ik hoop dat het een meisje wordt.'

'Ik ook.' Het zou geweldig zijn om die barbies weer tevoorschijn te halen.

Daarna bel ik Tammy. 'Ik heb je gemist!' gil ik.

'Ik heb jou ook gemist!' gilt zij.

'Ik heb jou erger gemist!' gil ik weer.

Na een discussie van een halfuur over de vraag wie wie erger gemist heeft en nadat we plannen gemaakt hebben voor de volgende dag, bel ik Alison.

'Ik weet echt niet wat er in me gevaren is,' zegt ze. 'Ik vond lucifers en een pakje sigaretten op mijn plank en ik nam ze gewoon mee naar het toilet en stak er een op. Ik heb geen smoes. Geen idee waarom ik dat deed. Ik had die dag een raar soort hoofdpijn en daardoor gedroeg ik me waarschijnlijk idioot…'

'Hebben je ouders je voor de rest van je leven huisarrest gegeven?' vraag ik haar schuldbewust. Het feit dat ze van kamp getrapt werd is – indirect – toch mijn schuld.

'Eerst wel,' zegt ze. 'Maar toen vond mijn broer een vrijwilligersbaantje voor me in het ziekenhuis en toen werden ze wat soepeler.'

'Hoe was dat?'

'Fantastisch. Het leukste baantje ooit,' ratelt ze. 'Het spijt me dat ik niet geschreven heb, maar ze hebben me zo druk beziggehouden! Ik mag gewoon meehelpen bij de patiënten. En je zult het niet geloven, maar ik heb een afspraakje met een van de andere vrijwilligers. Hij zegt dat hij je kent. Jeffrey Zeigster? Hij zat ook op het JFK en zat het afgelopen jaar in de studentenraad. Hij is heel slim en heel lief.'

Slim? Ja. Hij was het enige lid van de studentenraad dat gekozen was op grond van zijn cijfers. Lief? Ach... ieder zijn smaak.

Ik nodig haar uit om morgen bij mij en Tammy te komen. Ik weet zeker dat ze ontzettend goed met elkaar kunnen opschieten.

Ik sta op het punt een volgend telefoontje te plegen als Miri mijn kamer binnen wipt. 'Mag ik, voordat je de lijn weer bezet, hem even gebruiken?'

'Tuurlijk.' Wacht eens even. Miri gebruikt de telefoon nooit. 'Waarom? We hebben al met papa gepraat.'

Haar wangen worden rood en ze pulkt aan haar vingers. 'Ik wilde Ariella bellen. Weet je nog? Van school. Ik dacht dat ik maar eens moest gaan proberen iets met haar af te spreken. Misschien.'

Ik ben sprakeloos.

'Is dat een dom idee?' vraagt ze met grote ogen vol onzekerheid.

'Eigenlijk,' zeg ik, terwijl ik mijn best moet doen om mijn stem nonchalant te laten klinken, terwijl mijn innerlijk wil schreeuwen 'Hup, Miri, hup!', 'vind ik het een geweldig idee.'

Terwijl Miri Ariella belt, ren ik naar de kamer van mijn moeder en fluister haar in wat er op het punt staat te gebeuren.

'Echt waar?' vraagt ze opgewonden. 'Probeert ze vrienden te maken?'

Ik leg haar het zwijgen op als Miri zich weer bij ons voegt.

'Mam?' vraagt Miri. 'Vind je het goed dat ik naar Ariella's huis ga? Er zijn wat meisjes uit mijn klas bij haar en...'

'Ja!' roept mijn moeder snel.

'Hoera!' juich ik.

'Ik schaam me dood voor jullie,' zegt Miri, maar haar glimlach die haar gezicht laat stralen vertelt iets anders.

Eindelijk bel ik Raf.

'Hoi,' zeg ik. 'Wat ben je aan het doen?'

'Ik stond op het punt jou te bellen.'

Hoera! 'Heb je zin om vanavond te komen?'

'Oké. Om een uur of negen?'

Als hij er eenmaal is en hallo heeft gezegd tegen mijn moeder en Miri, neem ik hem mee naar het dakterras voor wat privacy. Het is een van de beste plekken van het gebouw. De vloer is van asfalt en het is niets bijzonders, maar je hebt er een prachtig uitzicht over de stad en 's avonds twinkelen de lichten van de stad als sterren aan de hemel.

'Kun je je voorstellen dat we over een paar weken alweer naar school moeten?' vraagt hij.

Toet!

'Niet echt,' zeg ik afgeleid. De situatie is bijna perfect, maar er ontbreekt iets aan.

Toet! Toet!

Hij pakt mijn hand. 'De zomer is zo snel voorbijgegaan.'

Toet! Toet! Toet!

'Veel te snel,' zeg ik.

'Denk jij ook wel eens dat dat getoeter klinkt als muziek?' vraagt Raf.

Aha! Muziek! Ik sluit mijn ogen en doe een wens:

**Maak dit moment goed op elk gebied,
verfraai deze avond met een lied.**

En dan, alsof het uit een luidspreker in de lucht komt, klinken de openingsmaten van Frank Sinatra's 'New York, New York' door de late avondlucht.

Om de een of andere reden zingt Sinatra '*Ftart fpreading the newf...*'

Ik heb nooit beweerd dat mijn spreuken perfect waren.

Als Raf al verbaasd is omdat hij plotseling muziek door de lucht hoort zweven, laat hij het niet merken. Niet dat het zo ongewoon

is. Dit is tenslotte New York, de stad die nooit slaapt. De stad waar dromen waarheid worden.

'Dans met me,' zegt hij.

Eindelijk. Het lentefeest, het gala, het kampfeest... ik heb heel lang op dit moment gewacht. 'Graag,' zeg ik.

Hij neemt me in zijn armen. Maar in plaats van met me te dansen, glimlacht hij en eindelijk, eindelijk kust hij me. Kust hij me écht.

'Wauw,' zegt hij en zijn ogen worden groot van verbazing. 'Dat was fantastisch. Onze beste zoen tot nu toe.'

Wauw is juist. 'Dat mag ik hopen,' zeg ik, want deze keer ben ik het zelf. Ik trek hem naar me toe voor de tweede ronde.

En het is absoluut een moment vol magie.

Dankwoord

Honderdduizendmaal dank aan:

Wendy Loggia, mijn verbijsterend briljante uitgeefster. Laura Dail, de beste redacteur die je je als meisje kunt wensen. Ook aan de anderen van het geweldige Delacorte Press Random House Children's Team: Beverly Horowitz, Pam Bobowicz, Melanie Chang, Chip Gibson, Isabel Warren-Lynch, Tamar Schwartz, Rachel Feld, Linda Leonard, Kenny Holcomb, Timothy Terhune, Adrienne Waintraub, Jennifer Black en de rest. Gail Brussel, de beste hoofdredacteur die er is. De zeer getalenteerde artiest Robin Zingone. Lisa Callamaro en iedereen bij Storefront Pictures.

Camp Pripstein, het magische en zeer geliefde kamp waar ik mijn zomers doorbracht – dank je, Ronnie Braverman, de beste kampdirecteur ter wereld. Een speciaal woord van dank aan Melanie Fefergrad en aan Sohmer, Christine, Samara, Elissa, Brian, Spike, Ronit en Sam & Jess, omdat ze me hielpen om de herinneringen aan alle lol die we toen hadden weer op te halen.

Mijn moeder, Elissa Ambrose, die alles als eerste moet lezen.

Lynda Curnyn en Jess Braun voor hun advies, dat altijd van grote klasse is. Avery Carmichael, mijn allergrootste fan.

De mensen met wie ik rondhang bij de waterdispenser (oftewel de andere schrijvers, die me helpen om tijd te rekken): Alison Pace, Kristin Harmel, Melissa Senate, Lauren Myracle, E. Lockhart, Carole Matthews, Farrin Jacobs en iedereen op MySpace.

Mijn zus, Aviva, die mijn inspiratie op peil houdt.

Mijn vriendin Bonnie Altro, die me rustig houdt.

Papa, Louisa, Robert, Bubby, Vickie, John, Jen, Darren, Gary, Jess en Robin voor hun voortdurende liefde en steun.

Todd(ie), voor alles.